JN108742

まえがき
アートの秘密を説きあかす

岡本太郎
Taro Okamoto
1911-1996

「太陽の塔」で知られる岡本太郎は若き日、パリに留学した。ソルボンヌで美学や民族学を学び、バタイユ、カイヨワ、シュリレアリストと交流し、その結果得たのが「弁証法」を超える独自な「対極主義」だった。
『岡本太郎の本〈1〉呪術誕生』みすず書房（1998）

1．

「アート思考」は、アート作品をつくるにあたってアーティストの中で作動しているものだ。岡本太郎は自らのそれを「対極主義」と呼び「創造の秘密」の回路を解説してくれたが、多くのアーティストはロジカルには説明してはくれない。

アートのクリティック、つまり批評家や理論家たちは、時にはカオティックなアートのエネルギーを「芸術運動」へと導くこともあるが、コンテンポラリーアート作品が美術館やアートマーケットの前面に出てくる今日のような時代においては「事後的な解説」になることが多い。

それは、批評言語の「速度」より速く、作品が生成されてくるからであり、解釈とアート作品の「乖離」も起こりやすくなる。

このような事態において、アートの秘密を「解きあかす」ためには、アーティスト自身と対話したり、インタビューすることによって、アートの秘密を「説きあかす」ことがきわめて重要になる。

僕は80年代から「インタビュー」「聞き書き」「対談」を、さまざまなジャンルで膨大な量をこなしてきた。雑誌の連載がまだ有効な時代にあたっていたし、インタビュー自体が批評行為としてアップデートされてきたこともある。

インタビューという作業は、相手の「内側」に侵入すると同時に「相互的」に何かを生みだす触媒作用がある。文字通り、独りを超えた「インター」な変成過程たりうる。

その過程では、コトバにできることとできないこと、語りえること語らないこと、私と他者の「モラル」も発生する。既存のマスメディアのインタビューは「欲しい答え」だけを求める「非対称的」なジャーナルになりがちだ。

「あなたになぜ質問したいのか」という動機や、立場表明のなしには、インタビューは成立しない。とりわけコトバを超えた「問い」を作品として提出してくるアーティストへのインタビューはいかに共犯関係、共同な姿勢をつくれるかが重要だ。秘密を明らかにするのは、丁寧で慎重な作業でなくてはならない。

僕は誰か人にインタビュー術を学んだことはないが、優れた先人のインタビューを読み、問うことのモラルや技法、タイミングなどを独自に学んでいった。

そのような中で、ある時からアーティストにインタビューすることの重要性を強く感じるようになった。それはアートの秘密を「説きあかす」ことの有効性を思うからである。

コンテンポラリーアートは、たった今生まれてくるものだから、まだ言説が対応できていない領域がある。おまけに、アーティストの思考や実践はどんどん変容していくから、2年前に言っていたことと真逆に変わることだってある。アーティストの思考やコトバは、普遍的な深度を持ちつつ同時に高速な流動性を持つ矛盾体で、それが魅力の源泉なのだ。

たしかに、ある時期まではアートにおいても「理論」は有効だった。それは科学とイデオロギーがヴィジョンを構築できると信じられていた時代の話だ。今は文脈（コンテクスト）やマップを使い、自らが変容体となり、中心のない世界を旅する術を身につけ

ハンス・ウルリッヒ・オブリスト
Hans Ulrich Obrist
1969-

チューリッヒ生まれ、ロンドンのサーペンタインギャラリーの共同ディレクター。1991年に自宅で行なった展覧会「The Kitchen Show」を始点に、多くの展覧会をキュレーション。その可能性を広げてきた。この、欧米のパイオニア・キュレーターたち11人をインタビューしたアーカイブ『キュレーション』は現代のアートの「価値生成」システムがどう生まれてきたかを知る必読の書。また2007年からは、ドイツの出版社ウォルター・ケーニッヒから「会話シリーズ」を刊行。オラファー・エリアソン、フィリップ・パレーノなど最重要作家のインタビューによるアーカイブプロジェクトを進める。現在、25アイテムを超えている。
『キュレーション』訳・村上華子、フィルムアート社（2013）

Hans Ulrich Obrist *A Brief History of Curating*

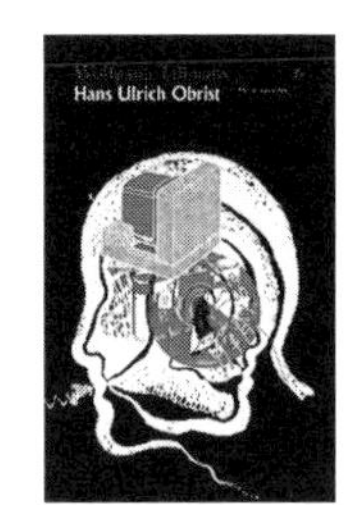

『The Conversation Series』
Walther Konig(2007-)

なくてはならない。
もはやこのような中では、アーティストの実践と理論は必ずしも一致しない。しかし、ジャーナルが消費社会のインフォメーションにとどまるなら、それはまもなく死滅するだろう。なぜならAIが「記事」を生成し始めているからだ。消費しやすい情報の加工・提供は、もはや人間なしにも生成できる。その一方で、たとえば「オーラルヒストリー」のような、喋りコトバをアーカイブすることや、あるいはアーティストとの共働を進める上でのリサーチとしてのアーティスト・インタビューの重要性はかつて以上に高まっている。
「インタビュー」「カンバセーション」「メイキングドキュメント」「アーカイブ」はますます重要なのだ。そしてそれをコンダクトする「キュレーション」はイデオロギー以上に時代を動かす知的な実践術になった。

さて、本書も「アーティスト・インタビュー集」の体裁ではあるが、アーティストたちの「アート戦略」と「アート思考」をリサーチする「過程」の書である。
アーティストへのインタビューの作業は、批評やキュレーションにおいては「関係」を生む重要な機会だ。リサーチなしには展覧会の企画立案もキュレーションも成り立たない。
アーティストとの対話は、親和と異和、理解と誤謬、共感と敵対が発生する瞬間のドキュメンテーションとも言えるだろう。キュレーターのハンス・ウルリッヒ・オブリストはもっとも戦略的な１人だ。出版社ケーニッヒから出し続けている「カ

デイヴィッド・シルヴェスター
David Sylvester
1924-2001

ロンドン生まれ、美術評論家／キュレーター。フランシス・ベーコン、アルベルト・ジャコメッティ、ルシアン・フロイドなど20世紀の重要なアーティストを批評・研究。ベーコンのインタビューは1962年から1984年まで9回にわたり行なった貴重なもの。
上『フランシス・ベイコン・インタヴュー』訳・小林等、筑摩書房（2018）
下『Interviews with American Artists』Chatto & Windus（2002）

ンバセーション」シリーズの編集的なポイントは、同じアーティストに場所や時を違えてインタビューが何回も行なわれ、収録されている。いわば定点観測である。ジャーナルでありつつアーティストの思考、手法を知る一級の資料にもなる。
オブリストは、イギリスの批評家デイヴィッド・シルヴェスターをリスペクトしており、彼のアーティストへのインタビューの姿勢を範としている。「カンバーセーション」シリーズは、当初から構想されていたものではなく、インタビューを集積していったある日、編集のアイデアが降臨してきたものだろう。日付と場所が記録されたアーティストのコトバ。そのドキュメントであり、エビデンスをまとめることもキュレーションたりうる、とオブリストは気づいたに違いない。
さらに、アーティスト・インタビューの重要性は、語られた言説としてだけでなくドキュメントとしても独立したアートフォームに成長していく可能性を持つようにもなっている。
以前ある展覧会で、イギリスの現代作家タシタ・ディーンによる映像作品『マリオ・メルツ』（2002）を観て、小さな衝撃を受けたことがある。マリオ・メルツはイタリアの芸術運動アルテ・ポーヴェラの中心人物である。
その映像は、木の下に老メルツが歩み出て椅子に座り、カメラに向かってただ話し続けるという単純なものだ。それは我々が行なう「アーティスト・インタビュー」と同じことが行なわれているはずなのに、記録や報道といったものを超えた、あるかけがえのなさを獲得できている希有な「作品」だと感じられたのだ。

タシタ・ディーン
Tacita Dean 1965-

イギリス生まれ、映画を媒体として活動するヴィジュアル・アーティスト。98年にターナー賞にノミネートされる。ドローイング、写真、サウンドなどのメディウムを通じて、歴史や記憶を喚起するアート作品の発表をし続けている。

マリオ・メルツ
Mario Merz 1925-2003

イタリア生まれ、アーティスト。第二次世界大戦中に反ファシズムグループとして活動。投獄中に絵を描き始める。1960年代にガラスやさまざまなオブジェを使った作品に移行。芸術運動アルテ・ポーヴェラの重要作家に位置づけられる。生物界に見られるフィボナッチ数列に基づく作品を制作。

インタビューというアーカイブが見事に「作品」へとシフトしうる。タシタ・ディーンは他にも過去50年間の重要なアーティスト・思想家をキャプチャしており、マース・カニングハムやサイ・トゥオンブリーらも作品化している。
これは、よりコンパクトで高性能な映像撮影ガジェットが簡単に手に入り、YouTubeや Instagramでパーソナルな発信、アーカイブが可能になった若手新世代を、確実に勇気づけることだろう。
アーティスト・インタビューは、単なるジャーナルや批評の補足的なものではなく、アートワールドにおいてきわめて重要な存在にシフトしたのである。

２.

この『アート戦略２／アートの秘密を説きあかす』には、46本のインタビューが収録されている。これらはすべて、雑誌やWEBですでに発表されたものの中から、章立てにしたがって選びだしたもので、内容はほぼ発表当時のままである。一部を除き日本での展覧会にあわせた来日のタイミングで、すべて通訳を介して行なわれている。
自動翻訳や自動通訳のテクノロジーが急速に進む中で、このようなインタビュースタイルも変わっていくだろう。
しかし、アーティストが生で、その場で語るということの重要性はますます高まるだろう。なぜなら、そこにはいまだにどこにも書かれていない「アートの秘密」が露出するからである。

ヤン・ファーブル
Jan Fabre 1958-

ベルギー生まれ。アーティスト／演出家。青インクのボールペンのドローイングやたまむしでつくった彫刻などを制作。2008年には、ヴェネチア・ビエンナーレにおいて巨大なインスタレーションを発表した。1986年からはTroubleym/Jan Fabreと名づけたシアター・カンパニーを設立。世界的に活動している。
『THE POWER OF THEATRICAL MADNESS』ICA（1986）

以前、演出家でアーティストのヤン・ファーブルにインタビューした時のエピソードを記しておきたい。

「この宇宙の根源にある原理は何だと思いますか？」と僕は彼に質問した。

「カオスですか？　それともオーダーですか？」と。

そうするとファーブルは少し間を置いて、柔和な表情で「オーダーだね」とキッパリと答えた。正直驚いた。僕は今まで彼に数度インタビューしていたので、「カオスだ」と答えるだろうと内心思っていたからである。

彼は『ファーブル昆虫記』のファーブルのひ孫で、何百匹もの「たまむし」を貼りつけた衣装や、濃紺のビッグボールペンを何百本も使って紙全面にドローイングし、その紙を館に貼りつける作品で知られている。最近では、自らの顔を変形させた異様な彫像も発表し続けている。

僕が彼の作品を初体験したのは1994年で舞台作品『Da un'altra Faccia del Tempo(時間のもうひとつの側)』であった。それは舞台の天井から割れた皿が何百枚も落下する衝撃的な作品だった。その後も彼の舞台も展覧会も観続けているが、いつも観る者を脅かし、同時に過剰な快感を与え続ける。

僕は彼が来日するごとにインタビューを申し込み、その時に、彼の舞台をロバート・メープルソープが撮影した小さな写真集『THE POWER OF THEATRICAL MADNESS』（イントロダクションのテキストはなんとキャシー・アッカーである）の余白にサインと日付をもらい続けている。

割れた皿が飛び散るのが初期体験だったのだから、ヤン・ファーブルの口から「オーダーだよ」と発せられたことは、とても印象強かったし、アーティストの頭の中で生成する思考のすごさを痛感した。

アーティストには、インタビューしないと絶対に表出してこないことがある。

僕はよく、アーティストと仕事で組みたいというビジネスピープルに対して言うことがある。それは、「アーティストは太陽みたいなものです。離れていると暖かくて気持ちがいいかもしれないが、近寄ると目が潰れ、焼け死にます。そのことがおわかりですか？」と。

「アート思考」は通常のロジックではないが、デイスラプション（破壊的創造）の過程を伴う価値生成のシステムだ。それを知り、身につけることは、ますますAIとアルゴリズム支配する時代において、人間に必要なものになる。

この本では、第1章の「ヴィジョナリーとしてのアーティスト」を皮切りに、いかに従来の価値基準と「アートワールド」が変化しているかを整理し章立てを構成した。各章の冒頭のテキストは、これらのインタビューを踏まえつつも、独自な視点で書いたものである。コンテンポラリーアートの、僕なりの指針（ダイレクション）である。

目次

第１章
ヴィジョナリーとしての
アーティストへ

マルセル・デュシャン
Marcel Duchamp
1887-1968

フランス生まれ、アーティスト。「レディメイド」など、従来のアートを再定義する重要なシフトを行なった。そのデュシャンの「秘密」を説きあかしたのは、美術評論家のピエール・カバンヌとの対話本、そしてカルヴィン・トムキンズの評伝である。とりわけトムキンズの『マルセル・デュシャン』は、デュシャンの「リアルライフ」の秘密を詳細に描いた名著である。
『マルセル・デュシャン』訳・木下哲夫、みすず書房（2003）

我々が「コンテンポラリーアート」と呼ぶ「現在」の領域を扱う時、誰もがマルセル・デュシャンの「便器」から始めるだろう。

たしかに彼が提出した「レディメイド」や「網膜的快楽の否定」、あるいは「作品は観客によってつくられる」という「アート思考」のシフトにより再定義された「アートワールド」の現ルールはいまだ有効だと思う。

しかし、彼が1954年にアメリカに帰化し、57年にヒューストンのシンポジウムに参加し、63年にパサディナ美術館で辣腕キュレーターのウォルター・ホップスが初めての大回顧展をやったこと、つまり60年代という時代が古いデュシャン評価をアップデートさせ、浸透させた事実を無視できない。つまり、よくも悪くも、アートワールドの価値ルールの歴史は、「つくられて進む」ということだ。

現在、価値形態の分裂と融合は、社会全体のビッグチェンジであり、アートワールドはそのもっとも苛烈なフィールドとなっている。

そのような時に、今さらのように「デュシャン」をおまじないとして唱えることからは卒業したい。ヨーゼフ・ボイスが「デュシャンの沈黙は過大評価されている」と語ったことがあるが、そのボイスすら聖域にはならない。

誰かが「ペインティングは死んだ」と叫んでも、絵画は死なないし、コンテンポラリーアーティストたちはさまざまな局面において、かつてない価値生成をタフに「開発」している。

コンテンポラリーアートの領域は、ヒストリー、価値のエコ

ハラルド・ゼーマン
Harald Szeemann
1933-2005

スイス生まれ、キュレーター。1961年に28歳でクンストハレベルンのディレクターに就任。1969年に「態度が形になるとき」をキュレーションし、その後、150を超す、新しいアートの展示に挑戦し続けた。その展覧会の資料は『Harald Szeemann, with by through because towards despite』にまとめられている。また2011年にはアメリカのゲティ・リサーチ・インスティテュートがゼーマンの膨大なアーカイブを購入。巨大な全貌の研究が始まったばかりだ。またテキストも英訳され出版された。
上『Harald Szeemann Selected Writings』Getty Publications（2018）
下『When Attitudes Become Form』Fondazione Prada（2013）

システム、アート思考全体を再編・再生・新生し続けなければならなくなっているのである。
新しい事態は「古い思考」ではなく、「新しい思考」でなければ対応できない。我々の時代はセザンヌが絵を描いていた時代とは、社会のインフラ、行動様式、思考はまったく異なっているし、ピカソにおける「天才神話」や悲劇と夭折のモデルもまったく失効したことから再出発しなくてはならないのである。

コンテンポラリーアートの新たな「モデル」を考える時に、ここにまず前提として提出したいのはキュレーターのハラルド・ゼーマンが言った「個人的神話（インデビジュアル・ミソロジー）」である。彼は若くして就任したクンストハレベルンで組織した展覧会「あなたの頭の中で生きる：態度が形になるとき」（1969）や続く「ハプニングとフルクサス」（1970）、ドクメンタ5（1972）で、美術館や芸術祭を実験場に変えた。
彼の行動の背景には、60年代末のコンセプチュアルアートへの共感から発する文明転移のヴィジョンがある。物質と観念の二元論や凝り固まったイデオロギーを破壊して、流動化させること。「態度が形になるとき」のサブタイトルとしてつけられた「WORKS - CONCEPTS - PROCESSES - SITUATIONS - INFORMATION」というコトバにそれがはっきりと表明されている。
そのような中でゼーマンが新たなモデルとしたのは、「個人

マーシャル・マクルーハン
Marshall McLuhan
1911-1980

カナダ生まれ、メディア研究家。「メディアはメッセージである」「テクノロジーは人間の身体の拡張である」との主張を行ない、『グーテンベルグの銀河系』などを著す。本書は息子エリックが編集したもの。
『エッセンシャル・マクルーハン』訳・有馬哲夫、NTT出版(2007)

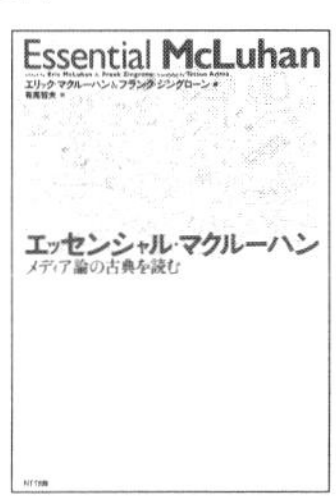

的神話」であった。彼はこのコトバをアーティスト、エティエンヌ・マルタンから得た。

ゼーマンの先見の巨大さの全貌についてはここでは省くが、20世紀末から21世紀にかけてのキュレトリアルなテーマがゼーマンの営為の中に詰まっており、それは巨大な鉱脈を成している。我々は今その「再発掘」過程にある。

なかでも早くにも彼の目が､「アート」の外にあったヒーラーのエンマ・クンツやアドルフ・ヴェルフリら、その後「アウトサイダーアーティスト」と呼ばれる人々、フーゴ・バルなどのアナキズムにまで及んでいたことは達見がある。

この冒頭の章は、新しいアーティストのモデルとして「ヴィジョナリー」をキーワードとして掲げているが、これはゼーマンの「個人的神話」をアップデートしたものだ。草間彌生に始まり、名和晃平、杉本博司、田根剛という世代もジャンルもまったく異なるアーティストたちのインタビューを配置した。

もちろん彼らを別のキーワードで配置することもできるが、彼らが提出する作品の背景には、逸脱の思想と巨大な妄想力と構築力があることに注目したい。

「ヴィジョナリー」とは「予見者」「幻視者」である。その力により、古代より多くの宗教者を輩出してきた。

現代において、それに代わるヴィジョナリーとしてアーティストの力を明確に言い当てたのはマーシャル・マクルーハンである。彼はコンセプチュアルアートが爆発した1969年に、雑誌『プレイボーイ』のインタビューでこう語っている。

ポール・チャン
Paul Chan 1973-

香港生まれ、アメリカ人アーティスト。タイポグラフィ、映像、オブジェ、演劇、出版などさまざまなメディウムを通じて、ソーシャリーな問題を提起し続ける。2014年にシャウラガー美術館で回顧展が開催され、それにあわせて『Selected Writings 2000-2014』を刊行。

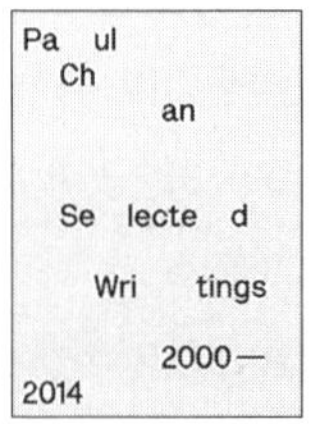
Pa ul Ch an Se lecte d Wri tings 2000— 2014

「芸術家は、外的世界の言語を読み取り、それを内的な世界に引き継ぐ預言者の能力(そして勇気)を持っています。(中略)新しいメディアによって引き起こされる変化を知覚するのは、いつも芸術家でした。芸術家にとっては、未来が現在で、自分の作品を未来の備えをするために使うのです」

マクルーハンは50年前に、コンピュータサイエンスがもたらす大変化、そのリアクションとしての再部族化を先取りしている。

ヴィジョナリーとしてのアーティストたちは、未来から持ってきたものを「今ここ」で提示するだけだ。時には荒唐無稽で、非論理的に見えるかもしれないが彼自身にとっては、宇宙論ですらある。「個人的神話」はそのような方法論なのだ。

さらに具体例を挙げよう。香港生まれのアメリカのアーティスト、ポール・チャンのアニメ作品『Happiness (finally) after 35,000 years of Civilization (After Henry Darger and Charles Fourier)』(1999-2003)は、代表的な「ヴィジョナリーとしてのアーティスト」の戦略性を示している。

彼は、ヘンリー・ダーガーの『非現実の王国で』におけるヴィヴィアンガール(両性具有の戦闘的少女)の「戦争」をアニメ化し、その世界と18世紀の空想的社会主義者であったシャルル・フーリエのコミューンを重ねあわせて作品化している。ここでは2つの「個人的神話」が融合され、増幅されているのだ。シャルル・フーリエは、同世代のマルクスも一目置いた思想家で、彼のヴィジョンは要約すれば「愛と情念」

シャルル・フーリエ
Charles Fourier
1772-1837

フランス生まれ、哲学者／社会思想家/空想的社会主義者の1人。ニュートンの「万有引力」に対し「情念引力」理論を提唱。それを『四運動の理論』にまとめる。ファランステールと名づけた共同体（ユートピア）は、シュルレアリズムなどアートに大きな影響を与え続けている。
『四運動の理論』訳・巌谷国士、現代思潮社（2002）

ロラン・バルト
Roland Barthes
1915-1980

フランス生まれ、哲学者／記号学者／批評家。1953年の『零度のエクリチュール』は鋭く社会を分析したものとして時代の寵児となる。『サド・フーリエ・ロヨラ』においては、フーリエのユートピアの言説を分析する。
『サド・フーリエ・ロヨラ』訳・篠田浩一郎、みすず書房（2002）

に基づく経済、政治形態の社会の実現である。フーリエの著作『四運動の理論』『愛の新世界』は、ヴォルター・ベンヤミンやアンドレ・ブルトンらシュルレアリストに多大な影響を与えた（ベンヤミンは「19世紀の首都・パリ」を描きだすにあたり、その論考を「フーリエあるいはパサージュ」と題する文章で始める）。ロラン・バルトもまた著書『サド、フーリエ、ロヨラ』においてユートピアのエクリチュールを議論する。フーリエの「ファランステール」とは、彼が構想した組織体である。バルトは「この組織体の主たる労働、それは交流である」と強調する。つまり、ファランステールの活動は、「パーティ」であり、「労働」に代わり男女が恋愛のために「交流」し、情念や愛が交換されるエロスの経済体系とされる。バカバカしいと笑われるかもしれないが、これが資本主義や共産主義のオルタナティブとしてフーリエがリアルに構想していたものであり、それは単なる妄想ではなく、厳密な数字、体系化により構築されたヴィジョンであった。

しかし翻ってみれば、ネットテクノロジーの加速化の中で、フーリエが夢想したことは「現実化」しているのではないか。出会い系サイトからYouTubeの経済に至るまで、「快楽」や「幸福」を軸とするフーリエのユートピア主義の亡霊は消滅するどころかポスト資本主義社会では増幅している。

コンセプチュアルアートの価値生成をベースに、写真を使い価値生成し続け、ついには小田原の江之浦の地に「測候所」という名の装置＝マイクロユートピアを自ら設計しつくり出した杉本博司にもよく表れている。彼の頭脳の中では、すべての人類文明が滅んだ時に自分の作品がいかに朽ち果てているかというヴィジョンが先取りされている。また名和晃平も「彫刻家」では括れない。彼の学生時代に影響を与えたルドルフ・シュタイナーは「社会三層化論」を提唱し、資本主義に代わるオルタナティブな世界のありようを提出していた。名和の鉱物から植物、動物へとメタモルフォーゼしていくマトリックス的な手法も「個人的神話」をアップデートしたものだ。ルーブル美術館で発表した『Throne』は、消費社会をクリティカルに捉え、「玉座」の不在を提示したし、またコロナ禍において東京の「ブランド」の中心地とも言えるGINZA SIXにおいて発表した巨大インスタレーション『Metamorphosis Garden』(2021)も彼の「変成」のヴィジョンを強く打ち出したものだった。
そして「建築家」田根剛の提唱する「未来の記憶」としての建築もまた、杉本博司同様、未来をここに招喚することと重なりあう。
我々は「アーティストのモデル」を大きくシフトしなければならない時期に来ている。パイオニアとしてのバックミンスター・フラー、そして思想家ジェームズ・ラブロックやアーティスト、オラファー・エリアソンらもまた、エンジニアリングをベースとしたヴィジョナリーであることに注目したい。

名和晃平
Kohei Nawa 1975-

大阪生まれ、彫刻家/アーティスト。2002年に彫刻をセル(細胞・粒)で捉え直す作品「PixCell」を制作。以降、宇宙、生命、情報、物質などの変容・変換をテーマとする作品を発表。2018年には、ルーブル美術館ピラミッドで大型作品『Throne』を展示。同時に、作品集を発行。
《Throne》2018
撮影:Nobutada Omote | SANDWICH

ルドルフ・シュタイナー
Rudolf Steiner
1861-1925

クロアチア生まれ、哲学者/神秘主義者/教育者。ゲーテ研究者としてスタートし、人智学協会を設立。スイス・ドルナッハには、拠点であるゲーテアヌムがある。人間が「超感覚的認識」を持つことを重視するが、それ以上に社会全体の変革を構想し、「社会有機体三分節化」を提唱。『シュタイナー 社会問題の核心』訳・高橋巖、春秋社(2010)

本博司〈小田原文化財団 江之浦測候所〉
Odawara Art Foundation

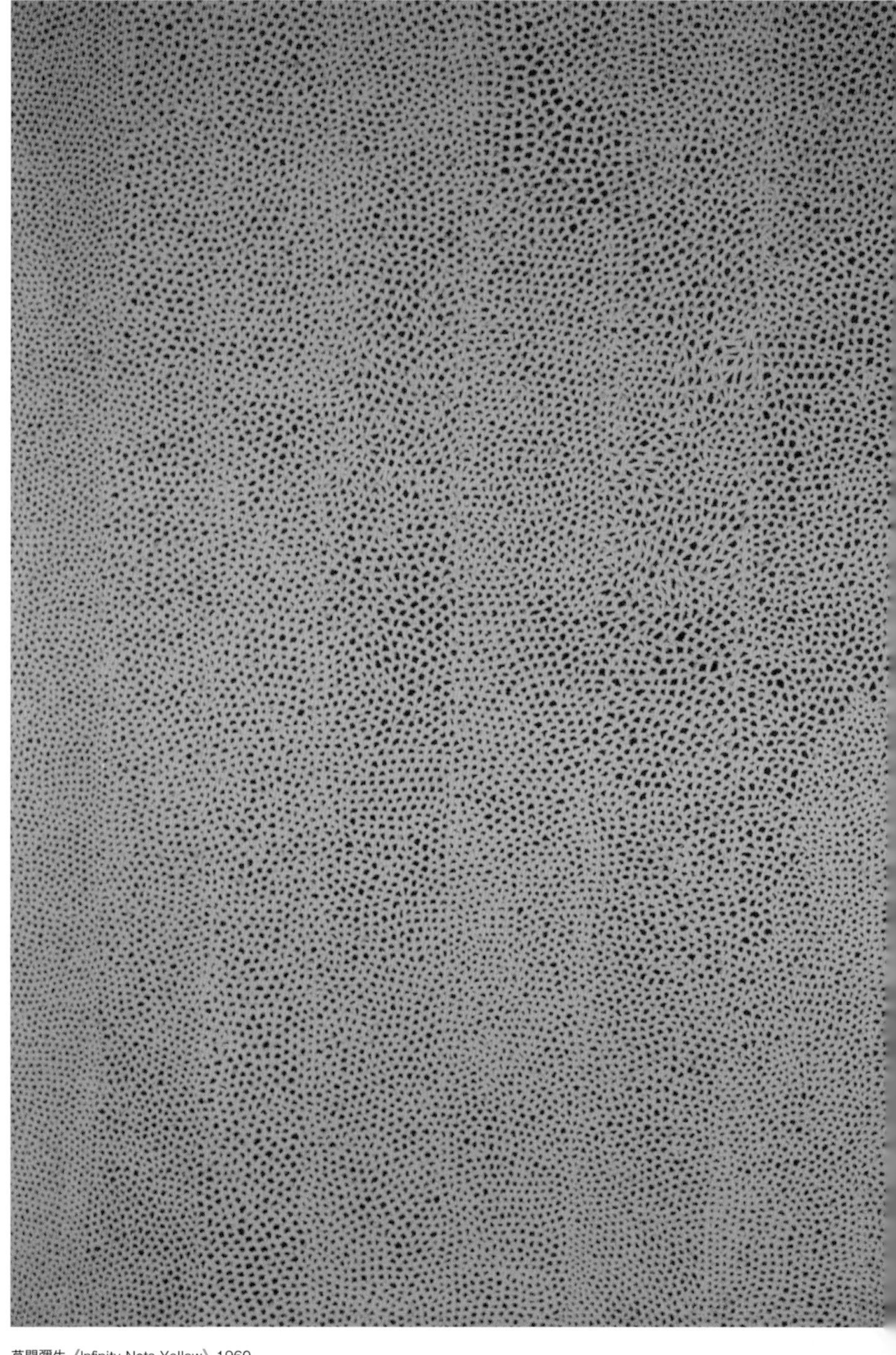

草間彌生《Infinity Nets Yellow》1960
所蔵：The National Gallery of Art（ワシントン）

名和晃平《Metamorphosis Garden》2021
GINZA SIX（東京）での展示に際してシミレーションされたインスタレーションイメージ

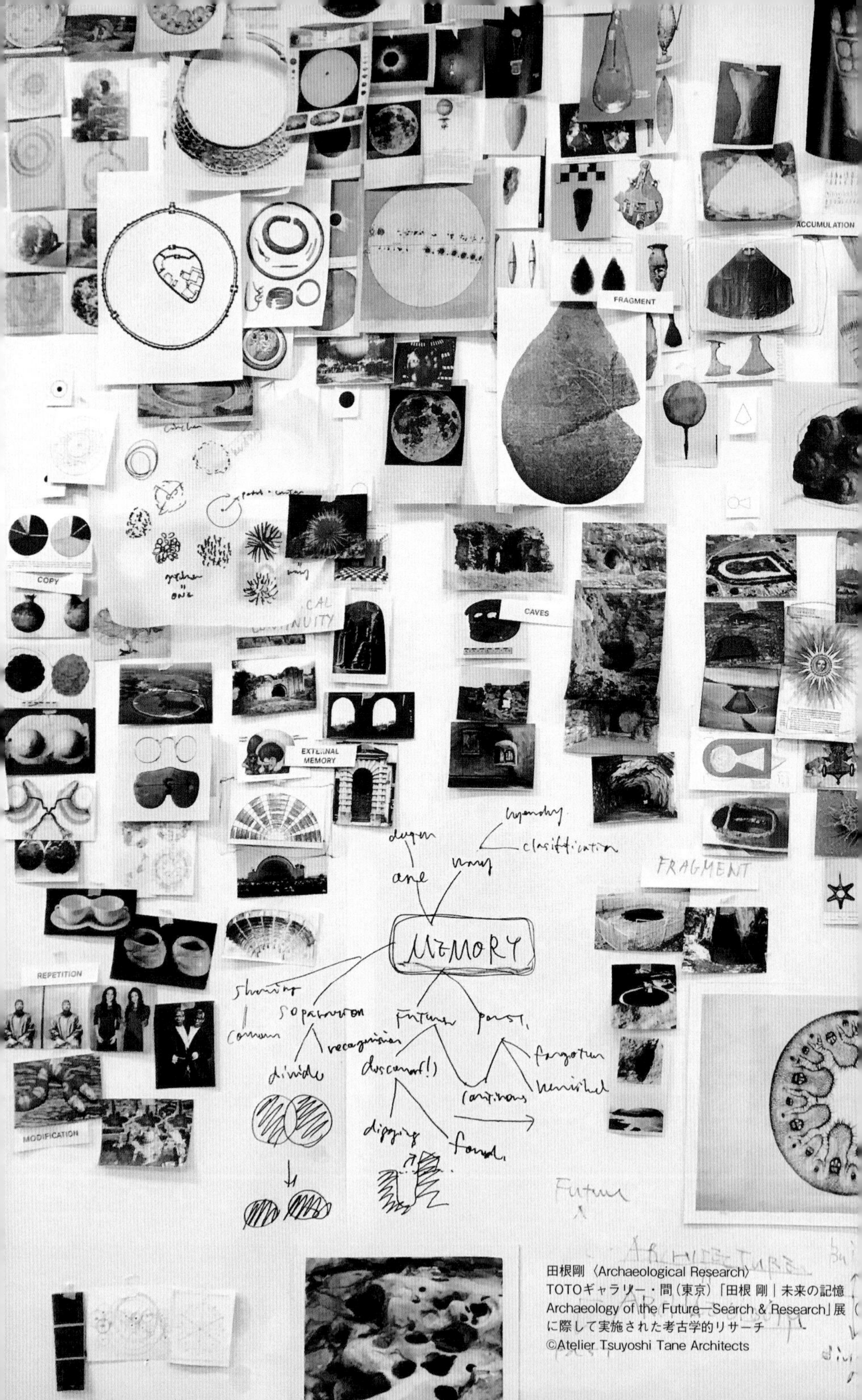

田根剛〈Archaeological Research〉
TOTOギャラリー・間（東京）「田根 剛｜未来の記憶 Archaeology of the Future—Search & Research」展に際して実施された考古学的リサーチ

WRITING
TRACE
LAYERS
MEMORY
RECORD
HISTORY
ARCHITECTURE
TIME
ARCHAEOLOGY
Archaeology of the future
DNA
CELLS
LONG TERM
ARCHAEOLOGICAL SITE
EVOLUTION
DIGGING
OVERLAPPING
DEGENERATION
MEMORY
INFORMATION
JUXTAPOSITION
in the landscape
TAXONOMY
one system
network

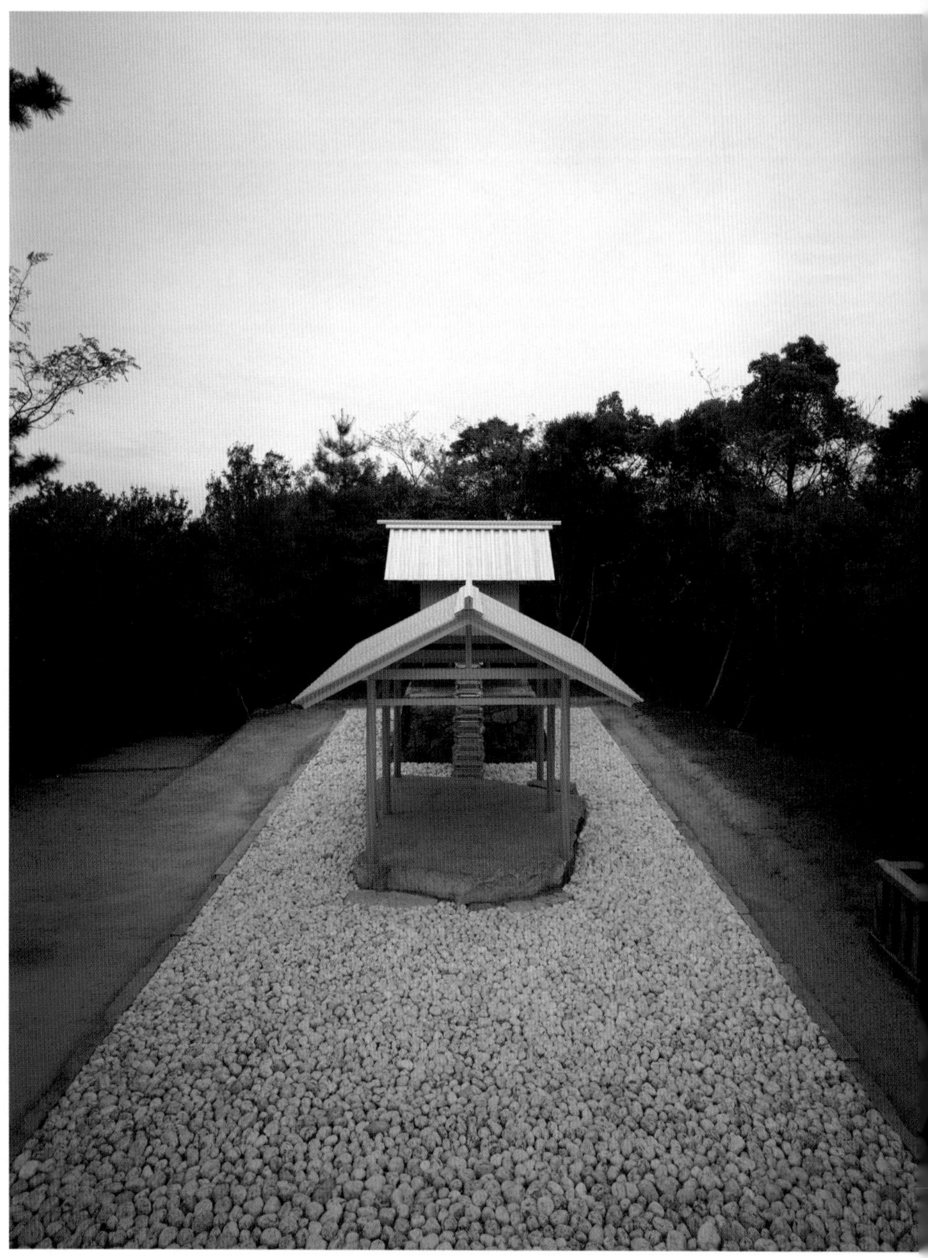

杉本博司《APPROPRIATE PROPORTION》2002

001_Yayoi kusama
草間彌生に聞く：
離人カーテンの向こうにあるもの

1（1999年3月24日2:00）

灰色の街の一角、モルタルのビルに入り、狭い階段を下へ降りる。草間スタジオ。
約束の時間。ドアを開ける。
おかっぱの髪。黄色い「ネット」の服を着た草間さんが出迎えてくれる。小柄、とても若く見え、年齢が読めない。大きく見開いた目。
ひっきりなしに電話が鳴っている。若いスタッフが対応に追われる。
今までの資料、カタログ、本などが整理されたオフィス。その横は工房。
パネルや工具が散乱している。黄色に黒のドット柄のかぼちゃやペニス状の彫刻の祖型がところ狭しと置かれ、その中に、発泡スチロールでつくった展覧会用の模型がある。赤いつるつるの立体が部屋全体まで膨れあがっている。

後藤（以下SG）ーこれは？
草間（以下YK）ーバルーン。中は空気なのよ。膨らんでるの、前にもつくったけどあれはFRP。だからいくらでも大きな作品がつくれる。
SGーこの形は？
YKー男根です。セックスの。ペニスです。
SGーこの空間も離人症の空間に似てるんですか？
YKーええ。
SGー何もない無限の空間に、それが突然あらわれて……。
YKーええ。
ねえ（スタッフに向かって）、イチゴさしあげたら？（オフィスの方のテーブルの方へ2人とも歩いてゆく）今、お茶さしあげますから。イチゴ好き？（白いテーブルを前に2人で座る。小さな器にイチゴが盛られている）コーヒー飲まれますか？

見るとテーブルの上のコーヒーカップは、すべてあの「インフィニティ・ネット」の柄。
なぜだろう。なぜか映画『CONTACT』が持つ恐怖と安らぎが襲う。
草間さんが横に座っている。
僕は悟ったように言う。
「ではインタビューを始めます」

2（恐怖は突然襲ってくるから……）

YK－……幻覚でもって先週、えらいめにあったの。幻覚、いろんなものがグラグラグラグラって。突然襲ってくるから。網目があらわれて、それがぺったりくっついて。昼間です。少し暗くなりかけたころ。夜も見るし､緑色の勾配のところをね､何千頭っていう牛が登ってくの。ええ､それでね､空は何色だったかしら。あたしの…（スタッフに向かって）スケッチブックここにある？（今はちょっとないという返事）忘れないうちにスケッチする。絵を描いてると、描いてるドットやネットが床や机や、自分の手とかにいっぱいあって。子供の時から。紙を細かくちぎって貼っていったり、常同反復作用の延長だと思っているんですよ……。

……あたし１人でこの部屋にいられないわけよ。みんなが周りにいてくれるから、こうしてられるけど、１人でいるとね、これ（と言って手首を見せる）カットしちゃうわけよ。死にたいわけよ、ものすごく。
死なんて恐くないです。ええ、生きてるのが辛いというのがあるわけね。手が震えたり、足が震えたり。みんなと同じ生活できないから。永久に死ぬまで精神病院にいるわけよね。離人症始まっちゃったらね、もう、モノがみんな離れてっちゃう、何もかも全部。ミルク色のカーテンがあらわれて。
恐怖ですよね、すぐ自殺しようと思うから。9階の、あたしのアパートメントに自分

１人でいられないわけですよ。いつ飛び降りるかわからないから。かならず誰かがついてくわけですよ。バルコニーから飛び降りたくてしょうがないわけよ。病院の看護婦さん呼ぶつもりで、テレフォンのところまで行きたくても、柱から手を離すと、ちょっと回り道してバルコニーの手すりのところへ行っちゃうのね。自殺愛好型なのよ。外出る時も、お薬こんなに持たされてるわけよ。で、発作起きたらすぐ飲むの。トランキライザー飲んで。あなた、トランキライザーって飲んだことあります？

３（セックス／フード／オブセッション）

１枚のモノクロ写真を見ている。
ニューヨークにて、1962年。
彼女は全裸で、イソギンチャクの触手のように、何百本ものペニスが生えた長椅子に、うつぶせに横たわり、写真のレンズの方を見つめている。ファロス・カウチ。
誰が撮ったのだろう。彼女が写っている写真は奇妙なことに、セルフタイマーで撮影したように見える。誰かに撮られるのではなくて、自分を自分で撮るのだろうか。
いつもように長い黒髪、おかっぱ姿。あどけなさが残る体にも黒いハイヒールにも、ドットがペイントされている。カウチの背景は、彼女が描いた無限に繰り返されるネットがどこまでも伸びてゆく「インフィニティ・ネット」。そして床は、ぎっしりとマカロニで埋めつくされている。
この写真には、彼女を襲い続け、そして描き続けることになったモチーフがすべてあらわれている。悪夢!?　いや、逆に僕はここにも不思議にあるのは、優しさであり、安らぎのような気がする。清らかと言ってもいいと思う。なぜだろう？

YKーマカロニなんかはオブセッションのトップよね。だって機械でつくるでしょ。パンだとか、お米だとかいうのは精神的なものもあるけれど、マカロニっていうものは機械で大量生産をしてつくったのね。

SG－いつ、マカロニを発見したんですか？

YK－ニューヨーク行って、こういうものばっかり食べてたのね。見ると吐き気がするわけです。

SG－恐いですか？

YK－ええ、最初は恐い。オブセッションだから。強迫観念。食べ物のオブセッション。結局、食べることやめたら死んじゃうでしょ。生涯食べてかなきゃならないっていう恐怖もあった。

SG－マカロニのこの形も重要ですか？

YK－マカロニをスーツケースやハンドバッグやパンツや靴にくっつけてスプレーしたわけ。銀や金でもって。マカロニ・オブセッションですよ。

SG－形は？

YK－別に。

SG－穴が空いてるとか、ペニス状だとか、それ自体は特別に問題じゃないんですね。

YK－うん、そう。

（カタログを取りだして見ながら、インタビューは続く）

ここ読んでみて（と言って、膨大なカタログの中の１冊のページを開く）

SG－「私は私の死にいたるまで、あたかも終着なきハイウェイをドライヴし続けるかのように感ずる。自動式のカフエテリアで出される数千杯のコーヒーを飲み続けるかのようである。そして私が望むと望むまいと、私の生涯の終わりまで、ありとあらゆる感覚とヴィジョンを欲望し、同時に逃避し続けるつもりだ。私は生存をやめることはできないし、また死から逃げることもできない。1963年」

YK－マイ・フラワー・ベッドは、ポンピドゥー・センターが買った。

SG－ペニスはなぜ？

YK－あたし男性が嫌いなんですよ。セックスを恐れてたわけです。おっかないから。

SGーゲイの人は？『クリストファー男娼窟』とか書いてるでしょ？

YKーホモの人が多いの、まわりに。『おしべの憂い』っていう作品なの（と言って写真を探す）。おしべって男の人でね。天におしべが風に吹かれて飛んでくっていう絵があるわけ。

SGー……やっぱり恐怖を克服し、解放されたいんでしょうか？

YKーいえ、療法ですよね。自己療法。

SGー作品化すれば、オブセッションは消えますか？

YKーいえ、死ぬまでとり憑いてる。子供ん時からの病気なの。作品は自殺の儀式だから、先にしとくわけ。みんな自己療法なの。

4（幻覚と色）

彼女は1998年にニューヨーク、ロバート・ミラー・ギャラリーで、久しぶりに金色の作品をつくった。一体が2メートルあまりの、ミロのヴィーナスの等身像。金色に10色、色違いのネットで覆ったもの。

YKー……パッパッパッてね、濃かったり、薄かったりしてね。光を放つわけ。離人症の幻覚の時は、原色の時も無色の時も金色にピカピカしてる時もあるし。病院の廊下でね、骨が落ちてたわけ。骨が落ちてたのね。拾おうと思った、パッパッパッてね、オーロラが見えるの。昔ね、桜上水に１人で暮らしてたのね。その時に、猫が縁側に来たらね、猫がピカピカって光ったの……。

おそらく、金色であれ、銀色であれ、赤であれ、それらはすべてこの世のものが点滅し発光するフラッシュ・バックなのに違いない。銀色のスーツや金色のヴィーナスの光は、恐怖であり、そしてそれ以上の美でもある。

5（フラワー／シャングリラ）

SG－植物や動物もコラージュとかで出てくるでしょう？

YK－ええ、いっぱい出てくるの。

SG－花園とか、それは草間さんにとって、ある種のユートピアじゃないかと思うんですが。離人カーテンの向こうにある。

YK－そうですね。シャングリラの世界。一歩出たら、そこには何もない。今ね、「幻覚の彼方」っていうタイトルの展覧会やってるの。

SG－あっ、幻覚の向こう側なんだ。

YK－そう。幻覚の彼方、そこにユートピアがあるわけよ。幻の向こうに。

SG－草間さんの作品は激しいオブセッションが生みだしたものなんだけど、何かその向こうにすごく静かな世界があるような気がする。草間さんが書かれる小説の中にもいっぱい花が出てくる。ペチュニアとか。

YK－好きなのね。

SG－繰り返し、小麦畑の匂いとか出て来たりしますね。

YK－子供の頃ね、おじいさんが採種場を持っていたの。かぼちゃ、いっぱい。種採るから。

SG－長野県で？

YK－ええ。そこに毎日遊びに行って、花と親しくなった。花と語りあったわけ。会話してるわけなの。

SG－草間さんにとって、花は恐怖じゃないでしょう？

YK－ええ、恐怖じゃないですね。でも話しかけると、ゾッとしてしまったの。

SG－『花粉』って題された作品もある種、増殖していくキノコを思わせますよね。安らぐと同時に恐怖でもある。

YK－ええ。セックス・オブセッションを抜けるために、うんとつくったりね。どうぞイチゴ召しあがってください。

SGーほら、詩集（『かくなる憂い』）の表紙にもなってる。ダリアと一緒に写ってる写真があるでしょう。素晴らしい写真ですね。

YKーええ、ダリア。5歳の時。

SGーダリアの人だ。花なんだね、自分は。

6（あなたの悲しみは今日で終わり）

キーコはケンに言う。

「両親とも、私たちを生んだことを後悔しているのね。私たちが誰にも望まれずにこの世に生まれてきたことは本当よ」

キーコの父のゴローは「輪廻はすべて過失だ。そのことを悟ったら消失してくれ。目の前から消えてくれ、過去を自分で償え、去ってくれ」とキーコに言う。

キーコは汽車に飛び込む。生命の消失する時の燐きが降雪の中でスパークする。髪は車輪に絡みつき、肉体のコマギレは血糊と鮮血の中に点々と飛び散り、1,000メートルにもわたって、喪の吹雪の祭壇をつくる。

「キーコが死んだ、キーコが死んだ」

隣の家の、脳血栓で十何年も寝たきりの母親の糞尿の始末をしてきてオールドミスになった女が叫ぶ。叫びながら、町中を走り回る。

キーコは、27個に砕けた。杖をつき、彷徨える幻の老婆が、キーコの死体に向かって、こう言うシーンで自伝的小説『離人カーテンの囚人』は終わる。

「あなたの悲しみは今日で終わり」というコトバで。

SGーずっと大切にしてるものってありますか？

YKー少女時代から持ってるもの？ 絵です。描いた絵です。でも、裏の河原でボンって焼いちゃった。河原のところで石油ぶっかけて、火をつけてね。土蔵に火が燃え移るぐらい。この部屋ぐらいの大作を焼いたわけ。ニューヨーク行ったらね。世界的になって、もっといい作品つくるんだって言って。

焼かなきゃよかった。

SG－今までで一番悲しかったことは？

YK－お父さんとお母さんが亡くなった時。うんと、ディプレスしたんですよ。女遊びばっかりしてた父だけどね。経済も顧みないで。でも優しい人だったですよ。お父さん、不動産持たされてなかったのね。なぜかっていうと、みんな使っちゃうから。

SG－じゃあ、『離人カーテンの囚人』って小説は……。

YK－あのキーコ、あれはあたしです。

SG－泣いたりしますか、よく。

YK－そんなことないですよ。

SG－感情とかない方が気楽ですか？

YK－そうですね。だからお薬飲むわけよ。ぼうっとなるから。今飲んだのは、風邪薬と、抗鬱剤と、安定剤。

SG－僕、草間さんの『クリストファー男娼窟』のラストの方がすごく好きなんですよ。「おしまい」の向こうの世界が描かれている気がするから。ここです（と言って読む）。

「……ミルク色の露の中にひとつ、黒い点が落ちていく。

点は見る見る小さく、一層小粒になって見えなくなってゆく。

すると血のような真紅の果実を啄んでいた黒い鳥たちが、一せいに空中に舞い上がると、天国を背にして輪をえがき地をめがけて黒点を追って行った……」

涙の出ない人形としての人間、そしてどんどん離れていく風景が描かれてますよね。

YK－そうね。

SG－幸福ってもののイメージはありますか？

YK－ないの。今度迎えるのは死だから。

SG－でも、草間さんの作品はどれも、スキャンダラスでオブセッショナルなんだけど、すごく清潔な感じがする。死を超えた世界。

YK－死んじゃうのよね、みんな。

死んじゃうけど、静かなの。あたしの作品は。

1999.03.24

1929年、長野県松本市生まれ。幼少期からの幻視や幻聴などの体験に基づいた、網目や水玉の同一モチーフのオブセッショナルな反復模様で知られる。1993年、日本代表としてヴェネチア・ビエンナーレに出展、2009年に文化勲章を受賞。『マンハッタン自殺未遂常習犯』『クリストファー男娼窟』など小説家としての活動も行なっている。2017年、新宿に「草間彌生美術館」を開館。2021年にはテートモダンで開館20周年を記念した「ミラールーム」の特別展示ほか、ドイツ、グロピウス・バウで大規模回顧展を開催。

002_Kohei nawa
名和晃平に聞く：
加速化する消費文明に抗い続けること

1

後藤（以下SG）ールーブルでの展示作品『Throne』の話を聞くには、まず、名和さんがどのようなヴィジョンと方法論によってクリエイトしてきたかという話から始めなければならないでしょう。

名和晃平という「メタ彫刻家」の秘密を知るには、第一に、「マトリックス的な考え方」を議題にする必要があります。ひとつのアイデアを発展させたり、接続させたりすることを、ハイパーリンク的に、あるいは、トランスディメンショナルにやっていますよね。それは、どうやって始まり、どのようにして進化したのでしょう？

名和（以下KN）ー立体的にロジックツリーを体系化して考えるのは、子どもの頃から始まったと思います。３歳ぐらいから詰将棋をやっていたのも、フォーメーション的な思考に繋がったと思います。今でも新しいシリーズが生まれる時に「この概念とこの概念の間にこれが生まれるはずだ」と、接合と新しいジャンプが、直感で見えますね。

SGー彫刻家というと、どんなマテリアルを素材にするとか、あるいは人間のボディとの関係から始まることが多いでしょう。あるいは内側と外側の問題などが起点となり、クリエイションが成長するように思うのですが、名和晃平の場合は、そうではなかった。マトリックス的というか、フォーメーション的なものが原点にあるのが面白いですね。

初期の「Cell」をつくったときも、すでにマトリックスのひとつとして誕生したんですか？

KNー「Cell」は起点です。それが始まったのは、小さなドローイングからです。ボールペンで、細胞のような微細な粒を紡いでいくドローイングを始めたときに「Cell」が始まりました。その頃ちょうど、ルドルフ・シュタイナーの思想や、大学の哲学の授業で知った大森荘蔵の時間論、夢とうつつみたいな話に夢中になっていました。

SGー存在と時間とか、宇宙論ですね。

KNーそうです。天文学や物理学にも興味がありました。宇宙は、物質＝エネルギーの世界、無機の世界、そこに有機的な組織や細胞が発生し呼吸し、生命活動が始まる。さらに快／不快が加わって、生存本能でうごめき合っていく。そして本能を超えて判断をするような思考や理性の世界、つまり存在がいかに進化していくのかという考え方が、ゲーテ、シュタイナーに集約されていく。どこから生命や精神、感情が物質の中に宿り始まるのかということを、ドローイングしながら考えていました。

SG―まさに起点ですね。

KN―ドローイングは、粒の連続で膨らんでいくのですが、動物や植物の組織、あるいは鉱物の断面のような、偶然出てくる形を見ながら育てていくんです。その作業から、粒の連続で、彫刻をつくってみたいと思い、「Cell」を根本的な概念にするのがいいと気づきました。そこからさまざまなアプリケーションやルールがつくれる。たとえばそのひとつが「PixCell」という作品であったり、液面に泡を出すと「LIQUID」というシリーズになります。

SG―拡張や変換からマトリックスが広がっていった。

KN―そうです。さらに、泡が膨張していくと「SCUM」という、泡が「灰汁」のようになり、表面を覆います。たとえば、泡が発生するという現象はどういうことか。泡同士が繋がりあって組織になる。膨らむと平面だったものが立体になり、空間に溢れでていく。フォーマットが解体され制御できなくなる。膨張する状態が、今という時代感覚の何かに見立てられるんじゃないか。そうやって発想が拡張していくわけです。

SG―たとえば、コミュニティとかネットワークのモデルのようにね。

KN―そうです。経済のバブルもそうだし、体で言えば、細胞が制御を失い、膨張し続けることに繋がってもいく。現象をシミュレーションしたり、形態を形成する原理を取り入れたり、「Cell」だけでもいろんなことが語れるわけです。

SG―一番最初はゲーテたちが考えたような、「ウル」つまり「原」の世界。生命と無生命の混在から、多様な分岐を経て、セル・オートマトン的な自動生成していく宇宙観に思えます。

KN－生きものを見ていると、いろんな種別、形態があり、さまざまなエネルギーの取り込み方をしている。植物なら水と空気と光合成により体をつくる。昆虫や動物はそれを食べ、また動物同士も食べあい、生物相は多様化していく。だから、「Cell」を主体として見ると互いにエネルギーの交換をしながら宇宙の中で存続しようとする意志を感じます。

SG－生体が呼吸し、何かを取り込み、また排出を繰り返す。そんな風にマトリックスも拡張し続けている最中なわけですね。

KN－作品集『METAMORPHOSIS』に、そのマトリックス一覧図を掲載しています。

SG－今の名和さんの話を聞いていて思ったのは、ちょっと極端かも知れないけれど、アートの根底を支えてきたモチーフは、生と死だった。でも今の考えが面白いのは、生と死が無くエンドレスだというところですね。

KN－そうですね。流転している。

SG－し続ける。

KN－そうですね。ベルギーの振付家ダミアン・ジャレと一緒につくった「VESSEL」が象徴的な作品ですが、死のパートを描き、生になって終わる。つまり物質的にはずっと入れ替わり続けていく。DNAというものは、シュタイナーの時代にはまだ発見されていなかった。だけどそれは別の形で予感されていて、人間の洞察や探求がどこまで行くのか、どこに行こうとしているのかというのは、すごく興味があります。

SG－遺伝子の工学が進んでいるから、数10年内には不老不死っていうのが到達できるともリアルに言われだしている。そのときにアートが根本的に変わるかもしれません。

KN－変わりますね。人間の存在を規定してるのがコードやプログラムだということがわかり、しかもそれらは書き換えられるということもわかってしまった。今までの宗教観、死生観みたいなものは、更新せざるを得なくなるでしょう。

SG－今までだと「彫刻と生命」というテーマは、あまりクローズアップされてきませんでした。バイオアートには興味ありますか？

KN－高校や大学でも生物の授業は大好きだったんですけれど、実は解剖の実験とか、ちょっと怖くて（笑）。「Cell」と言って剥製を使っているのに、直接触るのは苦手です。手触りが残りすぎるんですよ。

SG－触覚的や形態的なフェティッシュが強いから、大丈夫だと思ったんですが（笑）。

KN－それが強すぎるんですよ。

SG－遮断。やっぱり膜をつくることで。

KN－そうですね。「PixCell」や「PRISM」は、だから触覚性の麻痺がひとつの重要なテーマでもあります。見えるけれど触れない存在にすることが、ひとつの方法論です。

SG－生体と真反対の質問ですが、これからAIとロボットが融合してヒューマノイド系の人間の形をしたロボットが当たり前に出現する。当然それが、彫刻の中に入ってきたりするでしょう？ そのことへの関心は？

KN－面白いと思います。先日もロボット開発の見学に行ったり、ロボットを開発している方と話したりもしました。でもまだ莫大なコストがかかるので、もう少し一般的になればやりやすいでしょうね。結局のところ、AIもプログラムじゃないですか。どういう思考パターンによって、思考を発展させるかというロジックの積み重ねです。それによって、複雑な自立的な思考をさせようということだと思うんですが、それはアーティストが、作品をつくるときの考え方に非常に似てると思います。アーティストは、自立的な思考をします。でも作品をつくるときに、一般に広まったアプリケーションを使っていたら、同じようなものしかできない。でも、全然違うプログラムを自分で書いたり、自分でアプリケーション自体を持っていたら、それはオリジナリティのあるものになる。

SG－今はたとえばFacebookでもいいんですけど、SNSみたいな便利な道具がつくられる。それを公開し、たくさんの人が使えばデフォルトになるっていう考え方です。美術史も同じですね。

KN－コンピュータのアプリケーション開発を見ていても、初期はハードウェアにソフトが所属し、限られた狭い範囲の中で遊びなさいと決まっていて、その窮屈さをみんなが感じながら遊ぶ状況だった。今は、まずソフトをばらまいて、適当にみんなに遊ばせる。その中でアーティストみたいな人が面白い使い方や変わったやり方を見つけると、それをどんどんサポートすることで、ソフトのプログラムに反映させる。

SG－最適化させる。

KN－そのほうが発展するのが速いということがわかった。だから、アーティストの役目が、そういうところに使われている部分はあると思うんですよ。だから僕は、ひとつのソフトに依存したアーティストになるのは危険だと思っています。ソフトの開発側になってしまうのは。

SG－一方では、名和晃平がSandwichというクリエイティブ・プラットホームをつくり、きわめて産業的に適応したことも積極的にやっているっていうふうに思っている人もたくさんいると思うんです。

だけど実は根本的な思想として、たとえば、「SCUM」などが典型的な作品ですが、きわめて「反資本主義的」な考え方が根本にある。重要なのは、名和晃平が、アーティストの役割というものは、その安全なデフォルトを生成するための役割ではないと思っていることですね。

KN－少しずれていることが大事だと思っています。完全に、逸脱しているのが一番面白いと思われがちですが、最近の状況は、アートマーケットがそういうものすら巧妙に取り込むシステムになっている逆転構造がある。逸脱もすぐに取り込まれる。

SG－最初に「SCUM」に気がついたのはどうしてですか？　あの制御しないがん細胞みたいな。

KN－学生時代に、「少年と神獣」と題した作品をつくりました。それは水分を閉じ込めた水粘土の身体を持つ少年と、首を切り落とされ中身が空洞に見える獣のオブジェから成り立っています。これは、剥製と似た構造です。大学院に入り、その後「神獣が死んだ日」という作品では、巨大な神獣が横たわっていて、大きな傷ができている。動物は怪我をしたら、毛皮がボコっと抜け、毛皮の中に生々しい血の池みたいな穴が開くじゃないですか。それを強調したような作品です。実はそれが、最近の「VESSEL」にも繋がっています。
SG－傷口。
KN－そうです。その作品は続きがあり、最終的には傷口からワーッと泡状に制御できないボリュームが溢れだしている。それが大学院の卒業作品「アニマズモ」でした。
SG－アニミズムと関連しているのですか？
KN－獣みたいなタイトルですね（笑）。アニミズムやアニマということに興味がありました。人間が制御できない泡状の有機的なボリュームを象徴して、「SCUM」が生まれたのですが、その当時は造形屋でバイトをしていて、テーマパーク、ひいては世の中の商業的な空間の生まれ方に対して、批判的に見ていたんです。一美術家の作品制作とは違って、コスト管理が厳密で、安く速くつくらなければいけない。綺麗につくりすぎると怒られるけれど、見た目はよくないといけない。つまりハリボテです。表面だけでできていて、中身は虚ろなもの。それを見て人々は、夢の世界に浸ろうとする。それって何なんだろうと、社会が全部そんなふうにできているように見えていたんです。資本主義はものを大量につくって、大量に消費する世界です。「SCUM」は、無限に膨張し続ける虚ろなボリュームが、この都市にあるということを、彫刻にしたかったんです。資本主義が急激に発展しすぎ、バランスの悪い欲望のシステムの中に我々はいます。この100年の文明の発展の中で、到達することができたいいもの、いい技術もたくさんありますが、消費のために生みだされたものが溢れる都市や、その消費システムやサイクルがどうしてもひどいものに感じます。
SG－それはクリティカルな出発点という意味でも、重要な話だと思います。そこから名和さんは、どんなフェイズに向かったのですか？
KN－細胞のドローイング「B.P.D」で掴んだ感覚をよりアクチュアルなマテリアルの様態へとシフトすることを考えて、泡の実験を始めました。洗面所やお風呂に水を張って、毎日ぷくぷくと泡を出して観察していました。洗剤を入れたり、牛乳を入れたり。水に界面活性剤や粘り気のあるものを混ぜたら、表面だけに泡が出てきて、それは京都のギャラリーマロニエ画廊で発表しました。最初は「Spring」というタイトルだったんです。

SG－泉？ デュシャンみたいですね。

KN－はい、泉。水と染料で水を真っ白に染めて、下に蛍光灯を入れ、全面発光の画面に泡が出てくるようにしたところ、泡の影がすごく綺麗になったんです。これはコンピュータの画面に、文字やイメージが出てくる感覚に似ていると思いました。ただ、コントロールがすごく難しくて。このようなマテリアルとの実験からたくさんのことを学びました。たとえば、都市に生まれる刺激を泡だとします。その刺激がいい状態で、最適化されている状態が人々にとっては美しくて気持ちがいい。しかし、刺激が多すぎると感覚が満たされ、麻痺してきて、ぶよぶよと膨張していく。その飽和状態を超えていくと「SCUM」みたいな状態に達する。スープを煮たときの灰汁のように。

SG－モンスター化であり、ミューテーションですね。でもたしかにそれは、ある種の異物化に向かう過程だけれど、でも「反芸術」的な逸脱には至らない。美学的で、欲望を誘引するような、寸止め感を大切にしていませんか？

KN－それが、僕の美学なのかもしれませんね。泡を出すとか、吹きつけるとか、僕がやっていることは、やろうと思えば誰でもできると思うけれど、それを、この状態がいいという状態にするのは、すごく難しい。

SG－だから、美とかは言わないけれど、ある種の普遍性っていうか。たとえば変化していても、ずっと見続けていられるようなポイントを求めていると思います。

KN－視触覚的なバランスはあると思います。視覚が勝ったり、触覚が勝ったり、その中間であったり、どれかが麻痺していたりする。形態形成がまだ進みそうなくらいが好きですね。このまま進むと、どうなるのだろう。少し先が感じられる状態を完成とすることが多いです。

２

SGーさて今までの流れから、ルーブルで展示した作品『Throne』について質問します。『Throne』とは「王座」を意味します。それは権力の象徴であり、欲望のシステムの頂点にあるものです。今まで話してきた流れで言えば、『Throne』は、名和晃平のマトリックス的方法論の成果であると同時に、支配を支える価値やシステムに対するクリティカルな解でもあると思われます。まず、どのように構想されたのでしょう？

KNーまず、ここに至るさまざまなプロジェクトの経緯があります。３Dをやりだした頃に、グラフィック的に処理される２Dのピクセルという概念に対して、僕はボクセルという概念のほうに興味を持ちました。それは中身が詰まった情報なんです。現在、コンピュータネットワークには、３Dのオブジェクトが日々増殖しているのに気がついたんです。SNSで写真がアップされるとピクセルデータが、増殖していくのと同じように、３Dのボリュームも仮想のボリュームとして、増殖し続けています。その３Dの「虚ろなボリューム」を積み重ねた造形をやってみようと思ったのが始まりです。

ちょうどSandwichの立ち上げの時期にミュージシャンの「ゆず」のプロデューサーの方から、ステージデザインの依頼が来たんです。５万人が入る会場でした。そこで、「消費のために生みだされた虚無的なボリュームとして「SCUM」というコンセプトでいきたい」と伝えたら、「任せます」と言ってくれて。

SGー非常に批評性が強いアイデアですよね。

KNーそうですね。それで、建築家の永山祐子さんが、ステージのデザインをして、僕はその両側に巨大な白いボリュームをつくった。断片的な不定形のボリュームを積み重ねて形状を生みだしました。「ゆず」のステージが完成したあともその造形作業は続き、やがて細長い塔のようなものになり、下のほうに、椅子みたいに見える形が偶然できたんです。それを見た時に、大友克洋さんの『AKIRA』の、表紙を思いだしました。

SG－アキラが玉座に座っているシーンですね。
KN－そうです。ちょうどその数カ月前に、３Dボディスキャンを初めてするチャンスがあり、知り合いの甥っ子さんで３歳ぐらいの男の子をスキャンさせてもらい、そのデータを椅子のような部分に座らせてみました。
SG－突然『AKIRA』の世界と接続したんですね。
KN－それで『Throne』というタイトルが浮かびました。過剰な玉座感と、子どものギャップが面白くて2011年の震災直後に制作を始めて、同年のMOT（東京都現代美術館）の個展では、『Throne』を３メートルの大きさで発表しました。一旦、そこで『Throne』という作品は止まっていたのですが、文化庁の2020のための文化プログラム検討委員会に呼ばれて、アーティスト側からいろんな提案もしてほしいと依頼された時に、また発展させようと思いました。日本の祭りをリサーチし、江戸末期の山車など、極端な造形性を帯びたものがあり、それらをヒントに『Throne』のスタディをさらに推し進めることになります。
SG－造形は、非常に昆虫的っていうか、外骨格的です。反復が多用されていますね。
KN－シンメトリックな造形の構成も特徴のひとつです。生き物の身体もそうですね。
SG－万物照応、コレスポンデンスですね。
KN－文化庁での提案の３年後、今度はGINZA SIXの蔦屋書店に金箔の『Throne』がコレクションされ、その半年後にはルーブル美術館のピラミッドに巨大な『Throne』を展示することが決まったという流れでした。
SG－僕がすごく面白いと思うのは、見方によって美学的に見えるところと、反美学的なところが入り混じっている具合です。美しいと同時に、人間が生みだしたがん細胞的な部分が感じられます。
KN－ルーブルのピラミッドは、建築家のイオ・ミン・ペイ氏が設計しましたが、エジプトのピラミッドは権力の象徴みたいに見えますよね。むろん、ルーブル美術館も権威の塊です。

SG－ピラミッド構造っていうコトバさえあるし。

KN－はい。ピラミッドの遺跡を見てもわかるように、何千年も前から権力や権威みたいなものは存在してきたし、今の時代もそれらは形を変え、存在している。おそらく未来においてもなくならないだろう。このまま加速度的にコンピュータが進化して、そのコンピュータの計算結果に全人類が従うようになるのではないか。

SG－AIが「Throne」の座にいることになる。

KN－それで、ルーブルの『Throne』は、誰も座っていない空位の玉座にしました。

SG－空座ですよね。

KN－「裸の王様」という言葉がありますが､ルーブルの『Throne』は「透明の王様」です。人間が、国家や政治の形でやっていることは、ますます茶番劇みたいになっていますよね。一方で、AIにしてもたとえば、ものすごく優れたAIが２つあって、それぞれの答えが違うときにどっちについていくのか問われたりする。

SG－ほとんど古代社会の「ご神託」ですよね。

KN－そうそう。結局それで戦争が起きたり。新たな宗教の時代に戻る可能性は十分あり得るし、歴史を繰り返していくようにも見える。

SG－ダミアン・ジャレとの『VESSEL』における儀式性は、ある意味で、既存の宗教を逸脱しようという強いパッションを感じました。『Throne』の造形は、よりダイレクトに宗教的なものを感じさせます。

KN－そのような造形をあえてつくろうとする意識もありました。AIがネット上に漂う造形のパーツを集めて、人々に畏敬の念を抱かせようとする造形をつくり上げたらどんなものになるのか。そういう視点もありました。

SG－未来への「解」みたいなことですね。

KN－そう言ってもいいですね。仏像の後ろの光背や祭りの造形が合わさり、しかしキリスト教でも、神道でも、仏教でも、イスラム教でもなく、何にも所属しない造形。古代のようでもあり、未来でもある。それが今のこのタイミングで、ルーブルのピラミッドにあらわれるのは面白いんじゃないかと思いました。
SG－AIと共働して生みだされる人工世界ですよね。しかし、一方で宇宙の中には、対極のものとして、植物のプログラムみたいな、自己生成し続ける造形があります。
KN－そうなんです。2020年のパリのプロジェクトでは、ルーブルと同時期に、長谷川祐子さんがキュレーションするロスチャイルド館で、『Foam』という泡が増殖し続ける作品を発表しました。生まれては消え、また生まれ続ける。生命というはかない存在を対比として表現したかった。『Throne』と『Foam』、どちらも重要です。
SG－その２つは、未来に向けた予見ですね。
KN－「SCUM」は資本主義と密接に関係していると思います。たとえば、「やめられない、とまらない」スナック菓子。ああいうものは、スポンジ状で軽くて、ボリュームだけあって、化学物質で舌に刺激を与え、脳に快感を与える。極論すれば、少ない資材でいかに快感を消費させるかという、すごく資本主義的なものだと思うんですよね。それは、食べ物の話だけじゃなくて、たとえば映画がDVDになって安いパッケージで売られるのと同じで、いかに少ないコストで大量に消費させて利益を得るか、みたいなロジックでモノがつくられていくという表れです。そのロジックで生まれたものがどうやって歴史に残るのか？ アートでも、今の時代だとつくれないようなものが残っています。江戸時代の美術や中世のヨーロッパの美術を見ていても、今の時代につくることが難しいものがたくさんある。
SG－みんなカールみたいな現代美術作品になっている。
KN－そうそう。カール、大好きです（笑）。刺激の量感に置き換えられたものばかりになっていく。
SG－10年後、50年後ってどうしていると思いますか？
KN－わからないですね。でも常につくり続けていたいですね。
SG－初めの話に戻りますが、名和晃平にとって重要なのは、マトリックスがあることですね。

KN－自分でパズルをつくって、自分で解いているみたいな感覚はあります。解けたパズルも面白いし、解けないのも面白い。永遠にやっているんでしょう。資本主義に対抗するアーティスト魂みたいなのは、大切だと思います。ジェフ・クーンズやダミアン・ハーストたちが、資本主義のど真ん中でやりきっていることも、あれはあれで、真っ当なやり方だと思います。

SG－虚像をやりきるということですね。

KN－でも、その対立構造から、出ないといけないでしょうね。それから、この10年近く、自分の中で大きな動きとしては建築のプロジェクトに携わっていることです。アートとはまったく異なるスタンスを得ることができるところにモチベーションがあります。アートと建築と都市の３つの関係の中でクリエイションをするのはとても可能性を感じますね。

SG－ところで、自分の家をつくりたいという気持ちはないですか？

KN－今のところ、ないんですよね。

SG－そこが面白いですね。

KN－家の設計には興味がありますが、家を所有するということにあまりこだわっていないのかもしれません。今欲しいのは、ラボみたいなものです。

SG－科学やテクノロジーということですか。

KN－開発したり、実現するのに、自力では限界があるといつも感じているからでしょうか。技術的に乗り越えられると、質的に洗練できること、まだまだたくさんあると思います。変革しなくてはならないことばかりなんですよ（笑）。

2018.09.19

1975年、大阪府出身の彫刻家。先鋭的な彫刻や空間表現が特徴。日本現代アートとして初めてメトロポリタン美術館に作品が収蔵された。2018年７月よりパリで開催されている「ジャポニスム2018：響きあう魂」の一環として、ルーブル美術館のピラミッド内に『Throne』が展示されるなど、日本の現代美術界を牽引する若手作家である。

003_Hiroshi sugimoto
杉本博司に聞く：
江之浦測候所のヴィジョン。頭脳で価値を生成せよと、新しい写真の神は告げている

1

後藤（以下SG）－2019年、パリのオペラ座で、アイルランドの詩人ウィリアム・バトラー・イェーツ作の『鷹の井戸』の舞台演出をやられました。音楽は池田亮司さんでした。僕は杉本さんのアーティストとしての活動を、80年代の終わり頃から大変興味を持って並走しながら拝見してきました。また、インタビューも何度もやらせていただきました。改めて振り返ってみますと、時代のせいもあり、最初はコンセプチュアルな「写真家」というニュアンスが強かったと思います。

しかし、世紀末を経て新世紀に入った途端に、ニューヨークで9.11が起こります。杉本さんは偶然ニューヨークのディアセンターで、個展のタイミングでした。あの時、初めてお能をやられた。

杉本（以下HS）－『屋島』だね。

SG－そうです、『屋島』をやられました。修羅物の『屋島』です。そのあと、護王神社のプロジェクトでも『屋島』をやられました。

HS－護王神社は、2002年ですね。

SG－だから、それ以前のコンセプチュアルアーティストとしての「デュシャンピアン 杉本博司」に、新しく「能」の持つ時間が加わったわけです。

HS－パフォーマンス性でもあるね。

SG－その後の活動を振り返っても、能によって喚起された時間が、杉本さんの作品の中で、だんだん中心的になってきた感すらあります。

パリのオペラ座、これはどうして『鷹の井戸』だったのですか？

HS－『鷹の井戸』は、フェノロサの能のスタディをエズラ・パウンドが持っていて、それをイェイツに教えたことで作品化された。しかしこの100年、翻案された『鷹姫』ばかりが世界中で上演されてきたわけです。パリでの公演はもう一度、イェイツの原作に基づいたものに戻し公開することを考えた。オリジナルは舞踏曲としてつくられたわけで、だから、パリのオペラ座ではダンスとしてやった。音楽は池田さんで、舞

台衣裳はリック・オウエンス。彼の初めての舞台衣裳。

SG－リック・オウエンス、それはすごいです。

HS－振付は、比較的新人なんだけれども、アレッシオ・シルベストリン。彼は日本に住んでいて、ウィリアム・フォーサイスが、「あいつしかいない」とリコメンデーションしています。能も勉強しているんですよ。

SG－『鷹姫』だと梅若玄祥が演じたり、やはりお能の人が取り上げる場合が多かったけれど、ずいぶん違いますね。

HS－オリジナル『鷹の井戸』としては、1916年の伊藤道郎のロンドンの初演、18年のニューヨーク以来上演されていない。

SG－小田原の江之浦測候所にも、お能ができる舞台装置があります。杉本さんに舞台はなくてはならないものになった。杉本さん本人の中ではどんな推移があるんですか？

HS－僕の場合、写真から始まったけれど、元々時間を観念的に、コンセプチュアルアートとして捉えて、その表現媒体として写真を使おうという戦略的な意図、企みが最初からあった。「気がついたら写真を撮っていた」みたいな自然発生的なことを一度清算しようと、1974年にニューヨークへ行って、自分の身の振り方を現代美術で行こうと決めた。メディアを選ぶ際に、やっぱり自分が一番得意とするものが有利だというわけで写真を選んだんです。

じゃあ写真というのはいったい何かと考えてみた。ちょうど今のネット革命みたいに、写真発明以前と以後どのように社会が変わったか。写真が出現したことによって、人間の時間に対する意識がどう変わったのか？ 時間の証拠が生まれたわけだよね。

また、絵の世界も完全に変えてしまった。絵より、写真の方がリアリティを表現できることになったときに、初めて絵画は、抽象表現主義とか、シュルレアリスムとかいう方向に行かざるをえなくなった。

2

SG－当時アメリカに行って受けたコンセプチュアルアート体験は強力でしたか。

HS－それは強力だったね。

SG－具体的にメインは誰だったんですか？

HS－ドナルド・ジャッドとダン・フレイヴィンだろうね。カリフォルニアの大学にいる時は、コマーシャルなトレーニングを受ける学校だったから、逆に、その体験は強力だった。

SG－なるほど。マルセル・デュシャンの、最初の回顧展をアメリカでやったのは西海岸。1963年にパサディナ美術館でウォルター・ホップスがキュレーションしてます。西のほうがコンセプチュアルアートを受け入れる土壌があったんですけどね。

HS－パサディナ美術館だね。だけども僕は70年代は、フラワーチルドレンだったし、カリフォルニアは、そっちのほうが圧倒的に面白かった。

SG－ヒッピーだったんですね（笑）。コンセプチュアルアートとも違う形で、時間へのヒントがあったのかもしれません。瞬間と永遠とか、永劫回帰する時間とか。

HS－インド哲学の本をやっている吉福伸逸という友だちがいた。彼は僕よりも一回り上だったけれど、渡米してすぐ知りあった。それから、見田宗介さんを紹介されたり。そのときに、いわゆるコンセプチュアルアートみたいなものの下地は培ったね。

SG－コンセプチュアルアートとスピリチュアリズムですよね。

HS－うん。西洋風のね。

SG－その後、ニューヨークで古美術を商うようになったり。そこでも、時間との繋がりが色濃く出てきます。

HS－そうだね。古美術をやるようになってから、能面とか衣裳に触れるようになった。そこには、ある種の即物主義みたいなことがある。モノから教わる。血肉化していく。一方で、写真も結局は、時間の装置であると捉え、コンセプチュアルアーティストとしていかに作品をつくるかを考える。たとえば映画館のシリーズも、フラットなディメンションの画面の中に、映画１本分２時間の光を集積させ、それが白く飛んでしまう。白く発光したブランクを見ていると、時間の堆積が見えることになる。

SG－時間を含めた４Ｄのアートですね。

HS－そう、４Ｄになる。デュシャンが言及した４次元とも繋がっていく。平面的にも関わらず、写真は、異次元を感じさせる装置だということ。「ジオラマ」にしても、物質である蝋人形や剥製が、生きているように見えるということにより、人間の「見えることの構造」を問題にできる。異次元を探索するための装置としての写真。時間を融通無碍にすることが、写真でできるんじゃないか。

それに比べたらシュルレアリスムなんていうのは、絵に描いた餅でしかなくてね。

SG－あれはレトリカルな側面があります。画像合成やファンタジーというイメージ編集術ですね。

HS－そう、編集だね。

SG－イメージの「水平的」なエディット、想像力の使い方です。でも杉本さんは写真を非常に「垂直的」に使うことに気がついた。すごく珍しいですね。他にいなかった。

HS－いそうでいないね。

SG－特異です。シンディ・シャーマンは70年代からコンセプチュアルアートの影響もあり､ロールプレイに行く。一種の異化ですね。ジェフ･ウォールはバンクーバー派で、いわゆるコンセプチュアルアートから来ましたが、写真合成に行く。だから、杉本さんだけが唯一、コンセプチュアルアートが提起したものを、写真を深堀してやるわけですね。

HS－杉本博司論研究というのは、あまり出てこないね（笑）。

SG－杉本さんもそうですが、シンディ・シャーマン、ジェフ･ウォール、ベッヒャーシューレ。皆、マーケット的にも成功しました。

HS－しかし､マーケット的な評価基準というものも､歴史的に淘汰されていくだろう。現象として何が高くなり､何がそうでないのか。なぜなのか？ 不思議なものだからね。そんなことで一喜一憂しちゃいけない。

SG－その点､デュシャンは､アレンズバーグというパトロンがいたせいもありますが､

杉本博司《APPROPRIATE PROPORTION》2002 ©Hiroshi Sugimoto

マーケットにも全然出てこない。モノがないから値段の話題にならない。
HS－デュシャンがつくった債権であるモンテルカルロ・ボンドが額面を超えたという話も面白いね。
SG－お金による価値は虚ろなものです。でもその一方で、歴史的な時間の中で、価値あるものとして残っていくものがあります。杉本さんは、古美術のモノを通して、時間と価値について修養してきた。
たとえば、江之浦の庭の石みたいなものも興味深い事例です。まさに苔のむすまで。そして、それがどこの寺にあり、持ち主を経て巡ってきたか。
HS－由緒だね。石は石で、もともとは、ただの石なんだけれど、そこに、人間がちょっと鑿(のみ)を使って形をつくる。そうすると時代の形があらわれてくる。
SG－江之浦測候所に行った時、すごくそれを感じました。別々の由緒のものが、杉本博司というアーティスト＝数寄者(すきもの)によって集まっているわけです。石造の鳥居、亀石。古墳石室の石、笹川良一邸の踏込石、京都市電の軌道敷石まで。
HS－だから礎石にしても、やはり若草伽藍の法隆寺の跡がいちばん美しい。白鳳の川原寺になるとちょっと機能的にフラットになってくる。元興寺の天平になると、かなり、合理的になり、形はその代わりに崩れていく。
SG－石にも、真行草があるわけですからね。お寺の格式に従い、真の石組みをやるか、行にやるか、草にするかがあるぐらいです。とても深い、でも石です。
HS－法隆寺が一番美しいね。実は、五重塔は木造で、耐震性能が現行基準に満たしていないから違法建築。しかし基本的には、飛鳥時代にすでに地震に耐えられる構造をつくっているんだから驚きだね。
3
SG－江之浦に集められているものは、さまざまな由来や縁があって集まっていて、とても感慨深いですね。
HS－とても不思議だね。要するに、日本人で他に愛してくれる人がいなくなってしまったこともある。昔は数寄者が、自分の庭にこんなものがあったらいいなと思う歴史があったけど、今は廃れてしまった。本来は、ただの物質としての石ではないわけです。
SG－杉本さんが、10年かけてつくった江之浦に初めて行ったときに、「海景」や能や、杉本博司の作品がすべてコンバインされ生成され続ける装置だと思いました。杉本さんはまだ生きているけれど、なんだか、マルセル・デュシャンがつくり続けていた「遺作」のようなものなんだなあと思いましたね。
HS－デュシャンは非公開にしていたけど、杉本は公開しちゃった（笑）。
SG－公開された、公然たる秘密になっているわけですが（笑）。
HS－また拡張したんですよ。
SG－さっそく行きました。化石を集めた東屋もありましたね。
HS－そうそう。そこの裏手を掘ってみたら、磐座が発見されちゃった。つくったわけじゃなくて、木を全部切り開墾していたら発見した。見つけたときはすごいなあと思ったよね。
SG－次々に因縁が連なっていくというか。泉も湧いていましたね。
HS－常に濡れている。雨が降ったらどんなに暑い日でも3日4日ずっと濡れている。そんなことがあり、日本の古代信仰の形として磐座信仰について改めて考えていたら、今度は隠岐の島の宗像神社の古代遺跡から発掘されたものを、うちでコレクションすることになった。宗像神社の宝物は国宝になっているんですが、それ以前に伝承したものが来ちゃった。
SG－何でそんなことが（笑）。
HS－ははは（笑）。おかしなことが起きるね。国宝指定以前に伝生したものが、大社の関係の古い家から出てきた。モノがモノを呼ぶ。不思議な縁だよ。
SG－江之浦測候所の紹介ビデオの中で話されてもいますが、杉本さんは自分を含めて現代文明の一切がなくなり、ここがいったい何だったのか、すべてがわからなくなったときをイメージして、つくっていると。人間のタイムスケールではない。

HS－ええ。ピラミッドがどんなものだったのか。パンテオンはどういう神殿だったのか。それと同じような眼差しで見てもらいたいね。

壁は石だから残る。ガラスは全部飛んじゃうし、屋根も飛んじゃうだろう。そうすると、100メートルの石の壁が立っていて、その地下に冬至と夏至の角度で太陽の光が抜けるトンネルが残る。トンネルの入り口は、蔦で覆われていたりしてね（笑）。

SG－江之浦は、いわばジェームス・タレルの『ローデン・クレーター』みたいなランドアートでもありますしね。タレルは一種の古代天文台。杉本さんの場合は古墳的なイマジネーションや、磐座信仰などの古代です。

HS－僕にとって、護王神社が建築を始めるきっかけになった。先日、久しぶりに行きましたが、なかなかいい味になってきている。コンクリートが染みついてね。近代化の遺跡というのは、コンクリートが劣化したときに美しいかどうかだと思うね。

パンテオンなんかも、要するにコンクリートみたいな目地も使っている。コンクリートってものは、実は長い歴史がある。中世以前から使われているものね。ただ今のコンクリートでは、長持ちしないんじゃないの。

SG－近代の象徴ですね。ちなみに僕の家の家業は、コンクリート屋だったんですが(笑)。

HS－コンクリートが手を抜くためのものになってしまった。野面積みでも何でも、うしろにかなり掘って、そこに小石を全部詰める。そうすると排水がうまくいって、長持ちする。面倒くさいとコンクリートで固めちゃうと、動かなくなって、排水も悪くなり、結局は水の道が変なところにできて、崩れるっていうことになる。

SG－護王神社ではコンクリートを使っていないんですか？

HS－護王神社は使っていない。重機が入る搬入路がなかったので、あれは手掘り。

SG－図面もなかったそうですね。

HS－おおかたの図面だけ。手掘りだから、崩れたら下にいる人が死んでしまう。建設会社にすごく嫌がられたね。崩壊、崩落防止の鉄板みたいなものを打ち込むんだけど、最後は本当に危険覚悟だった。雨が降ると危ないから作業は中止。ある日大雨が降り、次の日行ったら崩落していた。でもそこに美しい岩盤が現れた。

SGーラッキーですね。

HSーあんなにうまくいくとは思っていなかった。だからあらわれるべくしてあらわれたんだろうね。

SGー江之浦も新しいものが次々と出てくるでしょうね。

HSーまあ生きている間はどんどんやろうとね。なにせ全体敷地のうち、まだ未開発の部分が半分もある。さて、どこまでいくか。

先日、サントリーホールで天皇陛下ご臨席のもと、小澤征爾のコンサートを観たけれど、彼は最後のサン・サーンスの1曲だけやった。なかなかの気力充実だったね。最晩年まであれほどまで活動できるというのはいいなあと思うね。僕も気力の続く限り。

SGーどうやるか。

HSー江之浦がどこまで行けるか。70歳ったって、まだ若い。あと10年できたら結構面白いところまでいくんじゃないかな。

４

SGー話はベルサイユ宮殿になりますが、ルイ14世をモチーフにするのではなくて、革命よりに解釈したでしょう。そこが面白いと思いました。レボリューションっていうコトバを浮かびあがらせた。

HSーところがルイ14世が「ちょっと俺を忘れていないか」って、出てきちゃった(笑)。ベルサイユの人と話していたら、「そういえばルイ14世のレリーフがあります」と言われて、見に行った。

SGー小さいんですね。

HSーそう、額に入っていた。それは、彼の死の10年前に直接型を取ったと言うんだよね。マリー・アントワネット以前の7、80年前にそういう技術があったわけ。

SGーどうして「サーフェイス」というタイトルをつけたのですか？

HSーそれは双曲線関数の数理模型の正式なタイトルなんだよ。「サーフェイス・オブ・

レボリューション・コンスタント・ネガティヴ・カーヴェチュア」という。非ユークリッド幾何学であるから、点の集積がサーフェイスとなる。数学的な位置を確定するための数式であって、それを回転すると、こういう形になりますよって。だからサーフェイス・オブ・レボリューション。

SG－アイデュアルモデルを、可視化する。

HS－そう。完全に頭の中だけで考えた形なのであって、点を指示してもダメなんだよね。点がどういうふうに連なっていくか。それを回転すると、面になる。そうすると、こういう形になると。だから内実は空なんだ。何もない。表面だけなんだ。

SG－虚ろだけれど、表面だけはある。

HS－そう。皮膜なんだよ。

SG－皮膜であり、虚ろ。帝国を支えているのも「虚ろ」というわけですか。

HS－実質的に何かがあるんじゃなくて、表面だけがあって、中が空。人間の観念なんかも、そうかもしれない。

SG－でもロジカルなコンセプチュアルアートに行かず、表面と中空や虚ろとかっていう方向に進んだところが、杉本さんの面白さですね。

HS－デュシャンもやっぱり、４次元とか、時間の問題とか、チェスの偶然性とか、禅に影響を受けていただろうね。そう言えば、デュシャンの本が日本で出たね。

SG－『マルセル・デュシャン アフタヌーン・インタヴューズ』ですね。面白かったですね。僕も読みました。

HS－僕は帯を書いたよ。

SG－アーティストのポール・チャンがカルヴィン・トムキンスにしたインタビューも入っていました。

HS－そうそう。

SG－ポール・チャンは賢明です。嗅覚が。すごくいいと思いました。

HS－カルヴィン・トムキンスは時代のアートの生き証人だからね。

SG－デュシャンはたくさん謎や問いを残しました。さあ杉本さんは、江之浦測候所をどのような装置にするか、見ものですね。
この間何かで読んだのですが、杉本さんは、もう他で写真は撮らないのでしょうか？江之浦だけで撮るのですか？
HS－江之浦で撮るための、お立ち台みたいな場所をつくった。そこから撮れるように。
SG－それは「海景」ですか？
HS－そう、「海景」が撮れる。あの作品は、なかなか撮れるようで撮りにくい。ちょっと人が行かないような崖下のほうで、林を切り拓いて、撮れるようにした。まだ撮っていないけどね。
SG－トンネルからは撮らないんですか？
HS－画角がやっぱり相当開いていないと撮れないから。あと定置網とかが入ったりする。
SG－定置網（笑）。
HS－そう、漁船が多いからね。だから、唯一撮れるのは早朝。早朝に撮るには宿泊しないといけないけれど、そうなると、寝る場所をつくらなくてはいけない。
SG－寝るところはないんですか。
HS－公益財団法人だから、私的利用は無理なんですよ、残念ながら。
SG－そうか、杉本邸化するとまずいわけですね。なるほど。
HS－だから敷地外につくればいいんだけど、敷地外は農地だから。農地に住宅をつくるとは何事かと言われる。そこで、今度は農家になる。
SG－農民（笑）。
HS－いや、農家じゃないと農地は買えないわけだよ。だから農業法人で、「植物と人間」という組織をつくったの。
SG－また抜け道を（笑）。
HS－弟を社長にして。
SG－植物と人間。いいじゃないですか！

HSーいいでしょう。植物と人間の関係を考える、農業法人です。「と」が入っているところがいいんだよね。
SGー話を再び写真に戻しますが、杉本さんは江之浦という固有の場所を作品化していくわけですが、写真の歴史は「新規なもの」を見つけるっていうことで進化してきましたよね。
HSー被写体を見つけることでね。
SGー写真はやっぱり旅をしたわけです。でも今度はもうしなくなるわけですよ。
HSーそう。それにタイミングよくっていうか、悪くっていうか、フィルムの生産が、中止されたでしょう。
SGーあと1年半分くらいしかない。
HSー富士フイルムが突然、中止した。最初から言ってくれって感じだよ。あと、紙も生産が中止された。体力も弱ってきて、あんまり旅行もしたくないし、ちょうどよいのです。
8×10なんて、自分で持って歩いていたら次の日肩が痛くてもうダメだね、もう動きまわるのは。でも江之浦の敷地を上がり下りして1日1周したら充分な旅。だからまあ、何が出てくるか。
何かをつくると、またモノが寄ってくるだろう。吸引力がどんどん強くなり、磁場ができあがるだろう。
SGー数寄ですね。
HSーそう数寄。寄ってくる。そこにモノが吸い込まれていくような、ブラックホールみたいなものがつくりたいね。
ダークマターっていうのもあるけれど、ダークフォトンっていうのがあるらしい。暗黒光子っていう。
SGー虚数みたいなことですか。
HSー暗黒光子が実際に偏在しているらしい。それが存在することを証明すること、これが物理学の中で今のひとつの究極の目標みたいになっているらしくて。それをどうやって、感知するか。その方法を考えているね。

SG－江之浦が暗黒光子の観測所に。

HS－あとは今、とある宇宙開発機構と仕事が進みそうで。人工衛星っていうのが小型化してきて、1億円以内でできるようになるらしい。それで、いよいよアーティストとのコラボレーションを始めることになって「第1回に杉本さんやりませんか？」とアプローチしてきた。「何がやりたいですか？」って言うから、杉本の個人衛星を打ち上げてくれって言ってるんだ。

SG－それは素晴らしい。

HS－じゃあ、「海景」シリーズで月の海のシリーズをやらせてほしいと。衛星が月の回周に乗って、自分でコントロールしながら、「あっ、ここはいいな」と、カチャと撮るという。

SG－なるほど、いいアイデアですね。

HS－ところがね、月の軌道に乗るのが結構遠くて、お金がかかりすぎる。じゃあ地球の回周から始めましょうと。でも月のほうがいいんだけどね。豊穣の海とかさ。

SG－三島由紀夫ですね。

HS－（笑）。豊穣の海を本当に撮ってこようと。

SG－それを江之浦からコントロールする。

HS－コンピュータで見える、そういう装置をつくってね。それが実現する前に死んじゃったら、骨を乗せて、不定期的に信号を送ってくるとかね。

SG－河原温は死んじゃって終わってしまった。プログラムをちゃんと死後も継続できるようにつくっておけばよかったのに。

HS－そうだよね。

SG－永遠にデイト・ペインティングできたのに。

HS－それもあって最近は、月のことをよく考えるようになったね。月の表面に立って地球を見ると、地球は静止して見えることを初めて知ったんだよ。地球から見ると、月は片側しか見えない、裏側は見えない。太古にはスピンしていたと思うんだけど、何かハンマー投げのボールみたいにブンブン投げられちゃって、今は、確実に静止しているね。ということは、月の表面に立って、地球を見ると、真上に地球があって動かない。それで、地球が回っている。静止状態で回っていて、だから地球から見ると月は昇るけれども、月から見ると地球は静止しているんだよ。
宇宙船から見ると、地球が昇るのが見えるけれども、月のエッジのところに行くと、水平。地球が月の水平線すれすれにある。
SG－そういうことですよね。
HS－裏へ行っちゃうと見えない。知っているようで知らなかったね。
SG－また繋がっていって、新たな作品になるんでしょうね。
さて、最後の質問ですが。江之浦測候所をつくったわけですが、江之浦は自分のお墓にはならないんですか？
HS－まだ考えていないね。
SG－普通だったらお墓でしょう。
HS－香川にあるイサム·ノグチの庭には自分の塚みたいなものがあって、そこに入っているらしいけれどね。
SG－今まで磐座、墳墓などスタディしてきたじゃないですか。三角塚のところはどうですか？
HS－三角塚のところは、あれは古墳もどきだからね。どっちかと言うと、鎌倉時代の鉄の宝塔の中のほうが、居心地がいいような。
SG－おー、パッケージされている方がいいですか？
HS－そうそう。
SG－中は闇ですよ。
HS－隙間からちょっと光が入ってきたりしてね。どうしようかこれから考えなくちゃいけないね。

SG－ただのお墓ではなくて、死を先取りした作品を、墓の代わりに成立させることを、杉本さんは考えるかもしれません。

HS－まあ、墓穴(ぼけつ)を掘ったりね（笑）。古代なら皇帝が今までの自分の妻や愛人を全員殺したりしてきたね。

SG－スキタイやピラミッドとか、秦の始皇帝。

HS－殉死を伴う。

SG－殉死。

HS－まあ乃木大将ですよ。

SG－切腹して死んじゃいました。

HS－あれは当時でも相当なアナクロニズムとして見られていた。信じ難いと。

SG－殉死ですからね。杉本さんは、記憶の古層っていうかな、生命が誕生し、人類が類人猿が誕生し、文化が発生する。その生成過程をずっと追いかけて作品化してきたでしょう？

HS－意識の発生。心の発生だね。

SG－でも現代に生きる我々が考えるスパンはどんどん短くなるし、大したヴィジョンがなくなるわけですよね。

HS－文明が始まって１万年弱だからね。

SG－つまり、人間ごときが、地球の未来だ宇宙の未来だってことを言うのはおこがましいっていうところがあるわけじゃないですか。

HS－そうよね。地球の歴史が1人の人間の80年だとすると、生まれたての赤子がなんか1日2日目で考えているような時間のスパンだから。

だから、何十億年っていう地球の歴史の中で、5、6,000年の文明が徒花みたいに花咲いても、短期的な現象じゃないかなと、非常に強く感じるよね。

SG－ブッダにしても、シュタイナーにしても、近代的な神秘主義者にしても、ヴィジョンを考えたでしょう。目に見えないもの。果てのこと。そういうことを杉本さんは、考えたりしないんですか？

HS－果てのことね。そういうドイツロマン主義みたいなことは面白いね。最近は、いわゆるアポカリプスの代わりに、「アホカリプス」と。

SG－考えるだけムダっていうことですか（笑）。

HS－まあ「色即是空」とは言い得て妙だなと思うね。若い頃にもすごいなと思ったけれど。

SG－それが、「アホカリプス」ですか。

HS－色即是空、訳すと「アホカリプス」。人間の人智が考えた生産のシステムで、資本主義は、自動的に選択不可能な感じで我々の現前にある。人口の増加とか、どんどん成長しなくちゃいけないっていうオブセッションが植えつけられていて、今年よりも来年の方が、経済成長しなくちゃいけない。でもそんなことは、絶対にシステムが壊れるに決まっている。

SG－そうですよね。

HS－それは誰が考えたって当たり前だよ。それをまたアホな大統領が煽ってね。

SG－トランプですか。

HS－だから、マイナス成長における、資本主義的生産様式のあり方みたいなのを経済学者は考えないといけない。そのことは、政治的にもリアルに考えないといけないと思う。成長社会においては、日本のように人口が減少するのは当たり前だよ。人口減少が毎年2パーセントで、経済成長をマイナス１パーセントにすることにより、１人当たりは、0.5、1パーセントになっていく。そういうシステムがいいんじゃないかと思うんだけどね。

SG－面白いことを言いますね。

HS－だんだんだんだん生産性は縮小していけば、自然は戻ってくるわけ。

SG－植物と人間ですね。

HS－そうそう。これで近代以前くらいの、人口レベルになったところで、並行的に植物と人間が生きていくようにするのが、理想的な調和となるモデルを人類は考え、それを維持していくと。
SG－せっかく人口が減っているんだから、それを利点にすべきだと。コミュニティを小さくすればいい。
HS－建物なんて建てなくてよい。空き家はますます増えていくんだから、隣の空き家を安く取得し空き家を壊して庭にしよう。そうすると都会でも自然と対応できる、前近代の生活に戻そう、心が豊かな時代に戻ろうと。
SG－それは賛成（笑）。僕も結構そういう派です。とてもいい話です。
HS－やっぱり、マルクスの資本論やエンゲルスの理論は素晴らしい哲学的なものだと思うけれど、結局実験したら、とんでもないことになって100年経った。
SG－共産主義も失敗しちゃったわけですからね。でもマルクスは自分をマルキストだと思っていなかったわけですし。
HS－俺はマルキストじゃないって言っているしね。だからあれ以後、ケインズとかいろいろ小手先でなんかしようとするやつが出てきたけれど、マルクス以後、大きな意味での人類と地球環境とか政治を、大掛かりに考えた人間はいないんじゃないかと。そろそろ出てきてもいいんじゃないかな。
2019

1948年、東京都出身の現代美術作家。1970年に渡米、1974年よりニューヨーク在住。活動分野は、写真、彫刻、インスタレーション、演劇、建築、造園、執筆、料理、と多岐に渡る。2017年、小田原に文化施設「小田原文化財団 江之浦測候所」を開館。また、2018年10月から2019年2月までヴェルサイユ宮殿にて個展「SUGIMOTO VERSAILLES Surface of Revolution」を開催した。

004_Tsuyoshi tane
田根剛に聞く：
未来へのイマジネーションと記憶

1

後藤（以下SG）－2019年の東京オペラシティ アートギャラリーでの個展のタイトルは「未来の記憶」でした。

今日のテーマは、改めて「記憶」がキーになると思うんですが、まずは、田根さんにとっての「建築の記憶」あるいは「建築と記憶」についてのお話から入りましょう。

田根（以下TT）－僕は東京に生まれ育ったので、大自然に憧れて、北海道の大学に行こうというところから始まります。そこで「建築」に出会い、やればやるほど面白いものなんだと目覚めていったんですね。日本の学校の教育は、答えがあることを教えられて、それをもう１回思い出して答えるみたいな過程です。ところが、建築を学び始めたら、課題設定があっても、そこからはもう自由にどんどん想像していっていい世界だった。

SG－多くの建築家たちは、たとえば安藤忠雄さんは典型ですが、彼の場合だと建築行脚をして、スケッチしインスピレーションのトレーニングをしています。理論や原理からスタートするより、手と頭で建築を体感させていく。田根さんの場合はどうでしたか？

TT－体育会系でしたが、スケッチはあまりしません。頭の中で考え、手はあとで動かします。北海道の大学に行った時、先生で建築家として名前を知っている人は1人もいませんでした。だから図書館で本を見て、これらの建築物をちゃんと見たいと思った。それで大学時代にヨーロッパ旅行をして初めて「建築」を体験します。19歳の時ですね。図書館で見て、一番衝撃を受けたのはガウディだったんですよ。サグラダファミリアとか。「建築とはもしかしたら、こういうものなんだろうか」とワクワクした。その出会いが大きいです。ガウディの建築は外から見ると彫刻的であったり、装飾性に目がいきます。でも内側を見るとわかるのですが、合理的であり、構築的な理論に基づいています。彼はものすごい合理主義者であり、かつ宗教学者なわけです。

建築は重力との戦いであり、建築を成り立たせるために構造が重視されます。でも「構造イコール建築」というのは、モダニズム以降に成立した考えだと僕は疑っています。それはモダニズムが突き詰めたひとつの形式に過ぎず、もっと古代や前近代には建築を支えるいろいろなものがあったのです。

SG－ヨーロッパを巡って「見たもの」は何だったんでしょう？

TT－「歴史の圧力」というか、まず歴史が大前提として先にあり、「歴史が積層されていく」感じです。今我々が感じている、10年とか100年とかの時代ではなく、中世ぐらいから現代まで途絶えず、積層され、複雑に絡みあった時間です。さらに重要なのは、それを今も日常的に使って、生活に溶け込んでいることです。そのことはすごく衝撃でした。

SG－「記憶」とは時間にまつわるものですが、それを捕まえるには、歴史や物語、図像的資料、そして物質の中にある時間ということになるでしょうか。

田根さんが「時間」「記憶」と言う時の、切り口というか、接合点は何でしょう？

TT－それは旅の時ではなくて、自分が建築家として独立して建物をつくらなきゃいけないときに向きあって出てきたことです。

建築のモダニズムにおける「新しさ」に限界を感じたとき、ひとつの建築にさまざまな時間軸のものを持ち込まないと、豊かさが生まれないという意味では「物質が持っている時間」というのは重要です。素材というのは大きな時間を持ち込みます。

SG－「Search & Research」というのは田根さんの基本となるものですね。

TT－何をつくりたいか、伝えたいかを考えるときに見出した方法だと思います。エストニアのコンペの時には、3週間の中で、提案しなくちゃならなくて「軍用滑走路が民族の記憶と繋がる」というコンセプトに意味を見出し、案を提出したんです。

デザインの新しさとかではない建築への向きあい方があるんじゃないかと気づいた。

それをその後、独立してから3、4年して、自分たちのやり方を模索し手探りでいる時に、デンマークの自然科学博物館のコンペで、現在やっているような、コトバからイメージを蓄積し、コトバとイメージの間で思考を巡らすチームとしての作業を見つけたんです。本当に「発掘現場」のように今立ち上がってきた思考がヴィジュアル化され、発見と共にまたどんどん動いていく。それらが総体となって目の前に現れ、自分たちが何をやろうとしているか、目的が見えてくる。「名もなきもの」があらわれて、形をなしていく過程です。

SG－建築家も多くは「建築の原理」みたいなことから入る人もいますが、それについてはどう考えますか？

TT－建築における原理主義みたいなものは、歴史の中で何度も繰り返されていくものでした。でも、今のように個人のスタイルや、個人の考え方、関係・情報など、さまざまな方法が飛び交っているデジタルな時代の中で何をつくることが可能か、と問われた時に、原理ではなくて、場所の起源に向き合う「記憶」の統合として建築を捉えようと、「記憶」に集約していくことを選んだんです。

SG－Search & Researchにより「記憶」を集約していき、それを建築に再提出していくわけですね。

TT－そうですね。僕らの中にある記憶は「物質的記憶」とナラティブな「非物質的記憶」です。そしてその2つが融合したものが「間（あいだ）」としてあります。その3つが揺れ動きながら、存在する。しかし、重要なのは「人が持っている記憶」ではなくて、「場所が持っている記憶」なのではないか。そこを掘り下げてゆく。集合記憶のような記憶の力。

SG—僕から見たら田根さんは「イタコ」のようです（笑）。

TT－（笑）。なるほど。遠からずそんな感じかもしれません。場所に自分のアイデアを持ち込んではめ込むというよりは、その土地に行き、その場所でしか生まれない建築にこそ、建築の本質があると思います。原理的なものを世界に広めるのではなく、その場所にたったひとつしかない建築をつくること。時空を超えて、人がそこに見にいくのが建築の旅じゃないか。「固有性の建築」こそが建築なんだと思う。

SG－固有性になると「身体知」が重要になりますね。単純なロジックではなく。

TT－頭で考えながらも、空間のつくり方は自分の体でシミュレーションしないとぴんと来ません。考えは頭でやっても、判断はかなり身体的に動物的にやっているから、現場でどんどん変わってしまうんです（笑）。ものをつくる立場で言うと、やっぱり現場がすべてです。

SG－展覧会でも「Digging & Building」と強調されていました。

TT－掘って、建てる。それは論理を飛躍させることでもあるんです。論理構築だけでは面白くない。やっぱり驚きがあって、それが次の未来をつくるんじゃないか。それは建築家としてのチャレンジです。だから構築ではなく、発想を未来へと飛躍させたい。その自由が唯一と言ってよい創造的行為です。コストや工期はあっても、建築とはやはり、建物をつくる以上の価値をつくることです。思考の飛躍をどこまで未来に飛ばせるか。

SG－でも理想／ユートピアではないと。

TT－そうです。だからDigging & Building。今ここの場所を掘ることですね。エストニアの場合では、時代からも疎まれて、忘却したいという旧ソ連時代の軍用滑走路を掘るわけです。完成したときに館長が「これによってわれわれは本当に、旧ソ連という時代を乗り越えることができたんじゃないか」ということをスピーチで言いました。

SG－でも、失礼な言い方に聞こえるかもしれないけれど、田根さんはエストニアの歴史の重さ、負の情念に対して「空っぽ」だからできたんじゃないですか？ 掘るんだけれど、田根さんは空っぽの立場にいる。

TT－そうです。

SG－よく知っていたら、引き受けられないと思うんです。

TT－無知であるからこそ、掘り下げ、それが飛躍に繋がる。代々木の新国立競技場のコンペでは「古墳」を出しました。「競技場のコンペなのに、何で古墳を提案するんだよ」と言われましたが、この時代にしか生まれることのない鎮魂の場としてのスタジアムは、大きな意味を持つんじゃないか。

2

SGーなるほど。今のお話を聞いて思ったんですが、田根さんって「記憶」と言って背負うんだけれど、同時に中心は空っぽなんじゃないか。競技場案も、その古墳の案はDiggingによってジャンプをやっているんだけれど、モダンな建築が使うようなロジック、ナラティブを使っていない。連続させようとしていない。いや、連続しないものを連結させている。

TTーそういう意味では、連続していません。まったく違う。まったく違う意味があるものが、同時に接続し、同居し、一体となることによって、そこに新しい概念や意味が生まれる。

SGー「記憶装置」であって、記憶を再編して提出しようとしているのではないということですね。

さっき「イタコ」と言いましたが、イタコは口をついてコトバが出てくるだけで、コトバの意味がわかっていないんです。イタコも「記憶生成装置」です。

TTー僕は「建物」と「建築」は違うものだと思っています。「建物」は物質だし、壊れる。消滅する。でも「建築」の思想や精神というものは強い。それを「永遠」や「普遍」だと言う人もいるけれど、僕にとってそれは「記憶」なんです。法隆寺は最古の木造建築ですが、建物は朽ちて、直し続けて現在に至っている。でも今でもガイドさんが、当時の棟梁の話など建築を通して、社会や時代を語り継ぐ。

僕はやはり「建築」とは「記憶装置」だと思う。モダニズムの存続が厳しいところは、建築の原理がひとつだったり、建築家の名前だったりすることです。「記憶」というものを排除してきたがゆえに、かえって建築の厳しさに直面しています。

SGーモダンとは記憶喪失し続けることだったわけですからね。

TTー当時のモダニズムの原理のひとつは、宗教や社会、政治からも自由に建築家が家をつくることだった。しかし今や世界中がコンクリートや鉄のビルだらけになって、本当によかったのかと問われている。それに、それらの建物が急に明日なくなっても誰も不思議に思わない。僕はそれを罪だと思っているんですね。
特にポストモダン期の建築は、装飾的で、現在の住宅では寿命は27年くらい。他にも公団だったり、ビルは40 ~ 50年。もう建物の寿命は人間の寿命より圧倒的に短くなっているのが現実です。ホテルオークラの解体は、僕にとっては大きくて、あれを取り壊すことで、次の世代や、その次の世代では、あの空間を体験できなくなる。それって、この時代の罪じゃないかと思うのです。文化的愚かさだし、本当にまずい。
SG−田根さんは、未来の法隆寺になるような建物をつくりたいと思っていますか？
TT−はい（笑）。大きな声で言ったら叩かれるかもしれないけれど、建築のひとつの醍醐味というのは、人類が文化的に世界遺産のように認めた、これは残すべきというものです。モニュメンタルなものであっても、一方で、住宅のようなものでも、遺産として認めた、語れるべきもの。僕の場合は、展示や舞台芸術みたいなものと、本質的に人類に残すべきものとしての建築の双方に携われたらいいなと思います。
ピラミッドしかり、古墳しかり、ガウディしかり。古代から人間がつくってきたものを、自分のモチベーションとして「建築」と呼びたい。そのようなものが向きあう対象です。
SG−そうやって向きあうことから「未来の建築」「未来の記憶」ということが出てきているわけですね。
TT−あと大切なのは「テクスチャー」ですね。テクスチャーは手と深く関係しているし、素材を選ぶ時も、模型をつくるのも手です。そして空間という内なるものに関して言うと、「音」と「光」が空間をつくっていると思っていて、音と光を包み込んでいる物質的なテクスチャー。その反響であったり、その質であったりが、僕の建築の決め手になりますね。たとえば洞窟。あの粗さ、もしくは森の中とか。森のサクサクした感じ。あれは消音材のようになっていて、その快適性、静けさも、やはりテクスチャーなんですよ。空間をつくるテクスチャーがひとつあり、物質が持ってきた時間の軸、そこに手の仕事が折り重なってくることで、全然オリジナリティが変わってくる。そんな意味でテクスチャーに対するこだわりが強いのです。

SG－「大磯の家」の場合だと、その場所の土を掘って使っていたから、物質とそこに住む人の身体知の交換、交流が出てくるけれど、エストニアの場合はどうだったんでしょう。固有の身体知をどのように体得したのですか？

TT－幸いスウェーデン、デンマークに20代前半にいたので、北国のメンタリティはよくわかっていたんです。想像の範囲内でした。

SG－近代建築はマテリアルもユニバーサルに同じで、だから固有の解を出すとは考えない。だから田根さんとはそれとは逆で、毎回違う解を出す。

TT－解は当然違います。やはり、その土地の言語なので。ただ、ローカリズムには陥りたくないので抽象度が問題になります。

SG－抽象度というと、モダニズムのようですが。

TT－ユニバーサルではないけれど、やっぱりひとつの世界の言語になりうるか。その言語を持って、そのローカルな土地を考えうるか、ですね。建築のユニバーサルな単語は使うんだけれど、その場所でしかつくりえない建築の力は残す。いろいろな「名もなき」地方の「名もなき」建物。ただのローカルな掘っ建て小屋のような民家もあれば、今でもグッとくる「記憶の積層」を持っている民家もある。その建物はユニバーサルたりうると思う。

SG－たとえば、ブランクーシの彫刻なんかは、ローカルな木でつくられているけれど、宇宙的な普遍性、抽象性があります。

TT－イサム・ノグチしかり。その強度があるかどうか。最初の「時間軸」の話に戻りますが、僕はスタートにおいて舞台芸術から始まったというのは、とても大きいことでした。大学を出て１、２年くらい、24歳の時に初仕事でやったのが、建物ではなくて、舞台の装置をつくることだった。

SG－Noismの『SHIKAKU』ですか？

TT－あれが最初です。

SG－あれが最初ですか？ あの現場にいましたよ。見ていました。観客でした。新宿でしたね。

TT－おお、すごい！

SG－縁ですね。ダンサーが踊っていると、上から壁というか、建物が降りてくるんです。10何年前です。あのとき、篠山紀信さんがNoismを撮り始めていて、結局僕がその写真集の編集を10年後にやりました。不思議です（笑）。

TT－あのとき、ダンサーたちが視覚や聴覚を使いながら動きまわる。

SG－空間に穴が空いていて、向こうと繋がっていたり。

TT－同時多発的で、ダンサーたちが動くことで空間の意味がどんどん変わっていく。単純に「空間の永遠性」というよりも、時間は空間をつくっているし、空間と時間が分けられない。

SG－とても説得力のあるエピソードです。動き続けている身体があって、それが時間と空間を生みだす。その生成装置を舞台芸術の装置としてつくる。そのトレーニングがのちの建築に対する決定的なものを与えているということですよね。これは実にユニークな方法論の起点です。

TT－そこが特性だと思っています。原点です。単純に空間を追求しているだけではなくて、時間の観念も入っている。

SG－Noismの他の舞台でも田根さんがやる時は、それもひとつの事件性があって、別の舞台ですが、たとえば移動式の鏡面を使ったものがありましたよね。あれも時空や見えるもの／見えないものの生成装置でした。

TT－舞台という象徴的な場所で「見えるもの／見えないもの」とか「存在／不在」への挑戦ですね。それに、どれだけ素晴らしい舞台空間をつくっても、1時間それを観続けることはできないんですよ。だからこそ、光や間を含めてひとつの「出来事」を生みださなければならない。

SG－記憶として語り継がれる空間ということですね。事実僕は田根さんの最初の舞台のすごさを語り継いでいますよ（笑）。

TT－「記憶」と「建築」と言った場合、テクスチャーや光とかが、空間の密度みたいなことの意識なんですが。舞台の場合は、1時間のものもあるし、展示・インスタレーションだと1週間のものもある。やっぱり時間のスケールを伸ばすと、建築のようなものになるんじゃないかと思う。ドラマチックなものは、何十年と、長い時間をかけて引き延ばすと、静寂のほうが意味が出てくるかもしれない。そうやって、建築の価値に挑戦しているところがあります。もし、あの舞台の体験がなかったら、ひとつの建物に全部詰め込んでドカンとなって、まずかったんじゃないかと思うんです。

SG－大切な原点だったわけですね（笑)。

オペラシティでの展覧会は、どのような建築的挑戦でしたか？

TT－以前関わった、東京ミッドタウン21_21 DESIGN SIGHTのフランク・ゲーリー展のような場合だと、彼のものすごく素晴らしいもの、ぜひ伝えたいものをオブザーベーションというか、観察し、コアなところを掘り下げてやるんですが、自分の展示はちょっと大変でした。

SG－準備されている時に、パリのアトリエで途中の状態を拝見しました。Search & Researchのスタディがありました。

TT－模型もありますが、思考の過程や何か発掘現場のように、エストニアのような代表作から、現在進行中のプロジェクトまでの7の島が、関係あるかもしれないし／ないかもしれない形で並置されている。

SG－自分の作品を「遺跡」のように扱うということですか？

TT－出来上がったもの、完成したものを解説しても、僕は面白いと思わない。もう1度これらを抽象的に「ここに物事の何が意味を持つのだろうか？」とか考え直す。そこから派生するさまざまなこと。もちろんスタディ模型もあるけれど、名もなき、意味もないガラクタ、ガレキのようなもの、金づちとか。それらの未来があるかもしれない。そんなことを考古学的に発掘してもらえるようなことをやってみようということなので、うまくいったかはわからない。それが「Building」であり、もうひとつがリサーチとしての「Digging」。

SG－パリのアトリエでも徹底的にやっていましたね。「Digging」というと、過去に向かっているように見えるけれど、未来に向かって掘っていくわけでしょう。

TT－もちろんそうです。掘り下げていきながら、つくり上げてゆく。連動しているんです。それを見てもらおうというのが、このセクションでした。

オペラシティでの展覧会を通して、大きく自分の中で変わったのは、なぜ「記憶」というものが気になり、これまで「場所の記憶」とか「建築は記憶じゃないか」と考えていた先には、記憶というものは過去に属するものではなくて、記憶していること自体、未来をつくる原動力なんだということだったんです。原動力には強度がある、それを見つけようとしている、ということなんです。

SG－それはもちろん個人の記憶とかいうレベルではないですね。

TT－ええ、自分の記憶でもなれければ、誰かが伝えてきた物語だけでもない。集合的に見るときに浮かびあがってくるもの。記憶の力が未来をつくる。それから「地層」みたいな考え方もある。人の記憶は捏造されたり、忘却がある。信用できない。歴史も信用できない。でも場所の記憶は嘘をつかない。物質の力、それを検証する科学の力。分析することによって見える真実みたいな。場所の地層はやっぱり嘘をつかない。それらはやっぱり信用していいんじゃないか。さっきの「イタコ」の話じゃないけれど、どんなものが口をついてでてきて、われわれはそこに未来を見出すのか。

3

SG－なるほど。もうひとつ、まったく別の角度からの質問をしたいのですが。今、時代としては、続いてきたポストモダニズムのエステティックスをどうやって乗り越えるかというのが問題だと思うんです。美意識や形態について、どのように考えていますか？　直感的に、古墳やピラミッドのような、ある種のアルカイックに惹かれていますね。

TT－最近では「古代の力」みたいなものには非常に魅力を感じています。古代から中世ぐらいまでです。中世には、カオスのような集合的なものを統率する力があったと思います。古代の場合はもっと象徴的であるとか、形態のシンボリズムです。建築においては、「精神が美学を超える」ところがあるんじゃないかと思います。

SG－もう少し詳しく話していただけますか？

TT－エステティックスよりも、スピリチュアリティというか、場所の精神性です。バロックよりロマネスクの空間になぜ惹かれるかというと、その祈りの場のありようです。視覚的なごちゃごちゃではなくて、祈りの場や精神の場所。

SG－威圧的じゃない。

TT－吸い込まれて、一体感を持つ空間。優しさであったり。祈りの場は、精神の繋がり場だし、場所と繋がるポイントです。そこでは美学は超えられてしまいます。美学ではない。

SG－すると建築家の機能というものも変わりませんか？

TT－僕はやはり、建築家の役割は「未来をつくること」であると一貫して思います。この時代、その次、さらにその次まで自分を引っ張っていってくれるもの。モダニズムは可能性を開き自由を得ることで未来像をつくりました。しかし、古代からあったものをもう一度掘り出して、この時代に持ってきた時に、単なる美学的な新しさではない「深遠なるもの」がちゃんと出てくる。もっと遠い未来に繋げられるんじゃないかと。それこそ記憶を通して伝え続けられる「建築の記憶装置」を、語り継がれることによって「建物」は変化しても、「場所の精神」は語り継がれていくだろうと。そんな「建築の力」をもう一度蘇らせたい。

SG－かつて、磯崎新さんと篠山さんがやっていた『建築巡礼』みたいなことを田根さんにやってもらいたいですね。

TT－確かに。それはやりたいですね。

SG－建築じゃないけれど、以前田根さんがアイスランドの写真をFacebookにあげていましたね。

TTーすごくよかった。あの体験と同じものを「建築の体験」にも求めたいですね。アイスランドって、もう僕らが考えている地球じゃないですよ（笑）。他の惑星と地球の間くらいですね（笑）。
SGーオラファー・エリアソンやビョークが出てくる理由がわかります。
TTー溶岩でできている島なので、土がないんですね。土がないっていうことは生命が生まれないので、シーンとしている。バクテリアぐらいはいるけれど。ちょっと次元が1ステージ違うところです。自分はときどきそういうところへ行って「建築」のことを考えているんだと思います。
SGー象徴的だと思ったのは、オペラシティの展示で、展示用の柱の上にレンガとか木片が並んでいたでしょう。いわゆるモダニズムが生みだした素材や機械じゃない。ましてやモバイルフォンなんかじゃないですよね。モダンの建築って「記憶」とは合いませんね。でも今の人たちもそうだけれど、AIとかロボットというものにも未来を期待しているでしょう？
TTーあるでしょうね。
SGーGoogleみたいなものが、人々の記憶をどんどんアーカイブしていき、そして、同時にAIがトレーニングされていく。時代の無意識は高速で、そちらにシフトしていますよね。でも田根さんが出している「未来」と「記憶」も正反対に見えます。
TTーシンギュラリティのその先で人類がいるとすれば、やっぱり「記憶」の方が強いんじゃないか。今オペラシティでの展覧会では、「この時代をどう語るのか？」「この時代に何をしたらいいのか？」という「時代表現」が自分に課せられたと思ったんですね。それで「記憶」ということをテーマにした。だから、TOTOギャラリー・間の方では、思考とスタディの考古学研究所みたいなことがありましたが、オペラシティの方は、「この時代に何が起ころうとして」「どこに向かうのか」。プロジェクトを見せるのではなく、次にやりたいことのビジョンを出したかったわけです。
SGー建築家の人たちはオペラシティでの展示を観て戸惑ったでしょうし、発想のソースが出力されてインスタレーションされている。仕事のソースと模型が並んでいると。でも実はそれは、田根さんの「建築についての未来予感的なもの」のアーティスティックを表出したと思うんですね。ヴィジョナリーな行為です。だから資料についても、ロジカルではなく、もっと別の触知を観客の側にも要請してくる。
TT―重要なのは、立ち位置をもう一度自由にすることなんです。
SG―「セレンディピティ」という認知の方法がありますよね。たとえば、写真というアートを考えた時に、ある写真が未来を予言している力を帯びることがある。単なる記録・記憶ではなく、人に予感を与える力です。港千尋さんなんかは、それは人間が狩猟していた時の感覚がモダンな写真行為の中で蘇ったのだと指摘しています。ここを獣が通るはずだ、そういう瞬間を捕まえる。そんな力を感じさせる写真です。そのとき、古代の人間の力とテクノロジーを別の角度で捉え直す視点が「セレンディピティ」にはあるわけです。
TT―同じですね。だから古代的なものが意味を持つ。記憶というものが過去に属していなくて、未来に属しているというのが今回の展覧会の発見であり、確認でした。
SG―現在の人間が一番恐れていることは、携帯を失ったり、データが全部飛んでしまうことでしょう。古代の人たちは、なんと情報を読み取って伝承する力に自信があったんでしょう。
TT―すべての物質や情報を失っても記憶だけが自分を突き動かしてくれる力じゃないか。記憶の力が人類の最も強い力じゃないか。日本でも、伊勢神宮のようにナラティブが伝承されていて、サイクルが継続されていく。祭りとかによってです。
SG―人間的な意味での「死」も超えていくわけですね。死なんてあんまり恐れない。「建物」が失われることも。
TT―そうそう。だから逆に「死」は大きな意味を持っているとも言えます。たとえば、弥生時代にはリーダーが出てくる。でも、彼が死んだ後も自分たちを守ってくれる象徴として、古墳という形での鎮魂の場が生みだされる。人間は短い時間しか生きていないわけですから。

SGーだから、古代では、人間の生きている以上のものを建築は帯びることになる。

TTー人間の時間は、他愛もない時間だと。アーキオロジカルなものというのは、出来事のスケールを変えることでもあります。やっぱりAIに未来を持っていかれちゃいけないんじゃないか。

SGー普通、展覧会を観に行くのはみんな「答え」を期待しているじゃないですか。でも田根さんは「問い」を出しますよね。

TTーそうですね。コトバも極力少なくして、記憶の断片と向きあったときに、想像力の実験として成立するかが課題でした。

SGー田根さんの「場の力」の実践記録でもあるんですね。

TTー面白かったのは、何回もレイアウトをやり直していくうちに、展覧会の入口のところに残骸のようなものが寄せ集まった展示が出来上がっていった。僕はそれに「記憶会議」という名前をひそかにつけていたんです。

SGーいろんなプロジェクトからセレクトされてきた断片ですね。

TTー廃材として捨てられるはずだったものたちが、「俺たちこれからどうなるんだろう？」って相談しているんです。キャンプファイヤーをやっているみたいですね(笑)。やっている間に出てきたんです。断片たちが未来のことを相談しあっているんですよ（笑)。

2019.03.14

建築家。1979年東京生まれ。Atelier Tsuyoshi Tane Architectsを設立、フランス・パリを拠点に活動。場所の記憶から建築をつくる「Archaeology of the Future」をコンセプトに、現在ヨーロッパと日本を中心に世界各地で多数のプロジェクトが進行中。主な作品に『エストニア国立博物館』(2016)、『新国立競技場・古墳スタジアム(案)』(2012)、『Todoroki House in Valley』(2018)、『弘前れんが倉庫美術館』(2020) など多数。フランス文化庁新進建築家賞、ミース・ファン・デル・ローエ欧州賞2017ノミネート、第67回芸術選奨文部科学大臣新人賞など多数受賞 。著書に『田根 剛 アーキオロジーからアーキテクチャーへ』、『TSUYOSHI TANE Archaeology of the Future』（いずれもTOTO出版）など。

第２章
アートは現実世界に介入する

アイ・ウェイウェイ
Ai Weiwei 1957-

北京生まれ、アーティスト／建築家／社会運動家。父で詩人のアイ・チンが文化大革命で新疆ウイグル自治区に追放され幼少をそこで過ごす。前衛芸術集団の結成に加わるが弾圧され渡米。帰国後も実験的な展覧会、出版、作品制作を続ける。2008年に起きた四川大震災で被害の詳細を隠蔽しようとする政府に対してブログで調査を呼びかけるプラクティスを展開。しかし2009年にブログは閉鎖され、2010年には自宅軟禁、2011年には脱税の罪でアイ・ウェイウェイは逮捕される。2015年にベルリンへ出国し、現在はロンドンを活動の拠点としている。
『アイ・ウェイウェイは語る』文・坪内祐三、訳・尾方邦雄、みすず書房（2011）

時代は急速に流転していく。多くの人命を奪い、故郷を喪失させた「戦争」や「地震災害」のようなカタストロフも瞬く間に「記憶喪失」されていく。悲劇の記憶は、もはや「モニュメント」にはならず、ヴァーチャルな時代のチャットとして霧散していくのか。

2008年の時点で、アイ・ウェイウェイはブログをやっていたが、中国を去った彼はもはやそれをやってはいない。当時、彼はこう発言していた。

「インターネットと情報の時代は、人類が遭遇した最高の時代だと私は思っている。この時期のおかげで、人間はついに個人として独立して、情報を得て、個人としてコミュニケートする機会を手に入れた。こうした情報やコミュニケーションはまだ制限されていて不完全ではあるが、過去に比べたら、人々は独立できる可能性に恵まれている」

彼は当時、中国の資本主義化の急成長のすき間に、たまたまブログを始める機会があり、それを使った。彼はブログの可能性に気づき、毎日100枚以上の写真、テキスト、インタビュー、新聞の記事をアップし続けた。そしてフォロワーは瞬く間に増えて700万人を超えた。彼の発言には「自己検閲」はないから、共産主義という名の全体主義体制を堅持しようとする政府はそれをある日ついに遮断する。

彼はコンセプチュアルアートの思考訓練のできたコンテンポラリーアーティストだ。だから彼の実践は、単なる社会にプロテストする「ソーシャル・プラクティス」にとどまらず、ブログをアート作品とすることになる。それまでブログを

オクウィ・エンヴェゾー
Okwui Enwezor
1963-2019

ナイジェリア生まれ、キュレーター。2002年に第11回カッセル・ドクメンタ、2015年の第56回ヴェネチア・ビエンナーレ「All the World's Futures」のディレクターを、アフリカ出身者として初めて務めた。2019年に急死したが生前企画した展覧会「Grief and Grievance: Art and Mourning in America」がニューミュージアムで開催された。
『All the World's Futures』Marsilio（2015）

アートとするアーティストは、アイ・ウェイウェイ以外にはいなかっただろう。

スイスのヴィンタートゥールには、世界の現代写真アートを牽引する写真美術館がある。2011年に、アイ・ウェイウェイがブログにアップしていた膨大な写真とビデオ映像で構成した写真展「Ai Weiwei - Interlacing」を観たことがある。それは既存の「ドキュメンタリー写真」でも「パーソナル写真」でもなく、まさしく「インターレース」、混じりあったとしか言いようのない「総体」だった。ブログという新たな「写真の領域」が出現していることに驚かされた。

SNSは、「ソーシャリー」なツールであり、それは自由に誰でも無料で使えるように提供されていて、何に使ってもよいのだが、使えば使うほど知らないうちに「プラットフォーマー」が利を得るという巧妙なストラテジーでできあがっている。

また、自由が与えられているということの「錯覚」は、人間のエゴに悪作用も与える。炎上やネットでのハラスメントが多発し、人間のモラルが大きく問われる事態が発生する。

アイ・ウェイウェイは言う。「もし芸術家が社会の良心を裏切ったら、人間であることの根本原則を裏切ったら、いったい芸術はどこに立っていられるんだい？」と問い続ける。全体主義国家にいたブロガーの方が、我々よりモラルに厳密だというのも皮肉である。

まずこの章の冒頭で書いておきたいのは、「ソーシャリー」という意味がアイ・ウェイウェイにおいて、はっきりと明示されているということだ。

ポール・B・プレシアド
Paul B. Preciado 1970-

スペイン生まれ、哲学者／作家／キュレーター。アイデンティティ、生政治、ポルノ、建築、セクシュアリティについての理論とキュレーションを展開。
『ArtReview』2020年のPower100では39位。2019年ヴェネチア・ビエンナーレ台湾パビリオンを共同キュレーション。引用は『表象15』による。
『表象15』月曜社（2021）

コンテンポラリーアートが、優れた頭脳プレイとしてだけで評価される時代は過ぎてしまった。よい作品をつくり、面白い作品をつくれば、アーティストは何をしてもよいというパラダイムはもはやない。時代は許してはくれない。
表現と他者の痛みを理解するモラルは、かつてないほど結びついている。極論すれば、そのことがわからない者はアーティストやクリエイターを名乗ることもできないと言っておきたい。ネットで受けた痛みは消えることはない。
アイ・ウェイウェイのブログは閉鎖され、彼はドイツを経て、現在は息子のいるイギリスにいる。だからと言って彼の重要性が消えてしまったわけではまったくない。キュレーターのハンス・ウルリッヒ・オブリストは、アイ・ウェイウェイのブログを「21世紀における社会彫刻（ボイス）だ」と言ったが、それは完全にまとを得た発言である。
アイ・ウェイウェイは単純なことをした。しかし、それは「ソーシャリーなプラクティス」としてのアート、つまり「ソーシャリー・エンゲージド・アート」と近年言われるアクティヴィズムと、「ソーシャルネットワーク」という２つのことを同時にやってのけたということだ。
コンテンポラリーアートを捉える時に、「ソーシャリー」であるということはもはや基本条件のひとつである。しかし、それはかつての「政治と芸術」とか「ポリティカル・コレクトネス」ということとも異なっている。
「政治とアート」をめぐって浮かぶ究極の事例は、オクウィ・エンヴェゾーがディレクターを担当した第56回ヴェネチア・

パブロ・エルゲラ
Pablo Helguera 1971-

メキシコシティ生まれ、アーティスト／パフォーマー／教育者。2007年から2020年まで、ニューヨーク近代美術館のプログラムディレクター。「関係性の美学」への批判的視点から、ソーシャルプラクティスとSEAの関係についてガイドする。
『ソーシャリー・エンゲイジド・アート入門』訳・アート&ソサイエティ研究センター、フィルムアート社（2015）

ビエンナーレ「All the World's Futures」である。それはカール・マルクスの『資本論』を補助線にしてアート／アーティストを再配置したオーケストレーションを駆使した異様な展覧会だった。近代国家、植民地、難民、経済の非対称性などを、アート作品を総動員してキュレーションしたアートとポリティクスをめぐる壮大な絵巻。

しかし、ポール・B・プレシアドが簡潔にフーコーについてまとめていたように、我々にとっての政治の意味は加速度的に変化している。

「（フーコー）が明らかにしたのは、暴力と死の祝祭化によって主権を定義づける「主権社会」から、国家の利害関心に応じて人口の生命を管理・最大化する「規律・訓練社会」への移行である。生政治的統治の技術は、司祭や処罰の領域を飛び越えて、縦横無尽に広がる力となり、国土全体を横断し、個々の身体にまで侵入するような、権力のネットワークとして広まっていった、とフーコーは言う」

そう。まさしく「政治」は警察や軍隊のような暴力装置としてではなく、もはや我々の身体や、それこそSNSで我々の日常のすべてに介入しているのだ。そこでアーティストは何をすべきか？　何ができるのだろうか？　「ソーシャリー」とは、新しいアートのジャンルなどではなく、そのことを問うことに他ならない。

パブロ・エルゲラによるSEAの入門書『ソーシャリー・エンゲイジド・アート入門』や、クレア・ビショップによる整理はとても有効ではあるが、それをSEAというアートの定

クレア・ビショップ
Claire Bishop 1971-

ウェールズ生まれ、美術史家／評論家。ニューヨーク大学大学院教授。著書に『ラディカル・ミュゼオロジー』(2013)、アーティスト、タニア・ブルゲラとの対談集『タニア・ブルゲラとの会話』がある。
『人工地獄』訳・大森俊克、フィルムアート社（2016）

義とするのは間違いだと思う。ビショップの『人工地獄』は、ポール・チャン、タニア・ブルゲラ、トーマス・ヒルシュホルンらの「作品」と「戦略」を浮き彫りにした点で重要だ。しかしその本はもちろん万能ではなく、議論されていないことがたくさんある。ヴォルフガング・ティルマンスにおけるアクティヴィズムやオラファー・エリアソンにおける「イノベーティブ」で「ソーシャリー」な取り組みは省かれる。
「ソーシャリー」であるということは、「そこ」に「矛盾」となるイシューが発生するということだから、優先順位づけなどできない。イシューはLGBTQにおける生政治の問題であるかもしれず、原発建築反対の地域開発かもしれず、また難民問題についての個人的問題であるかもしれない。「ソーシャリー」とは、常に私の問題として立ち上がってくるが故に、プロテストせざるをえなくなるものなのだ。
この章では、「ソーシャリー」にまつわるアーティストのインタビューを収録した。
ここで重要なのは、それぞれのアーティストがどのような「イシュー」に対応し、プラクティスを行なっているかを見ることである。発見、判断、行動など、具体的なことがどのような過程でなされているかに注目すべきだと思われる。なぜなら、もはや「闘争」現場はますますパーソナルでマイクロな領域になっていくからだ。プライベートこそが闘争現場なのだ。アイ・ウェイウェイはそれを先駆的に示していた。
「アートが現実に介入する」というのは、商業主義や国家と手を組んで広場に作品をつくることではない。かつての愚か

ハキム・ベイ
Hakim Bey 1945-

アメリカのアナキズム研究者／批評家／詩人。ハキム・ベイはペンネームである。「一時的自律ゾーン」と「存在論的アナキズム」を提唱。
『T.A.Z.』訳・箕輪裕、インパクト出版会（1997）

な「未来派」のマリネッティのように戦争を美学化することでももちろんない。
アートにできることは、ティルマンスが言うような一時的な「融合」であり、T.A.Z.が説くようなテンポラリーな非権力空間の創出にとどまるだろう。ユートピアへの衝動は常にディストピアを生みだしてきたことも我々は忘れないだろう。
トランスジェンダーのプレシアドは、介入してくる権力に対してプロテストし、自らの体を奪還しようと呼びかける。「私たちの体と生体監視・生体管理機器との関係性を修正する」ために、自らが変異しなければならないと呼びかけるのだ。
たしかにそうだろう。「ソーシャリー」とはアーティストにとって「存在論的」な問いだからだ。
私はどうする。あなたはどうする。そのような「問い」が響いている。

005_Ai weiwei
アイ・ウェイウェイに聞く：今与えられた状況から学ぶ

美術館の壁には、３枚の大きなモノクロ写真が額に入れられ展示されている。
１枚目は壺を抱えた写真、そして２枚目はそれが彼の手から離れ、落下している途中。
そして３枚目は、地面に壺が激突して割れ、破片が飛び散った光景が写真に収められている。
漢の時代につくられ、今日まで伝えられてきた「貴重な」壺は割れてしまった。しかし写真の中の男は、表情ひとつ変えることなく虚空を眺めている。
この男は、破壊主義者なのか？
現代の価値への反逆者なのか？
いや、そんな単純な話ではない。
振り返って展覧会場に見えるのは、プーアール茶を固めてつくった「１トンのキューブ」だ。そしてその隣には、中国の伝統的な工芸技術によって、見事な仕上がりを見せる１メートル四方のミニマルな「机」であり、あなたは次々に繰りだされる「彼」のアートに意表を突かれることになる。

アイ・ウェイウェイ。
ずんぐりとした巨体に、坊主頭。あごには髭をたくわえ、大人の風貌。しかし、その眼光はきわめて鋭い。彼は北京オリンピックでヘルツォーク＆ド・ムーロンと組んでメインスタジアムである「鳥の巣」をつくったし、そして日本でも森美術館でソロ・ショーを開催するに至った。そう書くと、現代社会における「成功したアーティスト」に見える。
しかし、彼の「遍歴」は、まったくもって順風満帆などではない。詩人である父、アイ・チンは文化大革命でブルジョワ反動分子として身分を剥奪され、ウイグル自治区に家族ともども「下放」された。一日最低、10数個は便所を「掃除」しなければならない父の姿を見ながら、アイ・ウェイウェイは少年時代を過ごす。
その後、北京へ戻った彼は、北京電影学院へ入学する。同期には、北京オリンピックの総合演出をしたチャン・イーモウやチェン・カイコーなど、文革時代に亡命することを選ばず、中国国内にとどまりながら製作を続けた「つわもの」が揃っていた。
24才になった彼は、ニューヨークへ単身渡る。そこで、「アート」がアメリカという資本主義国家で、どのような「価値システム」の中でつくり出され、存在するかを学ぶのである。
当時、彼がさまざまな「アート作品」と「自分」を撮ったセルフポートレイトの連作は、共産主義態勢内におけるサヴァイバルと同じく、資本主義体制における「アーティストであること」の生々しさを示すものだと僕は思う。

そのような「遍歴」の果てに出現したアイ・ウェイウェイというアーティストは、我々に何を問うのか。
リーマンショックによる世界恐慌は、アメリカの覇権を揺るがすものとなり、逆に、中国が急速な成長による大きな矛盾をはらみつつも、その力はますます世界化する事態となった。
新世紀の初めの10年が、「テロと戦争」のうちに明け、カタストロフ、新零戦時代、そしてさらなるカタストロフの予感に怯える時、はたして「アート」は何の意味があり得るのか？
そして「アーティスト」の存在意味とはいったい何なのか？

後藤（以下SG）ーあなたはこの流動化の中にあるリアルワールドの中で、まずアーティストの立場というものをどう考えていますか？
アイ（以下AW）ー現在、中国の状況は非常に極端な状況にあると思います。共産党の一党体制で、民主的なことは限定され、表現の自由は大変抑圧されている。個人の自由を国家がコントロールしているのです。と同時に、資本主義経済を積極的に取り入れるために、権力を持つ少数の人々だけが利益を得るという矛盾をも生んでいます。

私の立場は、今与えられた状況から学ぶということです。つまり、政治的、社会的な葛藤と私の作品が「美」に対して、きわめて関係したものになる。倫理、道徳的な規範や、哲学的なもの、イマジネーションもすべて関連しています。切り離すことなどできないのです。

だから、アーティストとして、常に「私の役割とは何なのか」を問い続けなればならないし、葛藤しながらサヴァイバルし、かつ、自分の声を届かせる強い態度が必要になってくるのです。

SG－あなたは実にタフなアーティストです。絶望したことはないのですか？

AW－「遠く」へ行けば行くほど「１人」だということを感じます。どれだけ行けるかわかりませんし、続けていくことによって、自分でもわかっていなかった立場に置かれることになるかもしれない。私の心の声では「これで終わりだ」と思ったことはありません。

しかし、取り巻いている状況の中では「これが最後かもしれないな」と感じてしまうことはあります。中国はリスキーな社会ですから。強い表現を取ると、政府も何らかの行動を取るかもしれません。特に私は、数年、個人的なブログに社会的な意見を書いているので、ブログを書くたびに、「最後になるかもしれないな」と感じることがあるのです。

人生には常に選択がある。私が人生に対し、正直に生きるのか、流されるのか。

私は、今持っている権利、チャンスを生かし、これが最後の仕事かもしれないと思って取り組んでいるのです。悔いがないように。

SG－中国は偉大な国です。それは、西洋や我々の国では、歴史が相対化したり、終焉が宣言されているのに、中国ではあいかわらず、歴史が人間に与える力が強大だと思うからです。歴史は、人間に対し、時には悲劇であり、喜劇です。どう思いますか？

AW－歴史は非常に暗くて長いトンネルを経験しなくてはならなくて、そのような状況で、自分の声を誰かに聞いてもらえるだろうか、そんな疑問さえ持てない感じになる時もあります。しかし私はアーティストとして、自分の心だけではなく、そういう苦しい時期を経験してきた世代の声を表現できる。それが私の特権であると考えています。

SG－アートで世界を変えたりすることは可能だと思いますか？

AW－アートは非常に強い力を持っています。なぜなら、アートは「個人の自由」や「イマジネーション」を表すからです。だから私は、アートとは哲学であると思っているのです。

SG－アートが使われるべき方向はいくつもあると思います。まずそのひとつは、「存在」自体に対する「問い」でしょう。もうひとつは、この世界に対する「矛盾」への「問い」です。どう思いますか？

AW－存在理由への問い。それは私も非常に重要だと同意します。それから「矛盾」ですが、それがあるからこそ人生も非常に魅力的になるのではないでしょうか？

SG－あなたが今、一番テーマとして取り上げたい「矛盾」は何ですか？

AW－私たちは、どのタイミングで死ぬのかわからない。ある歴史の中のある時期、ある空間の中に存在している。歴史の一部である。そのこと自体が一番面白いと思っていることです。存在意味が出てくる「瞬間」を捉えようとすることです。それを表現するための「独自の形態」をつくり出すということなのです……。

モダニズムであるとか、ポストモダンであるとかいう議論はここではするまい。アイ・ウェイウェイのアーティストとしての活動・態度、そしてその作品が、我々に強いインパクトを持って迫るのは、歴史や政治、そして我々の存在理由など、「我々が終わったものとして回避しているもの」を、正面から捉え、その「問い」の「解」を出そうとするからだ。

彼はミニマリズムのアーティストたちがたどり着いた戦略を武器に、リアルワールドで闘う。その「哲学」は、デュシャンに発し、ジャスパー・ジョーンズで戦略化され、コンセプチュアルアートたちが採用したものでもある。中国の清時代につくられた家具や建築や美術、つまり「文化」を素材として意図的に「誤用」し、「脱構築」して、「敵」の喉もとにナイフを突きつけること。敵とは、自分自身が属す「中国」であり、国家的な歴史である。自己否定するためには、内なる「国家権力」にも向かいあわなくてはならない。アイ・ウェイウェイが建築や「童話」(カッセルのドクメンタでの彼のプロジェクト)など多様な展開を見せつつ、実は一貫して行なっていることは、そのようなことに他ならない。
彼が採用したアートの戦略は、中国というグローバルエコノミーの中に浮かんだ「離島」とはとても呼べない巨大な世界に棲み、アーティストたりえるという「闘い」で必然的に選ばれた手段であった。

森美術館の53階の会場を歩く。時々、眼下に見える東京の光景を眺めながら、はたしてアイ・ウェイウェイの作品がどれほど「日本の現在」に届くのかという問いが頭の中をぐるぐる回っていた。
振り返ると、あいかわらず「いい香り」のする1トンのプーアール茶や家具が見え、それらはしだいにサイコロのようにも見えてくる。それを振ると、はたしてどんな目が出るか。
彼の作品を否定しようというのではない。逆に、「大きな歴史」から逸脱し続け、美しいけれど小さな泡のような作品群ばかりを生み続けるこの「離島」のアートのことを、アイ・ウェイウェイの作品を鏡に考えたということなのだ。彼の作品が、遅れてきたモダンゆえに(ニューモダンと言ってもよいが)、世界的文脈を獲得しているのに対し、隣国の日本のアートは、オリエンタリズム以上の存在理由を見出し得ていないというパラドックスがある(とはいえ、実際には北朝鮮からいつミサイルが着弾してもおかしくはない戦時下なのだが)。
最後に、アイ・ウェイウェイへの2つの「愚問」を書いておこう。

SG－あなたが生まれ変わったら、何になりたいですか？

AW－カーペンター(彼は初めて笑った)。手と精神を使って形態を生みだせる。そして、自然を理解していますから。

SG－今日、最後の質問です。死ぬ時、自分のお墓を設計するとすれば、どんなものになるのでしょう？

AW－私は消失してしまいたいのです。今まで、私の存在などまるでなかったかのように、忘れ去られたいと思っています。

2009.10

1957年、中国・北京生まれ。現代美術家、美術評論家、活動家、建築家、映画監督など幅広く活動する。2009年に開催された森美術館での大規模個展「アイ・ウェイウェイ展—何に因って？」は46万人を動員。人権活動や積極的な声明の発表でも知られる。コロナ禍における武漢を記録したドキュメンタリー映画『Coronation』（2020）のVimeoでの公開ほか、ロヒンギャ難民問題に焦点を当て制作した映画『Rohingya』がカンヌ国際映画祭によって上映を拒否されるなど、物議を醸しだしながら常にラディカルな「問い」を発信し続けている。

006_Jane alexander
ジェーン・アレクサンダーに聞く：美しい絵をつくり出すのではなくて、ものごとを理解するために

砂の敷きつめられたエリアの中に、奇妙な人間や犬のような動物、そしておそらくはアフリカの何かの道具が置かれている。「インスタレーション」と呼ぶには、あまりに不穏なオーラがその作品からは伝わってくる。
この作品をつくったのはジェーン・アレクサンダー。南アフリカの白人の作家だ。
僕は、ロンドンのヘイワード・ギャラリーで2005年に行なわれた「アフリカ・リミックス」展でその作品を観て、忘れられない衝撃を受けた。
展覧会全体は、アフリカ大陸25カ国84名のアーティストからなる、きわめてカオティックなもので、エキゾチシズムではなく、文明の非対称性、経済のグローバリゼーションの侵略によって固有文化が破壊されてゆく過程の亀裂が産む「生」な作品に満ちた、実に考えさせられるところが多いものだった。
そしてその夏、世界アーティスト・サミット（京都芸術大学主催）のために来日したジェーンに会い、話を聞いたのだった。
彼女はサミットに参加するだけではなく、子どもと母親のためのワークショップも行なった。それは、紙のパペット（人形）を使ったフォトコラージュであった。

後藤（以下SG）－子どもとお母さんに、互いの関係を考えさせようという意図が働いているんですか？
アレクサンダー（以下JA）－コラージュの持つ力というのは、選んだ写真を組みあわせることで、違った何かが生まれる。私は「マジック」と呼ぶんですが、それを子どもたちにも体感してもらいたかった。
SG－あなた自身もコラージュの作品をつくってきましたよね。
JA－ええ、子どもの頃からね。フォトコラージュは、自分では描こうと思ってもできないもの、自分がアクセスできないものを素材にして使うことができるし、それまで自分が持っていなかった見方・解釈も生まれてくる。イリュージョンをつくり上げられる。

私は、作品の中で現実と捏造されたものという２つの概念をよく使うんですが、フォトコラージュはそのコンセプトを伝えるのにすごく有効です。

SG－それは、あなたが体験してきた南アフリカの抑圧的な現実が反映しているのでしょうか？

JA－子どもの頃は、南アフリカの政治状況はあまり理解できていなかったけれど、何が行なわれていたかは知っていました。親がドイツとフランスの雑誌を購読していて、画像は見ていたからです。そこには、南アでは見れない情景、戦争の写真がありました。自分の解釈を写真にコラージュすることが始まったんですが、それは今でも変わりません。

SG－あなたの両親はホロコーストを脱出し南アに来た。そして、同時に抑圧的な南アの社会に生まれ育った。それが影を強く落としていますね。

JA－父はホロコーストのことは全然家庭で話しませんでしたが、子ども心にわかりましたね。私の初期の作品『ブッチャーボーイズ』は、1985年頃のものですが、その頃、私は学生でした。とりわけ政治的状況が酷い時期で、メディアはコントロールされていて、何が起きているか、正しい情報を市民は知ることができなかった。私が『ブッチャーボーイズ』で表現しようとしたのは、時代の空気、すごく暴力的な空気でした。

SG－黒人との交流もありましたか？

JA－物理的に黒人と白人は居住地、生活地域を分けられていました。その上、黒人たちを簡単に支配できるよう、教育さえ与えられていなかった。つまり、声さえ与えられていなかったんです。

もちろん雇用関係の中で、個人的に黒人を平等に扱おうとした人はあったけれど、一般的には、白人と黒人の接触はまるで与えられなかった。その後、マンデラの功績で民主主義が台頭し、法律も変わったけれど、私たちより上の世代は、黒人と接したことがないので、はい仲良くしてくださいと言われてもどうしていいかわからない。黒

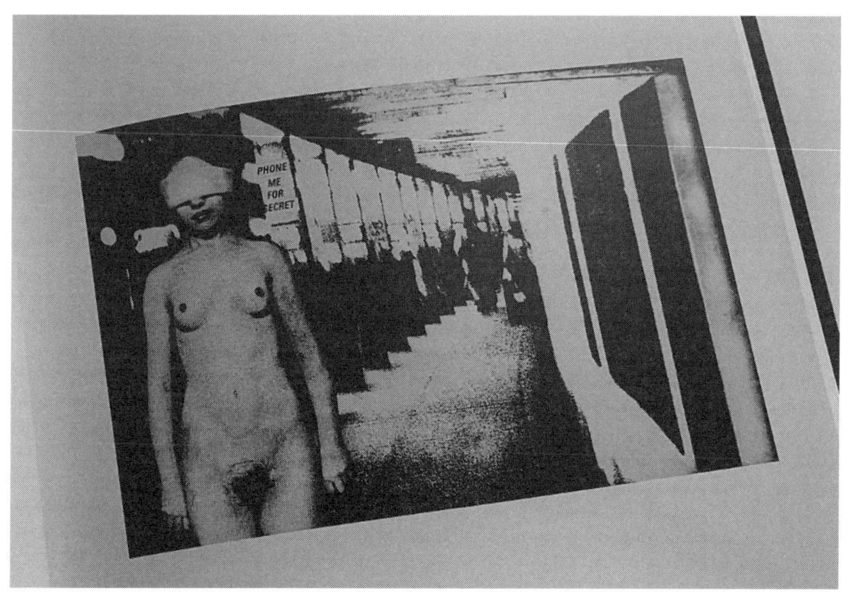

『PHOTO-BOOK』Stevenson（2016）

人の人もそう。

だから互いに対する疑念というのは、いまだに大きいんです。アートのオープニングでも、白人が95%、黒人が5%。互いに対する社会的信頼関係は築けていないのです。

SG－今回の出品作にもありますが、あなたの作品には必ずと言ってよいほど「動物」と「人間」が合わさったイメージが出てきますね。

JA－私は、子どもの頃から動物園が好きだったし、同時に野生の動物をすごく多く見て育ったんです。だから、動物園の動物と、野生の動物がどう違うのかに興味がありました。私は、動物の中に、何か「人間らしさ」を見るんです。動物は、人間のようには感情や行動をコントロールしない。でも、人間を使うより、動物を使った方が、時には、人間以上に人間らしさを表現できると思うんですね。

SG－私は、ジェーンさんの作品には、アパルトヘイト時代の政治的状況の影響と同時に、とてもマジカルな力があって、それを見ていると、とても不安定な気持ちにさせられます。

JAー私的には、「アフリカの現状」ということを示したつもりだけれど、観た人がどう解釈してくれるかは自由です。ある黒人が私の作品を観て、「明らかにすぐわかるものがある」と言いました。逆にヨーロッパの人たちは全然わからないと言います。私がこだわったのは、つくられたものではなくて、現実のものから持ってくるということが重要でした。マシェットというアフリカの農耕器具、それから犬の像にしてもアフリカの人なら、すぐ野生の犬だとわかる。
でも、ヨーロッパの人は、空想上の動物なんじゃないかとまったく違う解釈をしてしまう。今、南アは、セキュリティシステムも進んではいますが、あいかわらずバイオレンスが日常に浸透しています。私が住んでいる場所の近くでも子どもがレイプされたり失踪したりする。
私はアートで美しい絵をつくり出すのではなくて、ものごとを理解するために、ネガティブなソーシャルイシューを取り上げるんです。

ジェーン・アレクサンダーは、小さな声で静かに、コトバを選んで喋る。しかし、弱い人ではない。決して現実から目を逸らさず、絵空事で遊ぼうとはしない。
僕は最後の質問ですと言い、「9・11が、あなたに与えた影響はありますか？」と聞いた。すると彼女は、それは記事にされたくないからと言った。そして僕たちは、カセットのスイッチを切り、そして話し続けた。
2006.07

1959年、南アフリカ・ヨハネスブルグ生まれ。身の回りで起きた実際の出来事や問題に対する自身の認識をベースとし、彫刻作品やフォトモンタージュ、インスタレーションなどを制作する。1980年代の南アフリカの政治暴力への応答とも言える、1985年の彫刻作品『ブッチャーボーイズ』でもっとも知られており、本作はジャン・クレールやオクウィ・エンヴェゾーの展覧会にも出展され、各国を巡回した。

007_Ingo gunther
インゴ・ギュンターに聞く：テロの兵器を、アートに変えること

その日のインタビューは、まるで「告白」のようだった。彼は東京藝術大学の客員教授として滞在し、作品を制作展示していた。
日本にジェット機の速度で接近した時に、どのように風景の見え方が変わっていくかをシミュレーションした作品、銃のケースを型取りした、「外交」をテーマとするインスタレーション。
しかし、彼の作品との出会いは80年代にあり、それは地球儀を使い、単に見える地図ではなく、不可視の、政治や経済を含めたさまざまな関係をヴィジュアライズする『ワールド・プロセッサー』という、きわめて刺激的なプロジェクトだった。
インタビューが進んでいった時、彼はこう言った。
「21世紀の私の最大の作品、最大の決めごとというのは、WTC についての作品をつくらないということです。とにかくつくらないんです」
その告白は実に衝撃的だった。
「実は、私はその事件が起きた時、3ブロックしか離れていない所に住んでいて、すべてを個人的に経験した。でも個人的な経験を使うまい、と決めました。２機目が墜落してきた時、その写真を撮るぐらいの目前にいて、手短かにニュースを扱おうとすればできたけれど、そこから何らかの利益を得たり、活用してはいけないと感じたのです」

彼は80年代から一貫して、先端のテクノロジー、それも軍事のために開発されたテクノロジーをアートに転用することを積極的に行なってきた。それは、今からすれば、ある意味、冷戦という「均衡」ゆえに有効な手法だったかもしれない。我々から見れば、彼の創作活動は、とても時代に予言的であるように見えたが、逆に彼はジレンマに陥っていたのだ。
彼はいきなり喋りだした。

「私の初期の作品は、グローバリティ、トータリティというテーマを扱っていたので、地球儀というメディアは、うまく作用しました。当時私は、軍事的なものが一番アヴァンギャルドなんじゃないかと思っていたんです。もちろん疑いはありましたが、それをあまり抵抗なく受け入れようとしたんです。受け入れて、とても興味深いイーヴル、悪を体験しようとしたので、愛と憎しみのうらはらが始まったのです。
89年頃、冷戦体制が急激に解体してゆく中で、私の考え方、戦略が変わっていきました。そして私が世界を見る態度を改めなくてはならない時期がやってきたんです。それは湾岸戦争でした。91年、92年頃だったと思うんですが、その戦争が私に2つのショッキングなことを与えたのです。
ひとつは、戦争が起きうるということ。2つ目は、戦争というものが、目に見えるようにイラストレートされるということです。軍事的テクノロジーの発達のすごさに興奮したんですが、それを面白いと思うことに、はたと、間違っているんじゃないかと感じたんです……」

インゴ・ギュンターの名刺には、英文のクレジットに混ざって、「難民共和国」と、漢字で書かれている。彼のヴィジョンには常に、自由、管理システムの綻びからの逃走、体制内に住みつつ、アウトサイドに立つヴィジョンが存在していたはずだった。しかし、ストラテジーのリセットが迫られた時、彼はどうしようとしたのか？

後藤（以下SG）－どのようにして「次の第一歩」を踏みだそうとしたんでしょう？
ギュンター（以下IG）－戦場からの映像を見た時、むしろジャーナリズムはテロリズムのエッセンスになってしまったのではないかとさえ感じたのです。WTCの時も、テロリストのメッセージを、テロリストに代わってジャーナリズムが伝えてしまう。そして自分たちをヒーローだと思う。すごくバカなことです。もう写真とかにしない方がいいのではないか、文字で伝えるだけでいいのではないかとさえ思いました。

その時から、私は作品が変わってしまったし、つくれなくなった。とても居心地が悪い感じが続いてしまっているのです。
SG－正直な告白ですね。でもあなたは、アートの力が、支配的な力よりも大きいと信じているように思うのですが？
IG－残念なことに、テロリストとアーティストは、とても共通点があると思う。小さなアクションで、社会に大きな影響を与えることを試している点でも、すごく似ている。だからこそテロリズムに対抗するストラテジーをつくれないのかと思います。私はテロが始まる何年も前から、テロについて雑誌に書いていました。テロリストにアートのコンサルティング・サービスを施したらどうかということなんです。人を殺したり、戦いを生みだすことよりも、アートを使った方がよほど効果的に社会を動かせると思うから。でもそう書いて、逮捕されそうになった（苦笑）。兵器を、アートという兵器に変えていったらと提唱したのです。

「希望」というものをどうクリエイションし続けていけるのだろう？
そう聞くと彼はこう答える。
「今はまるで赤ちゃんの一歩のようです。そういう気持ちで、作品をつくっているのです」
彼は静かに、そして誠実にさらに語り続けていた。
2007.02

《Thank You-Instrument》1995
撮影：Keizo Kioku
Courtesy of NTTInterCommunication Center [ICC]

1957年、ドイツ生まれ。現代の地球が直面する問題を地球儀上で可視化させた作品「ワールドプロセッサー」や、国家の枠組みを超えた仮想共同体の実現を目指したプロジェクト「難民共和国」など、テクノロジーとアート、ジャーナリズムを融合させた制作活動を行なっている。日本ではP3 art and environmentで複数の個展を開催、2005年には横浜トリエンナーレに出展した。

008_Aernout mik
アーノウト・ミックに聞く：見たイメージを身体や脳を使って「消化する」ために

1962年生まれ、オランダ出身。彫刻から出発し、写真やインスタレーションも手がけるなかで、映像を組みあわせる手法を見いだした。世界で起きている出来事に題材を得て、報道などでは伝えられない、当事者たちにとっても解消しきれないような複雑な人間の関係を描く。
その多くは無音の映像で、一般の出演者の持つ日常の身振りや意識を取り入れるその映像表現は国際的に高く評価され、ニューヨーク近代美術館、ジュ・ド・ポム国立美術館（パリ）など世界中の主要な美術館で展覧会が開催され、作品が所蔵されている。
オランダ出身の映像作家アーノウト・ミックは、現在もっとも注目すべき映像作家の１人である。映像によるマルチチャンネルという方法をとり、さまざまなソーシャルイシューに対し、複数の視点をもたらすのが特徴だ。
彼の作品のカメラワークの移動は非常にゆっくりで、登場する個人や集団の感情、テンションが変化していく細部が、はっきりと見てとれる。
あいちトリエンナーレ2013では新作『段ボールの壁』を発表した。避難所を舞台に、大震災と福島第一原発事故という大惨事に見舞われた被災者と、責任を問われる東電の社長の状況を描くと同時に、いまだ解決できない民族、政治、経済といった多くの問題をも浮かびあがらせる。
アムステルダムにある彼のスタジオでインタビューを行なった。

後藤(以下SG)ー80年代の終わりから、世の中は激変しました。冷戦が終わって新しい戦争や９・11が起こり、グローバル化、不均等化が進む中で、新たな矛盾や問題が浮き彫りとなっています。あなたの作品は、社会の変動と非常に関係していますが、初めから社会的問題をテーマにされていたのですか？
ミック(以下AM)ー初期の頃は、もっと人間の本質的な問題を突くような作品を制作していました。90年代、私はオランダ、西洋圏にいたわけですが、あなたが言うように、これまでとは違う緊張感や不安が強まり、まさに世界が激変していくのを感じていました。
ところが作品は、それほど社会やパブリックなテーマとは結びついてはなく、2000年代に入ってからです。メディアに流れるイメージも、私が作品で扱う素材も、この時を境に変化したんです。
制作していく上で、ある特定の問題と接続していくわけですが、TVや新聞などのメディアでおなじみとなったイメージよりも、より社会の底流から出てくるような、表層には出てこない、不特定なものを扱おうと意識しています。
あいちトリエンナーレで発表した作品（『段ボールの壁』）も、大震災と福島原発事故という、ある特定の時期に起こった出来事と強く結びついていますが、このトピックは、もっと複雑で、地震と事故以外の多く出来事や問題を内包しています。これは歴史の一時的なことではなく、もっと大きなことだと思います。
SG－作品のテーマを大きく変換させた理由や事件などあったのですか？
AM－実は子供が生まれ、父親になったんです（笑）。自分だけの人生ではなくなったわけですが、その時、社会全体が悪い方向へ向かっている、とみんなが気づき始めた頃だったのです。私は60年代に生まれました。90年代の初めまでは、世界は安定していると思っていました。
そこに突然、ユーゴスラビア紛争が勃発し、第二次世界大戦以来、ヨーロッパで初めての戦争が起きた。しかもすぐ側で。戦争に巻き込まれるなんて思ってもみませんでした。世の中が脆く、一時的であることに、ショックを受けたのです。
SG－その時、メディアが報道した紛争の姿に対して、これは真実なのか？　と疑問も持たれましたか？　あなたの作品は､普通のドキュメンタリーではなく､セットアップしてフィクションをつくられたり、マルチスクリーンを用いて視点をひとつではなく複数にされています。これは真実に対するあなたの考えが反映されているからでしょう？
AM－もちろんあります。なぜ、ここ何年もドキュメンタリーに近い手法で撮り続けているのか。理由は、まず見たイメージに対して疑いを持ってもらいたかったからです。鑑賞者がイメージを見て、イメージが語ることを即座に当たり前だと考えるのではなく、イメージをリサーチするとでも言うか、イメージの見方をこれまでとは変えていくこと、そしてメディアやイメージに対する態度を、変えることに繋がるのではと考えたんです。

それからもうひとつ。見たイメージを身体や脳を使って「消化する」ということです。マルチスクリーンでイメージを鑑賞した後に、身体や潜在意識に与えられるフィジカルな効果を意識しています。

たとえば、惨事を目のあたりにした場合は、決してその一部、一時だけを見るのではありませんよね。鑑賞者が身体を通して得た膨大なイメージは、すべて異なるもののはずです。

私の作品は鑑賞者に、たくさんのことをオファーしていますが、これも大切なことです。作品はランドスケープのようで、見るという行為だけではなく、身体を移動させながら、私の作品を見ていくことになります。ですから、通常のスクリーニングとは違うわけです。

SG―作品に、デモクラティックな視点を盛り込もうと考えているのですか？

AM―昔、写真で作品をつくったことがあります。カメラは中央に写るものだけを描きだすのではありませんよね？　よりデモクラティックになると考えたんです。カメラで「完璧な写真」を追求しようと模索し、ある出来事が「起こる前」、「起こった後」、そして「その次に起こる出来事」、それぞれの関係性を捉えたこともありましたが、これは出来事をリアルに表現する上で、大切なことだったと思います。

複数のカメラで、さまざまなアングルのカットを撮影し、ある一時を表現したこともありました。同じ人物、同じ時、同じシチュエーションでも、そのカットは違うものになると思うのです。映像作品でもそうです。

SG―社会学や心理学的なアプローチはどのように勉強されたのでしょうか？

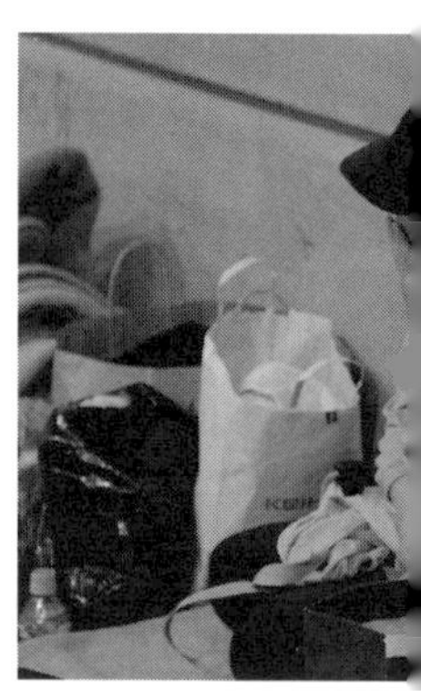
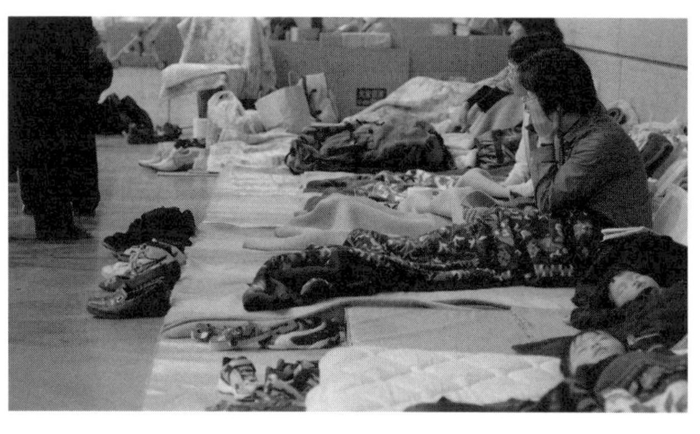

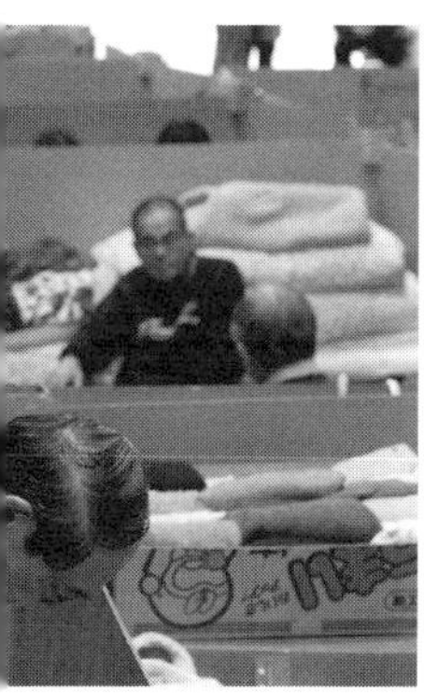

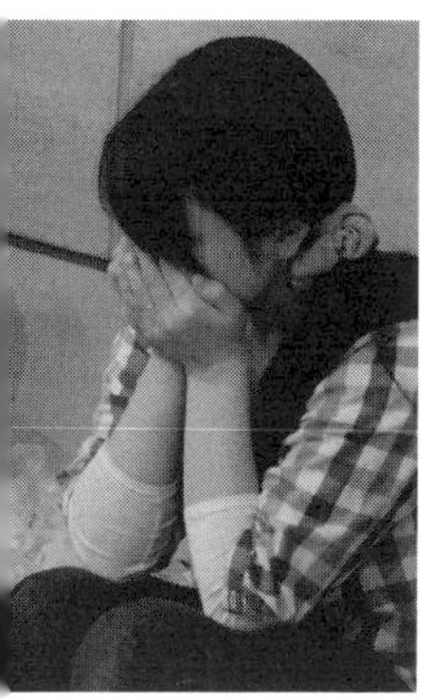

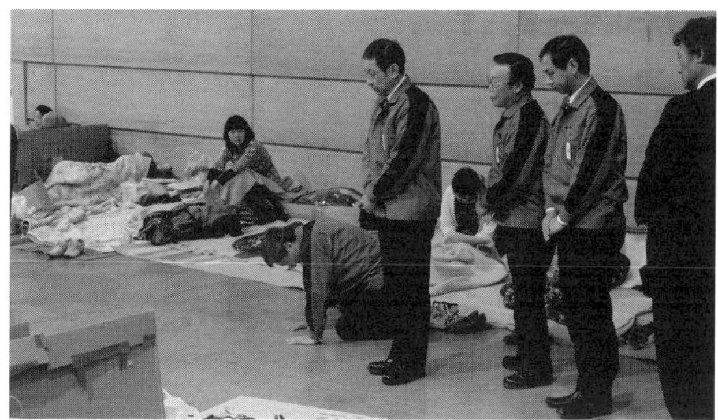

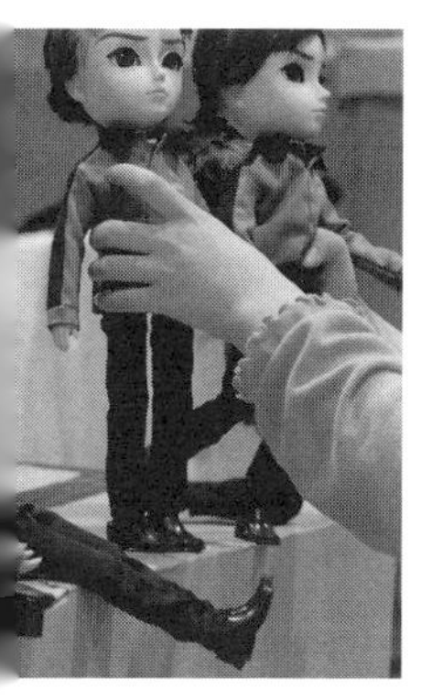

《段ボールの壁》2013, two channel video installation, cardboard walls,
funded by Mondriaan Fund and Dutch film fund
あいちトリエンナーレ2013での展示風景
Courtesy of the artist and carlier | gebauer

AMー心理学に興味がありました。昔に彫刻をやっていたことも大きく関係していると思います。人間のボディ、動き、そして空間との関係、さらには空間内にあるオブジェクトと、これらの関わりあいに興味を持っていたのです。それぞれの関係を、より完全に近い状態でキャプチャしたいと考え、発展させていった結果、ビデオで撮影することにしたのです。その空間内にいる人は何をしているのか、どんな感情を持っているのかなど、心理学的、生物学的、社会学的な関係や変化を捉えるために。ですので、私の映像作品には、彫刻的な側面がいまだに残っていると思います。

SGーどのようにして撮影しているのですか？

AMー撮影する時､私はスクリプトを用意しません。役者に簡単な説明を伝え､シチュエーションやエレメント（撮影のセット）は細部にまでわたって準備しますが、限られたものしか置きませんし、あとは、カメラをまわすだけ。すぐに終えてしまいます。即興に近いのかもしれませんが、カメラのフレーム内で起こる出来事は、私によって準備されたものなのです。

SGー状況を再演して撮影する、シナリオありきではなく状況が発生していくのは、とても面白いと思います。

AMーメディアのバックグラウンドがあったわけでも、ましてやフィルムやフィルムの歴史を勉強したこともありません。彫刻から発展して、必然的に今のやり方で撮影する方法に行き着いたんです。

SGー状況を引き起こしたり、隠れた意識を引きだしたりするのは、他のアーティストもやっていますが、あなたのように社会的な事件をあからさまにモチーフとするのは、珍しいと思います。

イタリアのベルルスコーニ首相をモチーフにした《Shifting Sitting (for Spinoza)》（2009）はストレートで驚きました。

AMー世間では首相を支持する人もいれば、反対する人もいます。それに私は、誰が正しい、悪いということを示すのではなく、その出来事そのものを示したかったのです。ポイントとなるような意図的なものは、入れたくありませんでした。これは間違っている、あれは正しいと主張も、証明もしたくはありませんから。
この作品はポリティカルで、おっしゃるとおりストレートな作品ではありますが、曖昧さも同じくらいあると思います。いろんなことが交ざりあうような「オープンフィールド」のままにしているとでも言えばいいのでしょうか。
『段ボールの壁』もそうです。激しいエモーショナルな変化と、ポリティカルな変化がそれぞれ同時に並行して写しだされます。異なるレベルの問題が同時に存在し、まるで小さな社会の縮図のようでした。謝っても謝りきれない問題に対して権力者が謝罪をするが、こらえることのできない感情が表出しそうな様子、そして悲しみ、ポリティカルな要素というように、本当にいろんな感情が勝り、まさに日本の社会を反映したと思います。
SG−日本人は、謝罪が下手な以前に、謝罪できないものに対しても謝るんです。『段ボールの壁』を見て、ミックさんが日本の状況を良く知っているのに驚きました。いまだに中国や韓国に対しての戦争責任も解決していなく、日本は謝ることがトラウマなんです。
AM−日本人が、日本の外にいる人は、自分たち日本のことを理解できないだろう、知らないだろうと思ってしまうのは、面白いですね（笑）。日本人は、日本人であることにオブセッションを感じているのかもしれません。かつては島国だったかもしれませんが、今はもう世界は変わっているのですから……。
あいちトリエンナーレでは、震災、福島の原発事故にフォーカスすることを依頼されました。メディアや、ドキュメンタリー、ファウンドフッテージなどイメージをリサーチしていくなかで、日本において謝罪は大企業の構造、ヒエラルキー、権力などいろんな問題と絡んでいることに興味を持ちました。今回の惨事が大きすぎて、いったい誰が責任者なのか、どう責任をとれば良いのか、どう謝れば良いのかわからず、いまだに未解決の問題を抱えています。本当に大きな問題だと思います。これは戦争犯罪や人間の責任が問われるさまざまな問題についても言えることです……。

SG－今後の作品について教えてください。

AM－ここ数年、ナイジェリアとブラジルのある教会の組織をテーマにした作品に取り組んできました。企業とも繋がりがあって、経済的な力も持っているのです。とても大きなプロジェクトだったのですが、ようやく終わりを迎えることができました。また韓国にあるDMC（デジタル・メディア・シティ）のプロジェクトも進めていますし、オペラをつくっているんですよ。オランダの作曲家がつくった曲に、ステージ、演技、すべてをディレクションしています。

2013.11

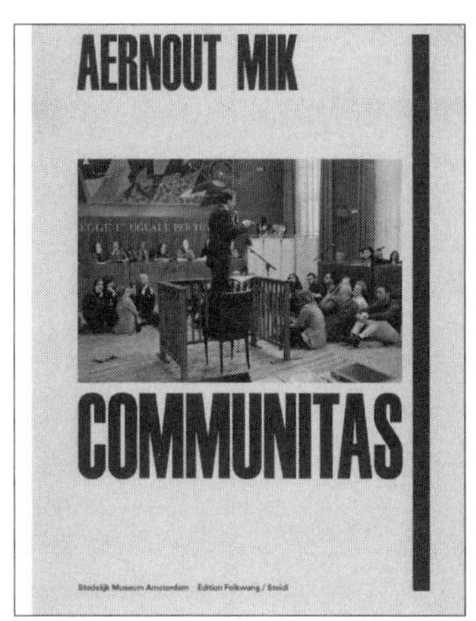

『COMMINITAS』Steidl（2011）

1962年、オランダ・フローニンゲン生まれ。パフォーマンスや彫刻を利用したビデオインスタレーション作品で知られる。パフォーマンスは自身の独自のシナリオに基づいているが、市場経済に対する人々の熱狂と宗教運動への人々の信仰のあいだの類似性を想起させるものなど、現代社会の問題点や状況を反映している。ヴェネチア・ビエンナーレ、サンパウロ・ビエンナーレ、あいちトリエンナーレ、PARASOPHIA: 京都国際現代芸術祭をはじめとする数々の国際的な芸術祭に参加。

009_Sasha waltz
サシャ・ヴァルツに聞く：
カラダ、愛、暴力。その3つをめぐること

まず最初に、サシャ・ヴァルツの過去のダンス作品をDVDで観たり、『ケルパー(Körper)』を観て、今までにない感情に襲われたという告白をしておきたいと思う。僕は彼女のことを、昔から知っているわけではない。いや、今もまるで知らないと言っていい。
僕は彼女が今、ピナ・バウシュ以降、もっとも注目されている振付家であり、そして建築家リーベスキンがつくったユダヤ博物館での自作（『ダイアローグ』）に基づき『ケルパー』（それはドイツ語で「肉体」という意味を示す）と名づけられた作品をつくったということを知っているにすぎない。
にも関わらず僕が彼女にひどく捉えられているのは、現在において、彼女ほど、「カラダのリアル」に深く関わるアーティストはいないと思うからなのである。
『ケルパー』は、たしかにダンスである。しかし、ダンス以上の、アートそのもの、生そのものに関わる何かを僕に強く感じさせるのである。

後藤（以下SG）－『ケルパー』を観た衝撃を簡単に語るのはとても難しい。あなたにとてもたくさん質問したいのですが、私のカラダもアタマも、とても混乱させられてしまっています（笑）。
あなたは、ダンス作品をつくる時に必ずついてまわる「物語性」を剥奪して、「カラダ」、「肉体」そのものに迫ろうとしましたね。
ヴァルツ（以下SW）－『ケルパー』はずいぶん、長い時間をかけてつくった作品です。そのもとには『ダイアローグ』というリサーチのような作品をつくっています。そこには、後に『ケルパー』に出てくる要素がたくさん入っていました。
最初、「その作品」を「人体」「ヒューマンボディ」というタイトルにしようと思ったのですが、結局、もっと絞って、ただの「ボディ」、つまり「ケルパー」にしたのです。ドイツ語の「ケルパー」というコトバは、「単数」でも「複数」でも使います。「1人のカラダ」でもあり、「大勢のカラダ」でもあるということなのです。

私が伝統あるシャウビューネ劇場のアーティスティック・ディレクターに、他の４名と共に任命された時、『ケルパー』をまったく新しいダンサーたちとつくることになりました。「身体と建築」「身体と歴史」「身体と医学」そして遺伝子操作のようなマニピュレーションのことについて考えたのです。
SG－僕がこの作品を観て感じた第一のことは、「愛」と「暴力」ということです。ユダヤ博物館の大量虐殺の記憶ということから、「暴力」についてのイメージが出てきます。そしてもうひとつは「愛」なのです。「暴力」と「愛」の中間領域に、おそらくダンスというものがあり、カラダを触れあい、踊りあいが形成されてくる。観ていてそう思いました。
ところで、あなたはこの作品をつくる時、「ユダヤ人のカラダ」について思いを馳せましたか？
SW－「皮膚を掴む」、あるいは「骨」のシーンがおそらくもっとも「暴力」を連想させるシーンでしょう。でもそれは、私にとっては、「暴力」ということではなく、カラダの「物質的な側面」を考えるということ。床にダンサーを落として、「骨の音」を観客に聴いてほしかったのです。暴力を超える「解剖学的」な意味合いですね。
SG－それは、「カラダ」「身体」をむき出しにしてゆくということですか？
SW－ええ。リーベスキンは、ユダヤ博物館において、死んだジューイッシュの人々や共同体の記憶のために、あえて、「空っぽの空間、ヴォイド」をつくり出しました。そのコンクリートの壁でつくったヴォイドは、ある意味、カラダの中の音を聴けるような空間だし、パワフルに影響やインスピレーションを与える場所、そして人々のストーリーを感じる場所でもあるのです。
でも、私は、具体的というより、抽象的なレベルにおいて、ずっと続く物語というより断片、フラグメントで意識していきたいと思ったのです。裸で触れあうからといって、セクシュアルなことを表現したいわけでもない。たしかに、「裸体」は出てくるけれど、「ニュートラルな身体」というものを示したかったのです。

「ファッション」は、どうしても時代や、着る人によっての「階級」が見えてくるものですよね。だから、それらを全部取り払って、「生の人間」を見せたいと思ったんです。
SG－もちろん、あなたがセクシュアリティとして、裸の体を使っているとは思いません。あなたは、ダンスを発生させる以前に、カラダを具体的な言語として使っているんです。観客もカラダがあるわけですから、記憶をそこで再生させようとしているのだと僕には思えたのです。シーンがスキャンダラスなので驚いたのではなく、カラダの内側で実感が共有できるところで驚かされたんです。
SW－興味深い話です。というのは、私がこの作品をつくる前に考えていた「作品の目的」というものは、観客自身に自分のカラダを感じてもらうということだったから。ただステージにダンサーがいて、それを観ているというのではなく、何かが「循環していく」ということを探していたのです。
カラダを触れあう、コンタクトの方法はいろいろあります。やさしいもの、ハードなもの、鋭くシャープなもの、重力や存在の力もある。観客は、その「力」を見ることで感じることができる。「触れあう」ことを通して、力の実感というものが非常に深まっていく。
SG－初期の頃とずいぶん変わってきたのですね。
SW－私自身は、当初は、もっと「物語性」や「社会問題」に重きを置いていたんですが、この7、8年の間にシフトしてきました。ダンサーたちも、ずっと「キャラクターを演じる」ということをやってきたのに、『ケルパー』では突然、「キャラクター」というものがなくなってしまった。彼らはすごく戸惑い、『ケルパー』のことを好きではなかったわけです（笑）。「何もない」という状態がダンサーにとって、どうしていいかわからないのです。
本当は、私自身も何が起きるのか、よくわからなかったけれど、やらねばならないと思ってやったのです。ダンサーは、空っぽな状態でステージに立っていることになりました。しかし、それを通して、観客がダンサーに入り込めるというがあり得るのではないか。キャラクターがあるより、「空っぽ」の状態の方が、演じてない分、強いコンタクトがあると思ったのです。
SG－リーベスキンのつくった空間は、エンプティだけれど、実は「記憶」が充満した空間です。それにあなたも、そしてダンサーたちも触発されて『ケルパー』という作品を構築していったわけだけれど、そこで媒介となったのが「カラダ」だった。あなたは、「記憶」と「身体性」ということの関係について、どのように考えているのですか？
SW－それはとても大きなテーマです（笑）。音楽家は、楽譜などを通して記憶をたどっていくことをやると思います。しかし、ダンサーは、「書いたもの」がないので、「カラダに書き込んでいく」ということになります。カラダは言ってみれば、巨大なメモリーバンクみたいなもの。ダンサーにとっては、彼らのカラダの中に、いろいろ質感のある動きが全部入っている者もいて、本を開くように、彼らは「カラダを開いていく」。私とダンサーは、カラダにいろいろなイメージを溜めていくのです。
「歴史」というのは、自分たちが生まれる前に起きていることがあります。でも、学校で教えられたり、読んだりすることで、直接経験していなくても自分の一部になっていくものもある。長い間、歴史にアプローチするのは、とても難しいと、ずっと思っていましたが、「記憶」というのは、ある種、「集合的」でもあり、違う歴史を持っていても、「共有できる記憶」というのがある。ベオグラードで公演をした時に思ったのですが、私たちと彼らとでは別の歴史を持っている。でも、彼らの歴史もまた、殺しあいのようなことを含んでいるので、私たちの作品を媒介に、彼らの中にも、「呼び起こす」ということが発生する。観客とのコミュニケーションもより強くなる。記憶というのは、身体化できると、すごい強度を持ってあらわれてくる。ある時、突然、血がぐぐっと動いて、繋がったりすることが起きるんです。

サシャ・ヴァルツは、根源的なアーティストであった。その方法論、思考は実に鍛え上げられている。しかし、彼女のストラテジーは、個人を超えて初めて実現されるものだ。個人と集団、そのことを彼女はどのように解決しているのか。僕は最後にそのことがとても聞きたかった。むろん、彼女がダンサーの「自発性」や「協働性」を強く意識して作業を進めていることは知っていたのだが。
「あなたは求心力をつくりながら、各ダンサーを開放していく。そうやって、『ケルパー』をつくり、集団をつくり上げていった。その集団を支えていることを一言で言えば何でしょう？　価値観や意識はどのようなものなのですか？」と僕が聞くと、彼女はこう答えた。
「好奇心です。ただフォルムを再生していくことではなく、自分たちの知らないものを探すことに対するエネルギーを共有すること。もちろん一人一人は違うけれど、知らないことにオープンであり、どんどん飛び込んでいくこと。体を媒体にして、現実をコンテンポラリーに表現すること。それを共にできるのがダンサーであり、ダンスなのです」

もはや､アートは､ただ「新しさ」を競うものではなくなった。だからと言って終わったわけでもない。「起源」へ向かうこと、そして「可能性」への旅。
サシャ・ヴァルツが向かおうとしている作業を単にダンスの領域だけに閉じ込めてしまってはだめだろう。
「この時代において､いかにラディカルでありえるか」。その大きな問いに対し､サシャが提出した「解」は、クリエイティブに関わる者すべてに無関係ではありえない切実さを持つと僕には思われる。
2008.04

1963年、ドイツ生まれ。ダンスカンパニー、Sasha Waltz and Guestsを率いる振付家。1999年から2004年までシャウビューネ劇場ダンス部門の芸術監督として、『Körper』『S』『noBody』の3部作を創作。2011年には世界的に活躍する日本人作曲家・細川俊夫のオペラ『松風』の演出・振付を行なう。アーティストの塩田千春らが舞台美術となるインスタレーションを担当した本作は、各国で上演され、高い評価を得た。

010_Richard foreman
リチャード・フォアマンに聞く：私は不安定で居心地の悪さを探している

とても不快そうな顔をして、リチャード・フォアマンがいた。体調がよくないせいもあるが、彼にとってはおそらく、インタビューという現実そのものが、奇妙なものだと感じられるからに違いない。
1937年生まれ。質問に対して、眉をひそめ否定したかと思うと、ファンタジー映画に出てくる異星の賢者のようにシニカルな笑いが体から湧いてでる。
彼の名は、アヴァンギャルド・アートの世界では、もはや神話的なものだ。
「オントロジカル・ヒステリック・シアター」。
彼が1968年に始めたその集団を僕たちは見ることはできなかったけれど、不条理演劇、狂気、オカルティズムが混じりあったものだと、そのすごさを風の噂で知った。
彼は今、オーストラリア出身のソフィー・ハヴィランドと一緒に、芝居と映像を使った「ブリッジ・プロジェクト」で世界各地を移動していて、たまたま奇跡的に京都で巡りあうことができた。

後藤(以下SG)ーあなたは一貫して、人間の中にある無意識を引きだそうとしてきましたね。
フォアマン(以下RF)ー人間の潜在意識を引きだす――というのはちょっと大げさかもしれないな。私は40年、演劇をやってきたけど、常に、難しくて、人と違うことに挑戦してきた。アーティストもある時期になると、快適さを求める。だけど私は、常に不安定で居心地の悪さを探しているだけなんだ。
今やってるブリッジ・プロジェクトも、出演者、スタッフもまったく知らない。映像も撮っているが、映画創世記の頃のものみたいだ。映像に映しだされた役者たちはカメラをじっと見続けている。彼らは、舞台にいる役者にとり憑いた幽霊みたいに見えるよ。
SGーあなたが精神分析学者のラカンの考えを信奉してるのは知ってるんです。何か、ラカンが言う「リアル」というのとは違いつつも、何か「リアル」に触ろうとしていないですか？

RF－たしかに僕はラカンの言うリアルというものをテーマのもとにやっているかもしれない。役者が観客を見続けるというのは、役者たちを見続ける観客の視線にどう反応していくかということだ。観客にいろいろ台詞を言うけれど、じゃあそれに対して君はどう対応していくのか。感動とか刺激されたとか以上に、だからどうなんだということ。

私は、世界を提示するような芸術ではなくて、世界をつくってしまうような芸術をいつも考えてる。実際の現実世界も、またどこかつくられているものだ。文化にしても歴史にしても。そういう意味で私は世界をつくっている、オルタナティブという形でね。

SG－演劇史にはアントナン・アルトーがいて、神格化されています。舞台で狂気を噴きだしたりとか、分裂的で、アナーキーな状態をつくり出す。でもあなたの場合は、非常にポジティブな方法を編みだそうとしていると思えます。

RF－彼の人間や作品を私もすごく尊敬するし認めているよ。でも重要なのは、アルトーがクレイジーだったことを忘れてしまってることなんだ。僕自身も、芝居に狂気の力を利用してはいるけれど、僕はクレイジーにはなりたくないと思っている。

SG―でもあなたがやろうとしてることも、ダイレクトに狂気ではないにしても、「世界がむき出しになる時間」を探しているのではないのですか？

RF－作品をつくっている時は、頭のどこかで、本当は何が起こっているのかと、常に考えている。自分で問い続けながら、その思考を少し長くさせることによって、何かが膨れて出てくる瞬間があるんだ。その時が、「変わる瞬間」だと思う。本当にそういうものが呼び起こされてくる。自分たちが起こすのではなく、瞬間を待っているという感じだ。

私は「物語」というものを信用していない。「物語」は「事実」を隠してしまう。必ず事実を語りかけてくる何かがあるのに、ストーリーを追っていると、普通の日常的な単純なものに収まってしまう。そして欲望や意識を抑圧してしまい、ブレークスルーすることがなくなってしまう。
僕はそれをまた再び起こすような演劇をつくりたいと思っている。そこにこそ真実があると思っている。

インタビューのラストに僕は彼にもうひとつだけ質問をしたかった。それは「今まであなたが狂気に陥らなかったコツは？」というものだ。

RFー実は、性格的には恐がりなのさ。私は、何か殺人でも起こすんじゃないか、そんなことばかりしてるんだけど、そう思われたくはないね。
SGー死とか狂気とか、恐くないですか？
RFーノー。全然恐くない。でも痛みは恐い（笑）。
だってみんな死んだじゃないか。
ワーグナーにしても、アインシュタインにしても、みんな死んだんだから。
2007.04

1937年、ニューヨーク生まれ。59年ブラウン大学卒業、62年にイェール大学で修士号を取得。68年のオントロジカル・ヒステリック・シアターの設立以来、数々の前衛的な演劇の監督・演出・舞台デザインを手がけ、そのうちの５つの劇でオビー賞を授賞している。92年にはAmerican Academy and Institute of Arts and Lettersの年間文芸賞を受賞。日本では2000年に『バッド・ボーイ・ニーチェ！』が上演された。

011_Jun nguyen-hatsushiba
ジュン・グエン＝ハツシバに聞く：
この世の、すべての難民に捧げる花

モニターに、彼自身が走り続ける映像が映しだされる。胸にプリントされた数字12756.3は、地球の直径を示す。振り返ると壁には、航空写真が貼られ、彼が走った軌跡がトレースされている。それは、アブストラクトだが、花に見える。これが彼が一貫して続けている「メモリアル・プロジェクト」の新たな展開、「ランニング・プロジェクト」なのだ。
「ジェノバ、カールスーエ、ホーチミン、千葉や東京、あとは台湾です」と彼は微笑んだ。
ジュン・グエン＝ハッシバ。
彼の祖母は、難民としてベトナムからアメリカへ移住し、彼自身は日本で生まれ、アメリカで育ち、その後ホーチミンで18年間活動を続けた。

「なぜ人はホームから離れなくてはならなかったりするのか。子どもの頃から、その苦しみの経験についての疑問が、心の底からありました」。その体験は、TV番組『ルーツ』とも重なると彼は言った。

後藤（以下SG）－「難民の苦しみのために捧げる」ということがテーマですね。
グエン＝ハツシバ（以下JNH）－「捧げる」は、私の大きなテーマです。走る、何か苦しいことを感じるというプロセスの中で考えていきたいし、苦しみを感じた時に、いったい何が起こるのかを発見したいと思って走り始めたんです。
SG－ベトナム戦争の時に、お坊さんたちが焼身自殺してプロテストしたことがありました。あれは、すごく激しい行為でしたが、もっと東洋的に静かに反戦を祈る人もいる。あなたはどう思いますか？
JNH－日本人と接していると、よくアメリカ的だと言われます（笑）。逆にベトナムに行くと、私のことをとても西洋的だと言う。接する視点によって変わってくるのでしょう。ベトナムのお坊さんたちの印象はとても暴力的だけれど、もしかしたら、彼らはとても自然体で、安定したものだったかもしれない。人の視点によって変わるのではないでしょうか。
SG－苦しむためにやっているのではなくて、苦しみを「消す」ということかもしれませんよね。
JNH－ある種の「犠牲」にすることによる「浄化」でしょう。
SG－あなたの、苦しみを引き受けるんだけれど、その軌跡が別の視点から見ると花になるというのは、とても美しいヴィジョンに思われます。
JNH－花を捧げるということで、悲しみや、幸福な気持ちを誰かとわかちあいたい。誰かに花をもらったのだけれど、誰にもらったのかわからない。ちょっとミステリアス（笑）。この花は、ベトナムの川に浮かぶフローティング・フラワーです。すぐ繁殖して、水面を覆ってしまうので、その下の生き物に光が当たらなくなる。流れてゆくし、人に嫌われた花。
ベトナムの詩に、この花が出てくると、たいていは「家がない」とか「家を離れている」というイメージです。
SG－「東京」は、どんな花ですか？
JNH―皇居のまわりを走ろうと思います。そこが中心で花びらがまわりにある。戦争で空爆を受けた時に、人々は川の方へ向かって走った。その話に基づいて、どんな花を走るか考えています。まだ全部走るのに10年ぐらいかかります（笑）。
SG－地上にたくさんの花が咲きますね。ところで、あなたは自分の作品を「メモリアル・プロジェクト」と呼びますが、何のためのメモリアルなのですか？
JNH－メモリアルというと多くの人たちは「過去」だと考えるけれど、それを振り返るだけではなくて、未来を見据えていくこと。つまり私のやっていることが未来の土台、そのためのメモリアルとなるように考えているのです。

最後に、彼は未来についてこう答えた。「TVを見てると、世の中は狂っていて、悪いことが次々に起こる。新しい病原菌も見つかるでしょう。でも同時に、新しい解決策も見つかるかもしれません。希望は、あると思います（笑）」。

2007.12

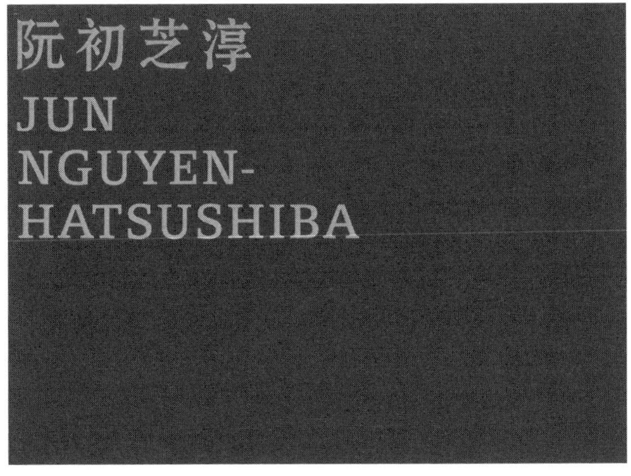

『JUN NGUYEN-HATSUSHIBA』Mizuma Art Gallery（2016）

1968年、東京生まれ。日本人の母親とベトナム人の父親のもとで生まれ、アメリカで美術教育を受ける。2001年に第1回横浜トリエンナーレで発表した、インドシナ海で撮影された映像作品『Towards the Complex - For the Courageous, the Curiosity and the Cowards』で国際的な評価を得る。2007年には、プノンペンやハバナなどの強制移住の歴史を持つ地域に焦点を当てた地球儀によるインスターレションの『The Globe Project: The Garden of Globes』を制作。掲載のカタログは2008年にMizuma & One Gallery（北京）で開催された個展「The Globe Project in Beijing」のものである。

012_Cai guo-qiang
蔡國強に聞く：
爆発。それが導き、生みだすもの

彼を最初に間近に見たのは、2005年に京都で行なわれた第一回目の「世界アーティスト・サミット」の会場だった。宮島達男の発案により、ジェーン・アレクサンダーやトーマス・シュトルートなど、手法も人種も異なるアーティストたちが集まり、2日間にわたり地球環境や世界経済、人権などについて語りあうというものだった。
彼らは自分の作品を紹介しあうのではなく、円卓を囲み、ひたすら語りあう。傍にあるのは1枚の大きな黒板であり、アイデアをプレゼンしたければ席から立ち上がり、コトバや絵を描く。
察國強は他のパネラーたちとともにそこにいた。彼の「原初火球」や「万里の長城を1万メートル延長する」という過去の作品はよく知ってはいたが、直接彼に触れるのは初めてだった。
彼は祖国中国を、もう何十年も前に離れ、NYに住んでいた。NYでの生活も長い。若い時に日本に住み、筑波大学でコンセプチュアルアートの鬼才・河口龍夫の元で学んだこともあって、日本語も巧みだ。
柔らかなものごし、微笑みながら、しかし、眼光は実に鋭く、ただならぬ気配がある。虚無をくぐり抜け、笑いながら暗殺を見事にやってのける殺し屋のようだと言ったら察國強は気を悪くするだろうか。いや、僕をなだめるように否定するのだろうか。
彼は席を立ち黒板へ行き、絵を描いた。それはイラクで自爆テロを行なう、ベールをかぶったイスラムの女性の姿で、どのようにして体に爆弾を装着させるのかという正確な図解だった。そして、「戦争ビエンナーレをやってはどうでしょう」と提案したのである。
爆発。
強力な軍事力に対して自らの命を犠牲にして自爆するということ。それはもちろん悲惨な出来事なのだが、冷徹に言えば、爆発という化学反応が起こっているに過ぎない。さらに極論すれば、化学反応に善も悪もない。
察國強は、早くから火薬を使ったアート作品をつくってきた。爆発を使って、東洋の水墨的世界を描くということもあれば、上海などいくつもの都市で爆発を「アートとして」行なってきた。しかし、なぜ爆発なのですかと質問されると彼は「故郷が花火の有名な産地だったのです」と答え微笑んできた。
夜空に炸裂する花火。それはむろん軍事とともに発生したのだろうが、ある時からカタルシスのページェントとなった。誰もが虚空に散る光の奇跡に陶然となる。人種、思想、年令、性差を超え、それは人を魅了する。素晴らしきアート。しかも、それは一夜の夢。他の美術作品とは違い、あとに何も残さない。強力な美や威力であると同時に無。爆発は破壊であり、かつ創造の始原と、コトバで言い聞かせることもできる。しかし、実は爆発とは、人間の世界の「外」にあるものと言った方がよい。
蔡國強は不思議な芸術家だと思う。最前衛にいながら、太古の人のような感覚を持つ。そうでなければ、爆発をアートにするなどということに気がつくはずがない。

さて世界の中で、中国は台風のような存在である。マーケットにおいても、軍事・政治的ヘゲモニーにおいても冷戦以降、地球の運命すら左右する強大な存在だ。2008年の北京オリンピックはその中国の復活を象徴する歴史的事件と言ってよいものだった。その「中国の世紀」の式典のヴィジュアルディレクターに中国政府が彼を指命したことを知った時、驚くとともに中国と蔡國強の両方のしたたかさに正直舌を巻いた。
蔡國強は、反逆児である。しかし、その男が中国の顔をつくる。そして2008年には、蔡の個展がNYのグッゲンハイム美術館で行なわれたのだ。彼がデミアン・ハースト級のアーティストとして美術市場で扱われることももはや必至だろう。
矛盾の中に進んで身を置くことを選ぶ。蔡國強に会うことは、とても重要なことだと思われる。

後藤（以下SG）ー今、中国がすごく資本主義化したり、中国アートの価格が高騰しているのは、複雑な気持ちではないですか？

蔡（以下CGQ）－私自身は、そんなに関係ない、もうずいぶん前に外国に出たから。今の状況はいい面と悪い面がある。中国政府寄りとか反体制とか、どちらかであれば評価されるとかできなくなったのはいいですよ。重要なのは、アーティストとしての創造力だから。でもまあ問題があるのは、すごく早く商業主義になってしまったこと。アートの持つ意味とか、アーティストの理想とかが崩れてしまった。

SG－僕は蔡さんの歴史感覚に興味があるんです。長く蓄積されたものと、ゼロとが同居している、その感覚に。

CGQ－中国がどんなに大変な時も、中国人はそれを一時的と見る（笑）。それはなかなか面白い。自分の人生もその流れる歴史と繋がっている。それも面白い。挑んでみて、できなくなって、また戻って。大きなパフォーマンスみたいだね（笑）。

SG－以前『MAO』と題された作品もつくられたでしょう。毛沢東や文革が与えたものは大きかったんですか？

CGQ－強い、非常に。生活がそのまま毛沢東の思想に変わったから。中国何千年の中には毛沢東みたいな破壊者が出る。もちろん破壊された人は怒るけども、破壊によって中国人に活力をつくったかもしれない。悪いこともあるけれど、長期的には価値があるかもしれない。

毛沢東は書も絵もできた。哲学もよかったし、中国人は基本的に強引な人でなければ、どんな悪いことをやっても評価する（笑）。文化は残るものです。他は一時的ですから。モンゴルなんかが侵入し、国がなくなっても、文化はずっと生きますから。中国文化がなくなるとか、ありえない。

SG－破壊に関して言えば、『時光』も爆発によってつくられていますが、花鳥風月が入っている。詩（ポエジー）があります。

CGQ－そうね。次々に古いものを壊し新しくするんじゃなくて、結局、現代や未来に過去を受け入れる。自分を解放して、あらゆる可能性を自由に、大きくする。私のやり方は、相手を見てセックスする感じです。セックスはコンセプトでやるんじゃない（笑）。相手のことを思って自分も喜ぶ。こういう人としかセックスしませんというのじゃない。アジアにとって巨大なものはホウヨウセイですよ。

SG－ホウヨウセイ？

CGQ－（紙に書く）包容性。なんでも入れてしまう。器が大きくても小さくてもいい。いや器を持ってなくてもいい（笑）。

SG－器はどこにありますか？

CGQ－ふふふ。わからない。あまりにも現代美術とか気にしてしまうと疲れます。自分の呼吸のひとつです。

SG－ところで、作品には動物がよく出てきます。体中に矢の刺さった虎とか、宙に群れなす狼とか。どうして動物が出てきたんですか？

CGQ－よく見ていますね。だいたい９・11のあとからです。昔は亀とか蟹、鳥を使いました。９・11の頃から、激しい動物を使うようになった。美しさと痛さのような生理的な感じから。

SG－虎も狼も宙に浮いている。蔡さんの作品はよく宙に浮いています。

CGQ－（笑）。自分自身、ちょっと距離があるのが好き。それは日本に住んで、日本の美術の影響ですね。中国人なら、狼が透明のガラスの壁にぶつかって、血が流れたり。怖い感じに表現する。生々しさをドカンと伝える。

でも、私のあれは静かに美しい。永遠に止まらないもの。永遠、輪廻。人間の運命的な感じ。悲劇的な感じの美しさ。殺されるとか、壁にぶつかって死ぬとかは悲劇ですけど、知らないままで死に向かっていく方が、もっと悲劇かと思います。素晴らしくて気持ちいい悲劇ですね。

SG－あの狼たちは、動物だけど、川のあぶくのようにも見えます。生まれては破裂して、それが繰り返される。結局、悲劇を超えてゆく。

CGQ－そうそう。

SG－アメリカは好きですか？

CGQ－子どもの頃、福建省で育って、海の向こうにアメリカは本当にあるのかなーと想像した。みんなでつくった神話じゃないかって（笑）。距離があることの美しさが大切ですよ。なくなると、あらゆることがつまらなくなる。常に心から、向こうと距離を持つ。私は普通の中国人より西洋のアートのやり方と距離を持ってると思う。四川省とか、田舎のアーティストの方がポップアートみたいに描く。

SG—この世界に対する違和感は強いですか？　エグザイルな感じとか。

CGQ－違和感？　違う。禅にも似てるけど（と言って紙に書く）「小陰」は人里離れた山に隠れること、「大陰」は大都会、銀座へ行っても心が静かということ。

SG－蔡さんは大陰？

CGQ－陰かどうか（笑）。

SG－ですか？

CGQ－ではない。中国に禅はない。中国人はインドにあると想像した。でもインドは何もない（笑）。距離のあるよさ。

SG－北京オリンピックのアイデアは？

CGQ－そのことばかり考えてる。やりたくてしょうがない。

SG－国家秘密ですか？

CGQ－そう、もちろん。永久秘密。国の力を使い、ばんばんやる。やったあと、どっか行っちゃう。自由自由。

SG－何かトレーニングしたんですか？

CGQ－包容性。

SG－次の作品のアイデアはありますか。

CGQ－いや、まったくないね（笑）。

蔡國強の展覧会場で売っていた「ピカピカカード」で遊ぶ。それは彼がNYで打ち上げたレインボー花火のホログラフで、角度を変えるとピカピカ光るものだ。彼は、9・11

のあと、この作品をつくった。
9・11の時、彼はNYにおらず、遠くから、事件のことをずっと考えていたのだそうだ。
爆発。その力が導いてくれるもの、その魔法のことを、カードをピカピカさせながら、ずっと僕は考えている。北京で爆発するものは何だろうと。
2007.10

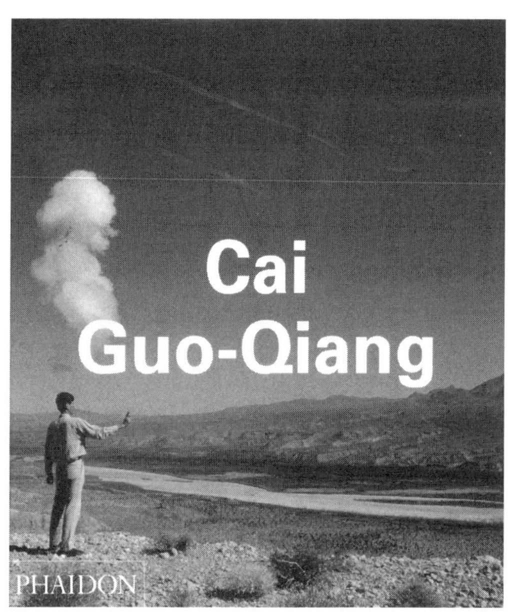

『Cai Guo-Qiang』Phaidon Press（2002）

1957年、中国福建省生まれ。上海演劇大学卒業後、1986年から95年まで日本に滞在。現在はニューヨークを拠点に活動する。火薬を用いたパフォーマンスや「火薬絵画」の制作で知られるほか、中国やアジア文化を背景としたインスタレーションを数多く手がける。1999年にヴェネチア・ビエンナーレ金獅子章、2012年に高松宮殿下記念世界文化賞など受賞歴多数。

第3章
来たるべきメディウムの方へ

ケヴィン・ケリー
Kevin Kelly 1952-

アメリカ生まれ、作家／写真家／未来学者。『ホール・アース・カタログ』の編集者を経て『WIRED』誌の編集長を務めた。近年は環境問題や人工知能、サイバーカルチャーの考察を行なう。
『〈インターネット〉の次に来るもの』訳・服部桂、NHK出版（2016）

ジェームズ・ブライドル
James Bridle 1980-

イギリス生まれ、作家／アーティスト／ジャーナリスト。人工知能研究の修士号を持ち、テクノロジー、政治、社会に関する執筆と作品制作を行なう。アルス・エレクトロニカや文化庁メディア芸術祭などで受賞。
『ニュー・ダーク・エイジ』訳・久保田晃弘、NTT出版（2018）

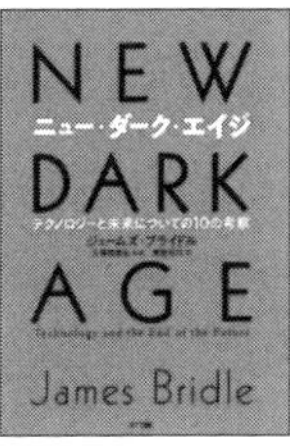

ケヴィン・ケリーの『〈インターネット〉の次に来るもの』やジェームズ・ブライドルの『ニュー・ダーク・エイジ』は実に興味深い本で、何度も読み直しているが、それでも「ポスト・インターネット」はやはりインターネットなのかという疑問は残り続ける。

だが、アートにおける「来たるべきメディウム」は、もはやコンピュータテクノロジーではないかもしれない。

ミシェル・フーコーは『監獄の誕生』において、権力あるいは消費・情報のシステム「装置」が、人々をマイクロな領域に至るまでいかに骨抜きにしているかを明らかにした。インターネットテクノロジーは、単なる通信メディアではなく、AIのアルゴリズムによるコントロールという新しく、そして決定的な管理を完遂させている。

翻って、アートとメディウムということは、アートにおいてきわめて本質的なことだ。表象というイメージは支持体というマテリアルを持って成長してきたからだ。絵画にはキャンバスが、彫刻には石や木が。いまだにその桎梏から抜けだせないアーティストもいる。

しかし一方では、コンテンポラリーアートは、「物質」からの解放の過程でもあった。オラファー・エリアソンが若い頃に、ルーシー・リパードが編集した『Six Years』に大きな影響を受けたことはきわめて象徴的な出来事だろう。ルーシー・リパードは60年代後半のコンセプチュアルアートの牽引者の１人であり、彼女がその本のサブタイトルとした「Dematerialization（非物質化）」というキーワードは、

ミシェル・フーコー
Michel Foucault
1926-1984

フランス生まれ、哲学者／思想史家／評論家。20世紀のフランスを代表する思想家。『狂気の歴史』『言葉と物』『知の考古学』『性の歴史』などを経て、権力と主体の問題を扱った。
『監獄の誕生』訳・田村俶、新潮社（1977）

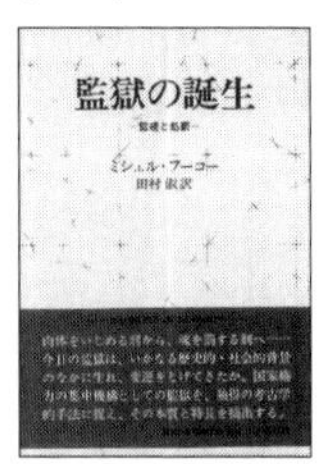

ルーシー・リパード
Lucy Lippard 1937-

ニューヨーク生まれ、批評家／キュレーター／アクティヴィスト。コンセプチュアルアート、フェミニズム、政治にまつわる50以上の展覧会をキュレーションし、20以上の著作を執筆。
『Six Years』Praeger Publishers（1973）

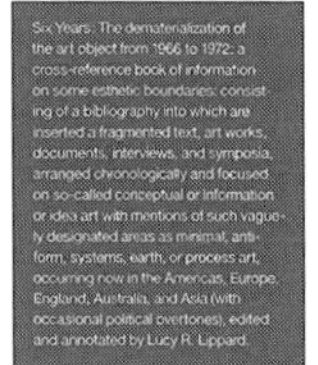

よかれ悪しかれ、その後のアートにとっての大きな課題となった。そのキーワードは、同時代のハラルド・ゼーマンの「態度が形になるとき」におけるプロセスの重視や、セス・ジーゲローブの『The Xerox Book』（1968）のようなヴァーチャルな展覧会の先駆けとなる作品と同時に生まれたものだった。またジャンルは異なるが、マーシャル・マクルーハンの登場も忘れるわけにはいかない。彼によって「媒体（メディア）」そのものがメッセージ性を持つことが常識化されたことも大きい。キャンバスに描かれる絵も、描かれた内容だけではなく、どのようなメディア（物質と伝達手段）であるのかが批評対象となるようになったのだから。

このような中で、アーティストたちは個別の対応を試みる。それは、ミシェル・ド・セルトーが『日常的実践のポイエティーク』で論じたような「ブリコラージュ」の戦略であり、また「ハッキング」「ジャミング」「アプロプリエーション」などの戦略を生みだしたことになる。セルトーはそのことについて、このように述べている。

「個人に残されているのはただこのシステムを相手取って狡智をめぐらし、なんらかの「業をやってのける」こと、エレクトロニクスと情報に覆い尽くされたメガロポリスの只中で、いにしえの狩猟民や農耕民たちが身につけていた「術策（アール）」を見つけだすことである」

コンテンポラリーアートの基本は、すでにあるもの（レディメイド）を、アートのコンテクストに「読み直す」ことから始まったと言ってよいだろう。コンセプチュアルアートとい

ミシェル・ド・セルトー
Michel de Certeau
1925-1986

フランス生まれ、歴史学者／哲学者／社会理論家。フロイトの精神分析をベースに正統的な歴史から排除されてきた民衆文化を再検討した。
『日常的実践のポイエティーク』
訳・山田登世子、筑摩書房
(2021)

う非物質的な「頭脳プレイ」へとアートがシフトした時と同時に、メディウムも「開放され」オブジェを取り戻したのだ。石庭に使われていた石は「再発見」されて、インスタレーションという「作品」や「参加」というアートの新ルールにシフトした「作品形態」において「新しいメディウム」となる。セルトーの本のタイトルのようにすべての「日常的実践」のアイテム（行為も含めて）がコンテンポラリーアートの世界へ流れ込んでくる。

本書では、８人のアーティストのインタビューを収録しているが、取り上げた者たちが扱うメディウムについて注目してみよう。オラファー・エリアソンからサイモン・フジワラや荒川医に至るアーティストたちは、ともにポスト・コンテンポラリーアートという共有した特性はありつつも、通常ではこのように「まとめられ」並ぶことはないだろう。オラファー・エリアソンは、写真や光学装置や体験型インスタレーションから建築プロジェクト、ガジェット開発、そして最近では最新のARやVRテクノロジーを活用した作品までつくり出している。エルネスト・ネトは「香料」などの「ローマテリアル」をメディウムとして使っているし、形は異なるけれどジム・ランビーも人間の中にある「呪物（フェティッシュ）」な感覚を抽出してはいるが、その形象化はネトとはまったく異なっており共通性はない。それぞれのアーティストたちが、リプリゼンテーションしたいコンセプトに基づいてメディウムが選ばれているに過ぎない。デュシャンが「レディメイド」というオブジェを古いアートワールドに投げ込んだ時には、それはアートを切

ヴァージル・アブロー
Virgil Abloh 1980-

アメリカ生まれ、ファッションデザイナー／建築家。2013年に、自身のストリートブランドであるOff-Whiteをスタートさせた。また2018年にはルイ・ヴィトンのメンズウェアのクリエイティブディレクターに就任。2019年には、シカゴ現代美術館で個展を開催した。
『Figures of Speech』Prestel (2019)

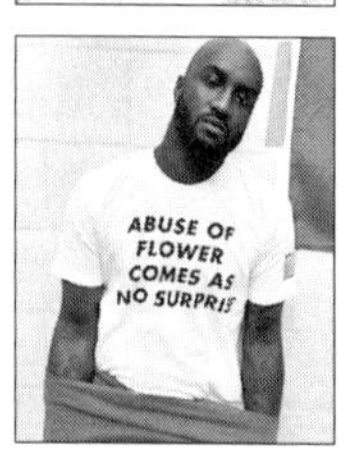

断する「非アート」のモノであったが、今やすべてのオブジェは、コンテンポラリーアートをつくる言語、メディウムとして機能するようになっている。

したがってアーティストたちは、自らの戦略によってオブジェをメディウムとして採用するだけではなく、「知覚」や「認識」のズレを使って「多様な作品」を生みだす。金銀やクリスタルのような「フェティッシュ」の力を知る者たちは、当たり前のモノを特別なモノに価値錬成させることも行なう。

その一方では、メディウムからマテリアルを抜き去り、「オブジェクト」を記号のように扱う者もいる。かつてシュルレアリストのルネ・マグリットはパイプの絵を描き、その絵の下に「これはパイプではない」と書いたが、デュシャンを崇拝するファッションディレクターであるヴァージル・アブローは、今や自分のブランドであるOff-Whiteで、黒いバッグの表面に「SCULPTURE」という文字を大きくプリントし、価値の混乱＝価値生成を行なって見せた。このコトバに指示されたバッグは、いったいどのようなモノなのだろうか。

「コトバ」というものは、なんと「古く」て、そして「来たるべき」メディウムなのだろう。ヴィレム・フルッサーは類いまれなる思考実験家であったが、彼が『サブジェクトからプロジェクトへ』『写真の哲学のために』に書き綴ったことも「コトバ」と、写真装置が生みだす「画像」の宿命的な相克であった。

たとえば、ジェニー・ホルツァーは「コトバ」をメディウムとしてもっとも確信犯的に、そして有効に使ってきたアーティストだと思う。彼女の最初期の「Inflammatory Essays」や「Truisms」は扇動者のテキストの抜粋だったり、格言だったりする。それらは紙にコトバだけがプリントされ、彼女はそれを無記名でゲリラ的にストリートに貼ってまわった。コトバのアートは、お金もかからないし、サンプリングだから「許可」も要らない。それらのポスターに見ず知らずの「誰か」が落書きやレスポンスを書き込んだ時に、ホルツァーは自らがアーティストとして活動していくことができると確信を持ったのだと言う。彼女のアートの本質は介入的なもの、インターベンショナルなものだ。

しかしその批評性は、資本主義社会では大きな価値生成の力を持つ。前述したヴァージル・アブローはホルツァーをリスペクトしていて、ホルツァーの「Truisms」は、あっという間にハイブランドのTシャツとなって世界にファッションアイテムとして広がっていく。

そのホルツァーは2019年に、ビルバオのグッゲンハイム美術館で40年の活動を総覧する大回顧展を開催した。その時にホルツァーが新作として発表したのがARだった。アプリをダウンロードし、グッゲンハイム美術館に向けると、そこにホルツァーの作品が動画として浮かびあがるのだ。それはまさにダニエル・バーンバウムのディレクションによって次々にアーティストたちにAR作品をプロデュースしているACUTE ARTと同じ営為であった。2020年にKAWSの巨大なヴァーチャル彫刻「COMPANION」が世界28都市に出現するプロジェクトとそれは同類である。

ティム・インゴルド
Tim Ingold 1948-

イギリス生まれ、社会人類学者。主著『ラインズ 線の文化史』において従来の人類学のイメージを塗り替える。生物学、考古学、芸術学をクロスオーバーする学問を提唱。
『ライン・オブ・ラインズ』訳・筧菜奈子／島村幸忠／宇佐美達朗、フィルムアート社（2018）

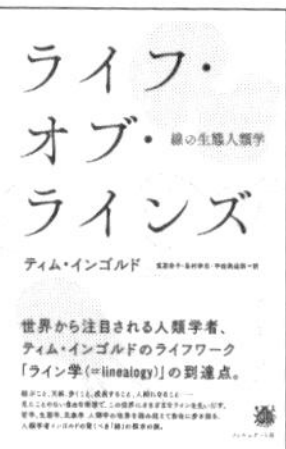

たしかにこれも新たなメディウムの拡張であり、新しいテクノロジーはアーティストにさまざまな「来たるべきメディウム」を与えていくだろう。そのよし悪しを問うても無駄だろう。「そのように」コンテンポラリーアートは不可逆的にインエビダブルに進んでいくのだ。
しかし忘れてはならないのは。ホルツァーのポスターに「誰かが」書き込むことにより別々の2つの「ライン」が結びあうことが起こったということだ。「ライン学」を提唱するティム・インゴルドが言うように、生の世界はすべて相互浸透し、入り混じった「メッシュ」の世界である。さて、世界は幽霊化するのか、回帰できるのだろうか？

013_Olafur eliasson
オラファー・エリアソンに聞く：私が「問い」として提出しているのは「個人と環境の関係」だ

「できれば、誰か個人の家に来てしまったとか、あるいは私のスタジオに訪ねて来たような気分になってほしいと思ってるんですよ」と、彼は眼鏡の底で目を輝かせ、微笑んだ。

しかしギャラリーの中には、オレンジ色のナトリウム灯やブラックライト、天井から吊るされたガラス製の「プラトン立体」の照明器具が光り、まるでSF小説に出てくる実験室のようだった。
たしかに視覚能力や認知のスイッチを別のモードに入れれば、リアルワールドの光景は一変する。そう、彼の「リビング・ルーム」に変容するのだろう。

オラファー・エリアソンは、実に重要な作家だと思われる。なぜなら、「アートでない地平」まで進んでいって、その地点から再び「アート」を問うてくるからである。そして同時に、その作品はビューティフルだ。
美を追い求めて人間はアートをつくり上げてきた。しかし、美に至るには、逆に人間であることだという結論に達した時、美術はどのようなものになるのか。極論すれば、オラファーはそのような「問い」を発する。
彼の初期作品は、グリッドに統一されたアイスランドの地表写真だった。そこは地球外世界を舞台にするSF映画のロケ地にも使われるようなノーマンズランドだ。また、彼を一躍世界的に有名にしたテートモダンの入口につくられた人工太陽もナトリウム灯の世界、そして虹の発生装置も、従来の「美のシステム」からは程遠いが、しかし美しい。
しかし、オラファー・エリアソンほど正しく理解されてこなかったアーティスト、作品もなかったのではないだろうか。彼の事を、アイスランドの風景を撮る「写真家」だといまだに思っている人だっていたし、子どもが遊べるちょっと変わった実験装置家だと思っていた人もいる。

『Symbiotic Seeing』 Snoeck（2020）

Olafur Eliasson

Symbiotic Seeing

Kunsthaus Zürich

Snoeck

「私はとても過程を大切にしていて、実験的なラボのような制作の仕方をしています。つまり、いつも方法論を創出しようとしているんです。「何を言うか」ということがまずあって、それを言うためには、どんなランゲージが適しているかを考えるのです」

「別のランゲージ」。彼は作品によってまったく別のメディウムを当たり前のこととして選択する。ならば彼は、何を捉えようとしているのか？　何をアートとして実現しようとしているのか？

後藤（以下SG）ーもう少し正確に質問すると、あなたは「時間と空間」にまつわる認識のプラクティスをやっている。で、その時に、「光」が中心にある。「光」こそが、物事を成り立たせている原点にあるものと考えているのでしょうか？

エリアソン（以下OE）ーたしかにおっしゃる通り。「光」が中心的なものだけれど、なぜ「光」に興味があるのかについて喋らせてください。「光」というのは「光」それ自身だけでは、周りに何もなかったら、見ることも触ることも、まったく物質としてはリアリティがないものです。何か物があるから、そこに光が当たり、光があると初めてわかる。だから興味があるんです。

２つ目には、「時間」という観点があります。私にとって「時間」は「人間」に置き換えられる。というのは、我々は、周りの環境を知覚する能力があって、「時間」が関わることによって、一人一人の経験はユニークで独特のものになる。我々はとかく同じものを見ていると思いがちだけど、時間が関わることで、感じることが違うということがわかってくる。そこが大切だと思うんです。

SGーこの作品が展示されている部屋も、光の波長を変えるだけで、体験の質が一変していますね。

OEー私が「問い」として提出しているのは、「個人と環境の関係」というものです。でも私は、それをアートの分野に限って語ろうと思っているのではなくて、もっと社会全体の中でどうなっているのか、アイデンティティとは何か、セルフ·リフレクションとは何か、私たちはどうやったら「私が知っている」ということを理解することができるのか。そういうことに広げてゆきたいのです。
作品が成立さえするのであれば、アートかどうかはもうどうでもいいことだとさえ思うんです。
SG－さっき、「実験」というコトバが出たんですが、あなたの作品から感じるのはサイエンスです。でもそれは分析的な意味でのサイエンスではなくて、たとえば形態だったりする。プラトン立体とか、ジオメトリカルなものを使って、それこそ、古代の人たちが宇宙を語る文法として発見したようなランゲージとしてのサイエンスなんです。アイスランドの大地の割れ目とか、クリスタルの形とか、川の流れの形とか……。
OE－サイエンスは、宗教と違って、何かを定義しても、それが間違ってるということも自分で見つけることができる、非常に健全なシステムだと思います。つまり、執着するのではなくて、いかに改善していけるかというのが科学です。そのアプローチは、とても大切です。私はいかに人間が感じる空間というものが、その人が育った環境に影響されているかということをわかってほしいのです。別に、新しい見方をさせようとか、ユートピックな考えを持っているわけではなくて、私の作品が観る人にとって、周りの空間が自分にとっていかなるものかということを再評価する道具になってほしい。つまり、人がリアリティということと交渉するってことが始まってほしいのです……。

彼がただアーティスティックな「装置」をつくる人と思うことも間違っているだろう。
憶えておかなくてはならない。彼が自分の写真についてこう呼んでいることを。
「インマーネント・グリッド」、つまり内在的なグリッドと。
つまり、精神のカタチ、それをオープンにしていくことを目論んでいると言ってよい。
彼こそアートの新しい自由の泳ぎ手なのだと思われる。
2006.09

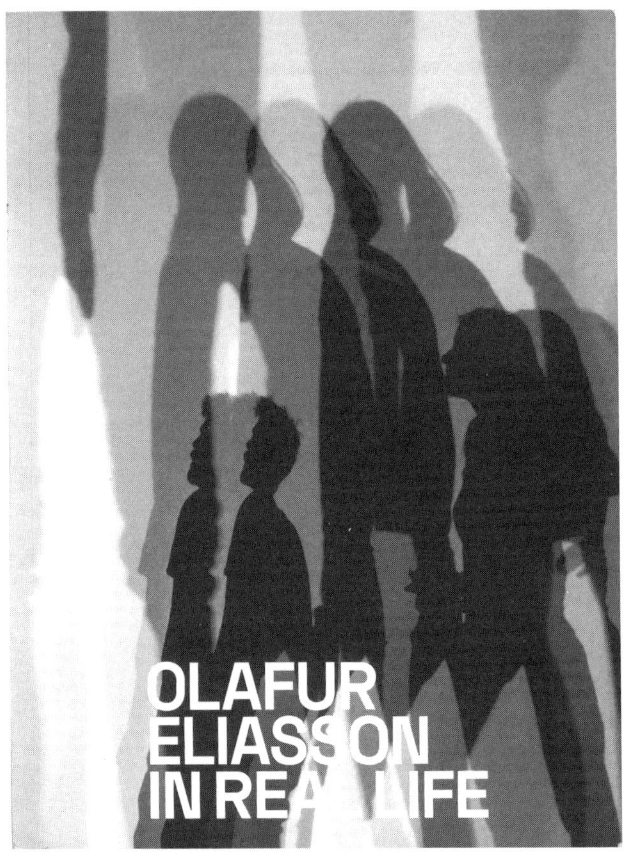

『IN REAL LIFE』Tate Publishing（2019）

1967年、デンマーク・コペンハーゲン生まれ。1995年に建築家やデザイナーなど多種多様なメンバーから構成される自身のスタジオ、Studio Olafur Eliasson（SOE）をベルリンに設立。気候変動をはじめとする現代の人類が直面する問題をテーマとした、鑑賞者の知覚に新しい経験を生みだすサイトスペシフィックなインスタレーションで知られる。日本では2020年に東京都現代美術館で国内では10年ぶりとなる個展「ときに川は橋となる」を開催し、話題を呼んだ。

014_Ernesto neto
エルネスト・ネトに聞く：
根っこにあるセンシュアルな部分、感覚的な部分を自由にすること

ちじれっ毛、よく表情の変わる日に焼けた顔、体がうずうずして、一時もじっとしていられないのだろう。ネトは大人というより、魅力的な子ども、ブラジルからやってきた男、コズミック・チャイルドだった。
ギャラリーの中には、今や彼のトレードマークともなった、伸び縮みするストッキングの生地でできた布のテントのようなものがある。
不思議なところに穴があり（ちょうど数学の授業で習ったクラインの壺を連想させる）、その先端部には、ハーブなど、よい香りのする「モノ」が詰まっている。
僕たち観客は皆、靴を脱ぎ、その小さな夢の部屋の中に入って行く。座ってもよいのだ、眠ってもよいのだろう。

エルネスト・ネトは、モノとモノの「関係」や、いかに観客を巻き込み「関係」をつくるかというコンセプチュアルなアプローチからスタートして、そしてしだいに有機的・オーガニックな作品へと展開を進めてきた。その旅は、彼がこの宇宙にある力に、いかに触れることができるようになるかという、学習のプロセスだったのだろう。

「私は最初、独学でアストロジー宇宙学を勉強し、美術の世界にやってきました。生理学的なシステムの中で我々がどんな位置にいるか、とても興味がある。（壁のドローイングを指しながら）何を見せたいか？　重力です。重力が我々の日々の生活に密着してるのに、知られていない。とても不思議な、神話に近いものだと感じています」

彼がつくる柔らかなオブジェからは、成長しようとする植物の芽のようなオーラが出ている。ゆっくりなのに、とても高速。いのちの速度が感じられるのだ。
どんな子ども時代だったんだろう？　なぜアニミスティックな力をコントロールすることを知っているんだろう？
そんな質問が頭をよぎる。

「活動的なことと休止、爆笑と沈静状態。私の中ではすべての力が混ざってカクテルになっているんです。私は自然の中で育つことで、バランスの取り方を学んだけれど、「子ども」というより「幼児」「赤ちゃん」ぐらいの、世界を感触で捉える態度に私の作品は近いのです。それがまた、私が世界を感じるやり方なんです」

ネトは片時も黙っていない。
魂がギューっと引っ張られてる、その力を作品から感じてくれればいいんだけど、でも、そんなことをしなくても、ビーチへ行ってゆっくりしてたっていいんだけどね、とちょっとおどけて、笑ってみせるのである。
話してる間に、エモーショナルになり、身振りが大きくなる、そして立ち上がる。

後藤（以下SG）ーあなたの作品は、ドローイングにしても、偶然に依存してるように一見みえる。しかし実は、すごくコントロールしてるところがあるし、このオーガニックなフォルムも形態の選び方がとても厳密だと思う。仕上がりも繊細だし。
ネト（以下EN）ーフランス人の友達がよく、君の作品はブラジル人のわりには、きれいに丁寧につくられてるってからかうんだけどね（笑）。ドローイングにしても、インクを垂らす時、どんな動きをするか想定してつくります。私は数学的なものが好きで、アートでなかったら数学を勉強したいくらいです。でも、もう、アートはやめられない（笑）。

ネトの作品は、宇宙にある力とうまく付きあうことで生みだされている。そうなると、つい「神」の話をしたくなる。

SGー日本人のほとんどはキリスト教徒じゃないし、逆に、森羅万象の自然の力、アニミスティックな微妙な力、コズミックな力に共感を持っています。あなたの作品にも僕は、人格化された神とかではなくて、自然の力、地の神みたいなものを強く感じます。自分自身ではどう思っていますか？

EN－それは私にとってすごく、重要な質問だ。私の母は昔、ランドスケープのデザイナーでした。日本に来て京都に行った時、禅のお寺、竜安寺とか石庭などの本をたくさん持って帰ってきてくれたので、子どもの頃から親しんでよく見ていたのです。だから、禅とか、鈴木大拙の本とかもよく読みました。たしかに自分たちの中には、西洋的なものが入り込んでいるし、ゼウスみたいな人格神たちが、私のことを助けてくれてるんじゃないかとか、ちょっと振り回されたりすることもあるんだけど（笑）。神ではない、自然に対する感覚はアジア的なものだと思う。そしてラテン・アメリカのものにもかなりそのセンスが入っているように思う。ブラジル人たちは、アフリカ的なものはわかってはきているけれど、アジアの影響は実はすごく受けているのに、まだうまく説明がつけられていないんです。

自然に対する捉え方が、最近の作品では馴染みだしてきていると思うし、それを日本人の人たちが私の作品の中に発見してくれている部分もあると思うんです。

SG－禅というと、とても禁欲的なイメージが強いけれど、とりわけ中国での禅はそうだったけれど、エクスタティックで、かつセンシュアルつまり性的なところがある。つまり、精神性と官能っていうのはセットになってるわけなんです。

僕はあなたの作品を観ると、その悟りと官能が同居してるように感じる。シンパシーを感じるし、学ぶ点が多いのです。

EN－本当に、そうだと思います。世界の宗教を見ると、なぜこんなにもセンシュアルなものを避けようとするのかと思う。私たちの一番奥に内在してるものは、こんなにもセンシュアルなのに、なぜそんなに押さえつけようとするのか。

私の作品にできることがあるとすれば、男と女とかいうことではなく、もっと根っこにあるようなセンシュアルな部分、感覚的な部分を自由にしてあげることだと思います。コンテンポラリーアートは、僕らを自由にしてくれる。そして、より根源的な感覚を開いてくれるものだと僕には思われる。

今日、エルネスト・ネトに出会えて幸福な気持ちになった。彼は、動物のような目をして言う。

「サイレンスというものを感じてほしいんだ。ここに来て、落ちついて、いい香りを嗅ぎながら、ゆっくりしてほしいんだ」

2006.11

小山登美夫ギャラリー(東京)での展示風景 2006
©Ernest Neto

1964年、ブラジル・リオデジャネイロ生まれ。ストッキングのような伸縮性のある薄い布地やネット、香辛料や砂、貝殻などの自然の素材を用いたインタラクティブで有機的な立体作品やインスタレーションを制作。2001年、ヴェネチア・ビエンナーレのブラジル館代表を務め、日本でも金沢21世紀美術館、越後妻有トリエンナーレ、豊田市美術館など数多くのグループ展に参加。

015_Mario garcia torres
マリオ・ガルシア・トレスに聞く：今、コンセプチュアルなアートであること

世界的な経済の変動は、アートのマーケットの動きと当たり前のこととして扱われるようになった。アート作品のプライスが、信じられないような高値や暴落する価値形態として扱われることが常態化したのである。これは明らかに80年代以降の顕著なアートシーンのシフトチェンジのひとつだ。しかし、このアートのあり様のシフトは、すでに予兆が見られたし、コンセプチュアルアートやインスタレーションの再生は、次なるアートの逃走線（闘争線）も強く用意するものとなる。マリオ・ガルシア・トレスのアートは、常に不定型なメディウムを持つ。それをひとつの単語・コンセプトでくくることすらできないものなのである。このようなアイデアに満ち、インテレクチュアルなその作品は、確実にネクストを感じさせる。そのストラテジーはどこから来るのだろう？

後藤（以下SG）－以前、あなたが2008年の横浜トリエンナーレで出品した作品は、壁に白い小さなスクエアが開けられていて、そこから工事中の音が出ているというものでしたね。

ガルシア・トレス（以下MGT）－キュレーターに依頼し、プロに音を録ってもらいました。あれは、サイトスペシフィックな作品で、あそこ以外では存在できない作品になっていて、僕の作品では特別なものです。

僕の作品は、ほとんどの場合、「何か」が起きていることを記録していくものです。そして、作品をつくるごとに毎回自分を再度問いただしたいし、アクティブでありたいのです。自分のために、もっと「複雑なもの」にしたいと願っています。

SG－アイデアはどのようなプロセスで生まれてくるのですか？

MGT－たとえば、1960年代にロバート・モリスが考えたことをベースにして考えることがあります。シンプルなアイデアからスタートし、どんどん変化させながら進めていくのです。最終的には、テクニカルな部分、インテレクチュアルな要素も入れ込み、「可能性の複合」ができあがるようにする。でも最初からはどんな作品に仕上がるかは、実はわからないのです（笑）。

SG－コンセプチュアルアートやミニマリズムは、1960年代終わりから1970年代にかけて、とても盛んでした。過去のコンセプチュアルアートではなくて、今のアートのあり様として再考することを、どう思いますか？
MGT－70年代には確かに、ものをなくしていく方向に向かったけれど、今は違っている気がしますね。そもそもアイデアを、どのように形にして見せていくかということがあります。それによっては、ドライな抽象的なものになることもあれば、はっきり目に見えるイメージになることもある。毎回違うのです。
メキシコで発表した作品とかは、すごくカラフルで、ぱっと見た印象はとてもチャーミングになりました。ちょっと発表するのが恐かったですが（笑）。
テキストも入れたり、今起きていることに、どうチャレンジしていけるのか。他の作家たちが、より大きくカラフルなものをつくろうとしているなかで、コンセプチュアルであること、もともとアイデアがあるものをつくろうとしているのです。たとえ、外観が80年代風のかわいらしい作品に仕上がってしまったとしても。
SG—新しい目的地があるんですね。自分をストラテジックな人間だと思いますか？それともエステティックな人間ですか？
MGT－ストラテジックですね。たまたま美学的な作品になったとしても、それが目的ではない。美学的な要素はあとでつけ加えられるしね。作品というものは、読み込めるものでなくてはいけない。ものは同じでも違うことが読み込めたりね。だから作品ができあがったあとも命が吹き込まれて、変わっていってほしいのです。
僕の作品にとって重要なのは、目的地ではなくて、それを始めること、イニシエイトすることだと思っているんです。
SG－これからの作品計画は？
MGT－ウーン、つくらなきゃいけないんですが、今のところアイデアは全然ない。空っぽなんですよ（笑）。
2009.03

「Falling Together In Time」2019.2.23-3.16
タカ・イシイギャラリー（東京）での展示風景　撮影：Kenji Takahashi
Courtesy of Taka Ishii Gallery

1975年、メキシコ生まれ。2005年カリフォルニア・インスティテュート・オブ・アーツ卒業。ビデオや写真、サウンド、テキストなど多様なメディアを用いながら、美術史や音楽史において語られてこなかった歴史の側面に着目した作品を制作。マニフェスタ11、ドクメンタ13、2010年台北ビエンナーレ、2008年横浜ビエンナーレなど数多くの国際展に参加している。近年では2018年のウォーカー・アート・センターの個展でARを利用したインスタレーションを発表している。

016_Jim lambie
ジム・ランビーに聞く：つねに質問に対する答えもオープンでありたいね

ジム・ランビーに最初に出会ったのは、2005年のターナープライズのノミネート展だった。その時は、結局、サイモン・スターリングが賞をさらったのだけれど、美術館の床にカラーテープを貼り尽くし、奇妙なオブジェを配置したランビーの作品は強い印象を残した。コンセプチュアルでありつつ、どこか儀式的なものもある。インタビューの前日、日本での初個展オープニングパーティーのDJをやり、盛り上がったランビーが、眠そうにやってきた。

ランビー(以下JL)－ああ、すごく楽しかったよ。よく言われるんだけど、でも僕は、自分の作品が音楽からつくられてるなんて言ったことはないんだ。
たしかに、音楽で言えば、ベースとなる音があって、ドラムやヴォーカルが乗っかっていく。僕の作品にもそういう構造を持つものがあるけれど、大切なのはコンセプトであり、それがあることで、メイキングプロセスも楽しむことができるということだ。プロセスも作品だ。
後藤（以下SG)－あなたの作品は、一見サイケデリックだから、コンセプチュアルだと捉えにくいのかもしれませんね。
JL－コンセプチュアルアートって、そんなドライじゃなきゃいけないのかなっていつも思ってる。僕はグラスゴー育ちでアートスクールに行ったのも、26才で遅かった。バンドをやっていたけれど、ミュージシャンとしてはダメだと思ったので、アート作品をつくり出した。10数年以上前の話だ。
SG－デミアン・ハーストなどのYBAがもてはやされた、アシッドハウスの頃ですね。
JL－そう。僕らのまわりにいたのは、ジョナサン・モンクやダグラス・ゴードンたちだった。グラスゴーにはアートマーケットどころか、展示スペースすらない。
モンクの家のトイレでグループ展をしたこともあるよ、「マイ・リトル・トイレット」（笑）。
僕がつくりたいのは、コンセプチュアルがベースでも、観て楽しむ作品。とても開かれていて、感情のいろいろな側面やレベルで感じてもらえる作品だ。

SG－コンセプチュアルだけど、昔のコンセプチュアルアートじゃない。何かマジカルで、存在の意味を問うてるところもある。サイケデリックに人を迷わせたり。
JL－たしかに儀式的なところもある。1998年にマルセイユにレジデンスした時、「スティック」の作品をつくった。マルセイユはアフリカの影響が強くて、美術館もよく行った。竹のスティックにタバコの紙やハンガーのワイヤーとかも巻き込みながら、ぐるぐる巻きにしてゆく。やってるうちに、どこだかわからないけど、行きたいと思っているところへ行ける気がしてくる。コンセプチュアルアートに再び色を復活させたいと思ったりね。
SG－さっきあなたの展示ルームにいて、ここはやっぱりダンスフロアなんだと思った。配置された作品も、たとえば「ボディロックス」とか、「ここ」からどこか「アナザー・プレイス」へワープさせてくれる装置みたいに思える。さっきの「サイケデリック・スティック」もね。
まるでセネガルのオブジェみたいな、ありあわせの楽器みたいだ。どこから、その感覚は来たんだろう？
JL－アイ・ドン・ノウ（笑）。
始まりがあって、終わりがあるというものじゃない。人と人との話しあいが起こって、話せば話すほど、わかりあってゆく世界がいいんだ。そうだな、音楽を作品化はしてないけど、音楽自体がアブストラクトで、その上とてもオープンなものだから、影響されているのだろう。僕の父はスコットランドで初めて移動式のディスコを始めた人だったし、母はゴーゴーダンサーだった（笑）……。
常に質問に対する答えもオープンでありたいね。
SG－アーヴィン・ウェルシュの『トレインスポッティング』の頃って何をしてました？
JL—アシッドハウスの頃？
もちろんアシッドさ!!（笑）
2007.11

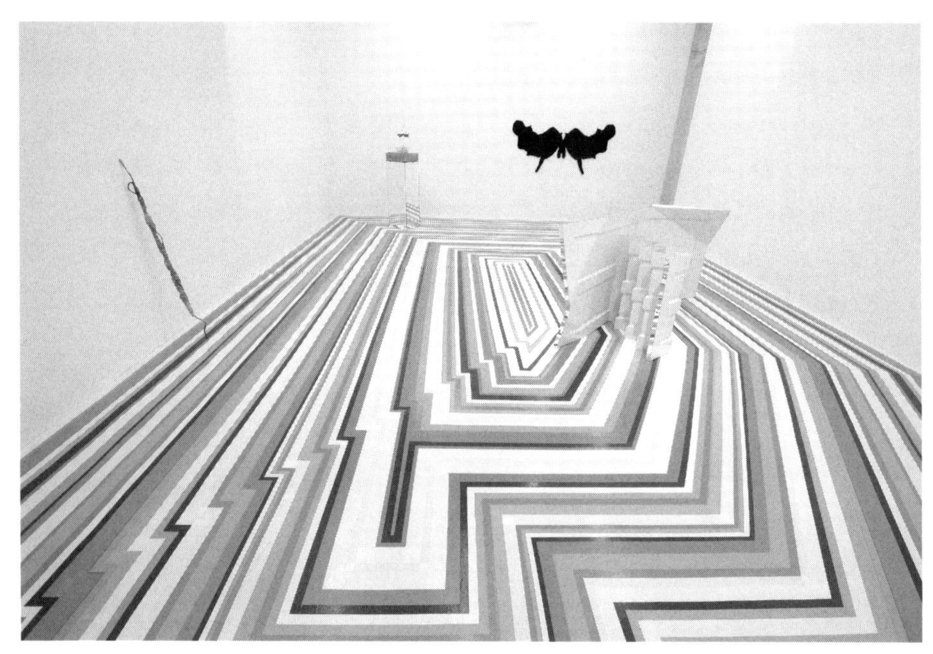

「P.I.L.」2006
ミヅマアートギャラリー（東京）での展示風景　撮影：Keizo Kioku
Courtesy of the Artist, Mizuma Art Gallery, Tokyo and Toby Webster Ltd, Glasgow

1964年、スコットランド・グラスゴー生まれ。ビニールテープやペンキ、アルミホイルなどの日用品を用いた、強烈な視覚的インパクトを生みだす色鮮やかなインスタレーション作品で知られる。ミュージシャンやDJとしても活躍しており、作品には音楽やアルバムカバーなどからのレファレンスも多く見られる。2003年にはヴェネチア・ビエンナーレのスコットランド代表を務め、2005年にはターナー賞にノミネートされた。

017_Peter fischli and David weiss
ペーター・フィッシュリ&ダヴィッド・ヴァイスに聞く:フィッシュリ&ヴァイスへの3つの質問

ここに掲載する対話は、2008年の横浜トリエンナーレの時のものでデビッド・ヴァイスの生前のものだ。彼は残念なことに、2012年に死去してしまった。しかし、このスイス生まれの「2人組(デュオ)」がアートに残した足跡は非常に大きく、消えるものではない。僕も彼らのコンテンポラリーアートへの姿勢に、大きな刺激を受けてきた。

「問いの壺」「ヴィジブル・ワールド」「事の次代」など、それらはきわめて単純なアイデアで、ユーモアすら強く感じさせるものであったが、沈思してみると、従来のアートの概念を揺るがす大きなものだったと気づかされるものであった。

このインタビューは、きわめて時間のない中で行なわれたものだったが、実に忘れられないものとなった。

後藤(以下SG)ー僕は、2006年にテート・モダンで行なわれた回顧展で、初めてあなたたちの全活動を掴むことができたんです。あの展覧会は、どのような系列に基づいてあなたたちの作品がつくられているかがわかる、素晴らしい機会でした。

第1の質問です。どうやって発想と媒体を選んでいるのですか?

フィッシュリ(以下PF)ーアイデアが浮かんだ時、それにあったやり方を見つけだすようにしています。同じテーマであっても、常に異なるメディアやマテリアルを用いようとするのです。1981年に『クレイ・フィギュア』という作品をつくりましたが、「粘土」は子どもや趣味のものでアーティストからタブー視された素材でした。私たちは粘土細工を焼かずに、その脆さを重要視しようとしたのです。

ヴァイス(以下DW)ーいや、遅れてすみません。

PFーちょうど、君の話をしていたところだよ。いつも遅刻ばかりしていたってね(笑)。

さっき、「テーマ」というコトバを使いましたが、「我々が興味のある分野」と言った方が正確でしょう。

「分野」というのは、日常だったり、家だったり、生活です。だから我々は、「家」の写真も撮れば家具もつくる。トピックが同じでも用いる素材や方法を変えるのです。

SG一戦略的に選んでるのですね。でも、あえて言えば、あなたたちの作品は、テーマやアイデアが明らかにわかるものと、一目見ただけでは、意味がはっきりわからないものがある。

たとえばタイヤが転がり、ロケットが飛びだし、洪水が起きるという連続物のフィルム『チェーン・リアクション』。あれは無意味なのに興奮してしまいます（笑）。

PF一あれにはまず「フィルム」という明確なアイデアがあります。しかし、フィルムの中で我々は、椅子やタイヤ、日常的なモノを普段と違った方法で使っている。椅子が誤った方法で使われる。椅子の一生の中ではじめてでしょうね（笑）。

DW一椅子だって自由になれる。

PF一そう。何か違ったモノになれる。

DW一しかし同時に椅子は、我々が望んだ通りに動かなくてはならない。まるで調教された動物みたいに。誤用と強制。そのバランスがこのフィルムの面白さだと思う。

PF一でも、面白くしようなんてまったく考えていなかった。興味があったのは「連鎖」ということ。やってるうちにおかしなものができてしまったのです。

SG一さて第2の質問です。「発明」と「クリエイション」はどう違いますか？

PF一我々がつくった『チェーン・リアクション・マシン』は何の役にも立ちません。コーヒーだってつくれない。人がコーヒーマシンをつくる時は、まとが絞られ、はっきりしている。しかし、アーティストが提示するのはどんな「分野」に興味があるかということ。

DW一『チェーン・リアクション』は、明らかにあるルールに従ってはいます。その中にたくさんの新しい発想と小さな発明が含まれている。アートで何かを生産しなくてはいけないことはないんです。

SG一さて最後の質問になります。

あなたたちの作品の中には、写真を使って「何か」を提示した作品があります。僕はそれらを非常に愛していますが、写真というメディアをどう思いますか？「写真家」

と呼ばれることには抵抗があるでしょう？

DW－我々は自分たちを写真家だと思ったことはありません。

PF－我々は写真というメディアを3つの違った使い方をする。まず我々がつくったモノの写真。第2に世界がどうあるかを捉えた写真。世界のセレクション。3つ目が、絵画に描かれたものの写真です。

SG－写真を誤用して自由にするという第4のアイデアはどうですか？

DW－可能です（笑）。

PF－誤用してみることで、新しいモノをつくり出すことに繋がります。毎日繰り返しているものを別の方法で料理する。

DW－そして、実際に食べてみる。それがまずいか、何か新しいかは、そのあと見つけるものなのです。

2009.04

『Peter Fischli & David Weiss』
Phaidon Press（2005）

1952年、スイス・チューリッヒ生まれのフィッシュリと1964年、同じくチューリッヒに生まれたヴァイス（2012年没）からなるアーティスト・デュオ。1979年より共同制作を開始。1981年のチューリッヒの画廊での個展を皮切りに、欧米各地で個展を開催。社会や日常を取り巻く問題をユーモラスに表現したプレイフルな作品で日本でも人気が高い。2003年にはヴェネチア・ビエンナーレで金獅子賞を授賞。

018_Lee mingwei
リー・ミンウェイに聞く：作品が観る人の個人的な歴史やストーリーが投影されるプラットフォームになるために

リー・ミンウェイの作品は、「参加型のインスタレーション」と「一対一のイベント型の作品」で知られている。
2012年に東京の資生堂ギャラリーで展示されたプロジェクト「Fabric of Memory」は、2006年にリバプール・ビエンナーレ、2007年には台北現代美術館にて開催され、それぞれ現地の人を対象に行なわれたプロジェクトのリプレイである。
個人的に親しい人につくってもらった、手作りの洋服や布製品など、いわゆる大切なものをその思い出、エピソードと一緒に提出してもらうというものだ。
彼はそれらをひとつひとつ丁寧に特製の木箱に収め、鑑賞者は他人の親密なものを経験するというシンプルなシステムを持つ。
彼のプロジェクトによって、まったく個人のものだった布製品が他人によって経験されることで、個を超越し、共有できる領域へと到達する。つまり、普遍的な言語をつくり出すツールになるのである。
どのようにして作品のアイデアを生みだし、プロジェクト化し、機能するものにしていくのだろうか？　そのことについて聞きたかった。

後藤（以下SG）－今回の展覧会は、木箱をひとつずつ１人で開けなければ、中身を見られない仕掛けになっています。とても「儀式的なもの」を感じました。
リー（以下LM）－ええ。そういったひとつひとつのステップに大変注意を払っています。私の他のプロジェクトである「Dining Project」や「Sleeping Project」にも通じます。おっしゃる通り、ステップに儀式的な要素を組み込んでいます。
SG－コンテンポラリーアートの枠組みで考えると、これらは「参加型インスタレーション」と捉えがちですが、実はそんなに単純なものではありませんね。
背景に文化的、宗教的なものがあると思われます。どういった背景から生まれたのですか？
LM－コンセプトがどこから来たのか。明確に言葉を紡ぐことができればいいのですが……。

それは、おそらく夢の世界に通じるのだと思います。夢やイメージなど、皆さんがそれぞれ持っているものを、私の詩的な感性で物理的な世界に引っ張ると考えています。

欧米で開催すると、よく禅や仏教といったものに関連づけられてしまいます。ですが、これはスピリチュアルなものを意図的にやっているのではなくて、「自分はどこから来たのか」、「自分とは何か」というごく自然な問いから派生したものです。

だから、特定の宗教とは関係がありません。作品はむしろクロスカルチャラルなもの。境界を超えたものだと言えるでしょう。

その理由は、私の作品には日常的な行為や儀式的なものが入っているわけですが、これらは学んで習得するのではなく、たとえば、食べる、寝る、書くなど、とてもパーソナルな行為を通じて獲得していくものであって、みんなが等しく経験することだからです。

SG－同じプロジェクトを世界中、いろんなところでやられているのも非常に興味深い。同時に、それぞれのプロジェクトが、場所ごとによってどのように生まれてくるのかを、リーさんも楽しんでいらっしゃるのではないですか。

LM－そうですね（笑）。やはり知らない人と交流すると新しいものに出会え、そこからインスピレーションを受けられるし、何よりもアンユージュアルな世界を意識することができますから。

日本でも、オーディエンスやギャラリーの方たちと、とてもよいコラボレーションができました。ウェブサイトでプロジェクトの参加を呼びかけたところ、1ヶ月で48のエントリーがありました。それを16まで絞り、箱に入れて展示したのです。

展示が終わった後は、箱に入れたままお返しします。個人的な作品を出してくださった寛容さに対して、謝意をあらわしたいからです。

SG－作品を仕上げていく時に、一番気を遣われていることはどのような点ですか？

LM－応募して集められたものは、本当にパーソナルなアイテムばかりです。託していただいたことに対して、本当に感謝していますから、箱に入れるときには敬意を持つと同時に、ビジュアル的に見て、またそれが、客観的に面白いものになっているかがポイントです。

SG－考古学的な標本のようにサンプル化されると、ドライで切り離された感じがすると思うんですが、リーさんの作品は柔らかく暖かい感じがします。

LM－個人的に「暖かみ」が好きなんです。私の美意識として暖かさを出したいのです。

SG－隣国同士がもめ事が収拾できない状態になった時に、リーさんの作品から、よいバイブレーションのつくり方を得られるのではないか。そんな気さえするのです。

LM－その点に関して意識していることは、まずは私の作品が、観る人の個人的な歴史やストーリーが投影されるプラットフォームであるということです。

人はそれぞれ面白いところ、関心を引くところを持っています。しかし、ただそれを見せるステージや、他人と共有する場、親密な形でシェアする場が、あまりない。シェアする時は、お互いが敬意を持つ形で行なわれるのが望ましいと思います。

２つ目は、私自身の内面のレスポンスが作品にあらわれるということです。自身にとっても内面はミステリーなもので、自分自身が何者かわからない状態でプロジェクトを通して、外へさらけ出す。

だから、勇気が要ります。私が恵まれているのは、プロジェクトをやる場を与えてくれる機関や人がいるということです。

そして、美術館やギャラリーなどの機関と私が一緒にコミュニケーションを通じて、楽しくやれることも重要でしょう。

楽しくない作業であれば、やる価値はない。キュレーターと私の考え方が、理解しあえるかどうかに尽きるのです。

これからもこういった考えをもとに、プロジェクトをつくっていきたいと思います。

2012.11

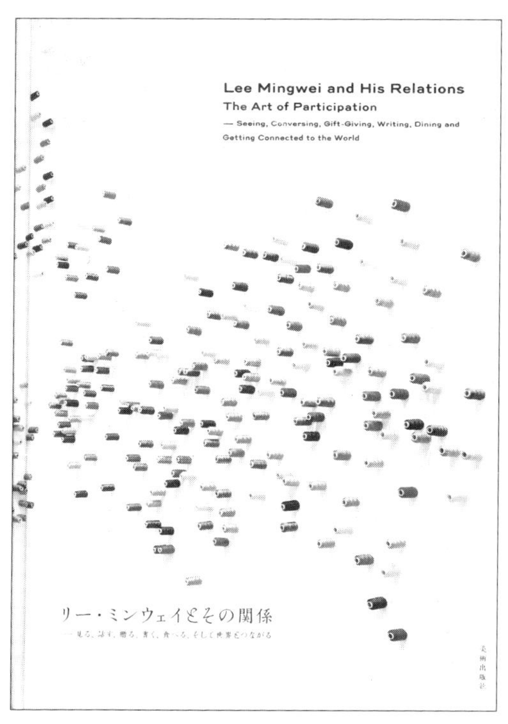

『リー・ミンウェイとその関係ー
見る、話す、贈る、書く、食べる、そして世界とつながる』
森美術館／美術出版社（2014）

1964年、台湾・台中生まれ。1989年から93年までカリフォルニア美術工芸大学（現・カリフォルニア美術大学）にてテキスタイルアーツを専攻。同校を卒業後、1997年にイェール大学大学院美術学部にて彫刻の修士号を取得。1998年、ニューヨークのホイットニー美術館での個展「Way Stations」で注目を集め、2003年にはニューヨークのMOMAで個展を開催。第50回ヴェネチア・ビエンナーレの台湾館に出展し、2012年の第18回シドニー・ビエンナーレに参加。国内では2014年に森美術館で個展「リー・ミンウェイとその関係」展が開催された。

019_Joan jonas
ジョーン・ジョナスに聞く：パフォーマンスと魔術、ダンテとともに

パフォーマンスアートは、今、どのように位置つけることができるのだろう？
アートがすぐに類型化・形式化し、体制に取り込まれてしまう中で、「逃走線」を探す重要性を持っていると思われる。
振り返って見た時に、1936年生まれで今も現役で新しい表現を生みだし、そして誰にも似ていないパフォーミングアーツを生みだしてきたジョーン・ジョナスの重要性は、ますます高いものになっている。
彼女の「舞台」のリハーサルも見たことがある。小さなステージの右手にはテーブルがあり、そこにセットされたオーバーヘッドプロジェクター（ドローイングしているのを即座に見せる）と、真ん中に過去の映像を映すスクリーン。そして、オブジェやマーカーを先につけた杖などが、芝居の小道具のように舞台に配置されていた。
このセットは、ジョナスが生みだした独自のパフォーマンスのシステムである。

後藤（以下SG）ーリハーサルを拝見しました。とてもイメージを多層的に使っていましたね。「イメージのシアター」と呼ぶべき発明だと思いました。
ジョーン・ジョナス（以下JJ）ーそう言ってもいいですね。ダンテの文章の欠片から始まり、カナダにいた時に撮った家や鏡の映像や、メキシコに行った時に見つけた溶岩の野原や、モノリスのような岩が立っている場所。
それら、いろんなところから来たイメージがひとつに混ざっていく。いや、混ざっていくというより、「調理」していく感じかしら。絵にするより、抽象化しようとしています。
SGー神話的構造をリニアに再演するのでもなく、鏡や杖のようなシンボルも断片として、バラバラに使っていく。
特に印象的だったのは、オーバーヘッドプロジェクターでした。日本の「能」のステップチャートを映したでしょう。あなたは、ダイアグラムとか幾何学的発想でイメージをエディットしていませんか？

JJ－70年代に京都へ行った時、「能」の本を買い、ずっと何かしたいと思っていました。今回持ってきたんです。

さっきやった『ダンテを読む』は、私がドローイングするのを観るというパフォーマンスですが、たしかに抽象的なパターンが好きなんです。ダイアグラムは実に美しいドローイング的なものだと思います。そしてそれを幾層にもレイヤーにするのが好きです。

ダンテ自身も「イメージ」がひとつの円の中に収まると言っていますが、テキストも、モノも重なっていくことについて、触れているのです。

SG－舞台の上で、あなたは大きなスケッチブックを体にくっつけて、そこにドローイングしていました。開くと即興的に何かが出現し、閉じると消えてしまう不思議な本のように思えました。

JJ－実にナイスな印象です（笑）。

SG－それからドローイングの時に枝や杖を使っていたでしょう。どう見ても魔法の杖でしたね。

J－私のドローイングは、すでに過去に描いたもの、自分への挑戦です。それに語りかけるドローイング。マティスもベッドの上で杖に筆をつけて描いていました。

SG－リハーサルにはなかったけれど、本番では思いきり叫んだでしょう。あれには本当に驚きました。エモーショナルだと思われてしまうことへの恐れはなかったんですか？

JJ－パフォーマンスは常に「現在（プレゼンス）」のことなので、衝動があるんです。間違えられるとか、気にしません。

ただ、あれは私の感情ではなく、ダンテが森の中で迷ってしまって、ここではぜひ叫ぶべきだと思ったのです。オペラのようなものです。

SG－ドローイングは痕跡が残る。一方パフォーマンスは、消える。ステージを観ていて、なぜかネイティブアメリカンの砂絵を思いだしました。実にクールなのに、マジカルな印象がありました。

JJーパフォーマンスはそこで起こってしまったら、再び同じことはできない。しかしビデオやドローイングで過去に起こったことに参加できるというのは、とてもマジカルなことです。そうやって身体の中に記憶が残っていくのですから。

2008.11

《Reading Dante（ダンテを読む）》
第16回シドニービエンナーレ、Cell Block Theatre（シドニー）でのパフォーマンス 2008
撮影：Greg Weight
Courtesy of the artist and WAKO WORKS OF ART

1936年、アメリカ・ニューヨーク生まれ。1970年代初頭にパフォーマンスとビデオを融合した作品を発表し、現在ではパフォーマンスとビデオアートのパイオニアとして国際的に名高い。これまで数多くのドクメンタなどの国際展や企画展に出展。2018年に第34回京都賞を受賞し、それを記念する国内では最大規模となる個展が2020年京都市立芸術大学ギャラリーKCUAで開催された。

020_Simon fujiwara
サイモン・フジワラに聞く：アートをメディア別に考える人がいるけど、それって、結構古臭い考え方だと思う

サイモン・フジワラは、日本人の父親とイギリス人の母親との間に生まれた。彼は自分自身、あるいは他者の個人史に架空の物語、たとえば、同性愛者の視点からつくられた物語を挿入することにより、私たちが受容している歴史がどのように構築されてきたかを暴露してみせる。
その「語りの手法」は、レクチャー形式のパフォーマンス、インスタレーション、彫刻や小説といった形式を取る。
2011年の「ゼロ年代のベルリン」展（東京都現代美術館）で、建築家である父親カン・フジワラとの、日本での再会を題材としたインスタレーションを発表したことは、いまだ僕の中に鮮烈な印象を残している。
テーブルの上には、割れたカップが散乱してた。それは民芸のバーナード・リーチの陶芸作品で、その価値を知っている者はドキリとさせられるだろう。脇にはモニターがあり、テーブルを挟んで２人の男の打ちあわせがドキュメンタリー風に展開する。
作者のサイモン・フジワラが、自分の映像作品に出演し「父」を演じてもらうプロの役者に、シナリオを説明するのだ。サイモンは自分の生い立ち——子供の頃に両親が離婚し、母に引き取られイギリスで育ったこと、そして永く再会・和解していない父のことについて語る。
しかし、サイモンが意図を語るにしたがって、俳優はこの作品のスクリプトに違和感を感じだす。たとえば、「日本じゃ長い間別れていた親子が再会するなんて、珍しいことなんかじゃないんだよ」というサイモンの演出への「ズレ」である。
映像にくぎ付けになる「我々」は、すっかりこのやりとりさえもサイモンのシナリオであることを忘れてしまう。リアルに父との「和解」の儀式として「２人でつくった」焼き物が割られて唖然とする中、一転して白々しく客のいない劇場が暴露され、映像は終わってしまうのだ。

後藤（以下SG）－作品をつくる時、最初にどこから始めますか？

「The Antoinette Effect」2019
TARO NASU（東京）での展示風景　撮影：Yasushi Ichikawa

フジワラ(以下SF)ーほとんどの場合、テキストからですね。自分の実人生のことでも、スクリプトにしてフィクション化します。まるでサードパーソンみたいにね。「エゴ」というものから離れ、違うものにするのです。そのあとインスタレーションやシアタープレイにしていきます。

SGーあなたの作品は、ジャンル分けがまるでできません。ドキュメンタリーかと思ったらフィクションだし、映像作品かと思ったらインスタレーション。

レイヤーというか、ディメンションがたくさんあるところが面白いですね。

SFーそうそう。父と子供のリレーションシップ。困ってる人は困ってるだろうし。

一言で言えない。複雑です。

SGーさまざまなギャップが仕掛けられています。ところであなたは、ケンブリッジで建築の勉強をしてからフランクフルトでアートに転じたでしょう。そのことは、今、アートを生みだす時にも関係していますか?

SFー実はずっとコンテンポラリーアートがやりたかったんだけど、アートスクールには行きたくなかったんです(笑)。

建築の中には、テクニカルとかセオリー、デザインもコンセプトも全部入ってる。だから結構建築的な考え方を使ってると思います。

SGーだから、アートの外からアートを捉え直してるように見えるのかもしれない。

あなたは、アートについて自由ですね。

SFーアートをメディア別に考える人がいるし、アートスクールもあるけど、それって、結構古臭い考え方だと思う。

メディアから考えて作品をつくるのは、ちょっと反対です。

最初に何を伝えたいか。何をやりたいか。

そこからフォームを探すのが、何より自然なんだと思います。

2012.10

1982年、イギリス・ロンドン生まれ。日本人の父とイギリス人の母のもとに生まれる。自身の出自や家族の歴史などの私的な物語を出発点としながら、公的な事実や史実、フィクションを融合させた作品群を制作する。2012年にイギリス、テート・セントアイヴスの全館を使って大規模回顧展「Simon Fujiwara : Since 1982」を開催。掲載の写真は2019年にTARO NASUで開催された個展「The Antoinette Effect」。マリー・アントワネットを主題とし、消費対象としてのセレブリティという概念とそれを取り巻く人間の欲望に光を当てた。

021_Ei arakawa
荒川 医に聞く：
パフォーマンスというアーキテクチャ

ニューヨークを拠点に活躍する荒川医は、他のアーティストたちと共同でパフォーマンスを行なうことで知られている。
あるストラクチャーの中で予期せぬことが起きたり、そしてそれが新しい意味を持ちはじめたりと、表現のその形は、実にさまざまであるがストラテジックなところが伺える。
また戦後日本美術や、他の文脈との接続性があるのも特徴である。ニューヨーク近代美術館をはじめテートモダンのThe Tanksなど世界各地で作品を発表している荒川が、東雲にあるTOLOTでパフォーマンスを行なったので、それに合わせてインタビューを行なった。

後藤（以下SG）ー荒川さんの作品は、いわゆるパフォーマンスアートにカテゴライズされると思います。パフォーマンスアートは、60年代のアメリカを中心に、コンセプチュアリズムがベースになり、いろんなタイプのものが出てきて発展した。ダンスのように身体性が強いものもあれば、演劇的な要素が強調されてきたもの、さらにはアラン・カプローのようにハプニングを仕掛けたり、インスタレーションを組み込んだり……。それらが一巡りし、またパフォーマンスが注目を浴びています。
まずは、パフォーマンスを始めたきっかけを教えてください。
荒川（以下EA）ー僕は98年にニューヨークに行き、数年後に大学に入りました。そこでペインティングの先生であったユタ・クータにパフォーマンスを見せたところ、気に入ってくれたんです。
彼女はケルン出身で、ドイツのアーティスト、マルティン・キッペンベルガーの活動も直に知っていました。
アーティストは構築されたものだという認識の上で、パフォーマンスとしてシステムを茶化したり、それに抵抗したり。そんな影響を受けたんです。
それからユタを通して、リーナ・スポーリングスのメンバーと出会いました。彼らや、バーナーデッド・コーポレーションも、NYの独特の文脈と混ざりながらも、90年代のケルンの影響を受けてるんです。
僕は04年からリーナ・スポーリングスで、パフォーマンスや展覧会をしているのですが、リーナ・スポーリングス自体も架空のギャラリストであって、それも連中がつくったアートの手段なんですね。
もうひとつは03年に大学のセミナーで、オクウィ・エンヴェゾーのドクメンタのカタログを読み込んだことでした。
その時に興味を持ったのが、ポストコロニアル的な視点から、日本の独自の近代芸術のあり方を勉強することでした。彼の参加した企画に、「Global Conceptualism: Points of Origin, 1950s-1980s」という展覧会があり、そのカタログにアメリカ在住の美術史家・富井玲子さんが寄稿されていました。それで彼女を大学に呼んで、個人指導してもらった。
そこで初めて、日本の戦後美術をきちんと考えるようになりました。
SGー最初のころに荒川さんがやったパフォーマンスは、政治性があったものなんですか？
EAーどうなんでしょうか。僕はアートという文脈で、パフォーマンスする前にも、いろいろなところでパフォーマンスはしていました。
ダムタイプなども現代美術をやる前から少し知っていて、身体性と政治性についてもすでにアメリカのゲイカルチャーの問題意識として認識していたんです。
それにプラスして、さっきも言ったケルンからの文脈や、NYのアートワールドの状況を把握しつつ、アートと社会性を考えるようになった。そして、日本の戦前と戦後のパフォーマンスについての論文にも触れたことは刺激でした。
SGーそれはノイエ・タンツみたいなものでしたか？
EAーマボなんかは関係ありますね。実験工房については書いていませんでしたが、戦後の具体や、ネオダダなどです。その時あたりから、歴史性を継続して考えることに興味があったんです。

SG－荒川さんが、日本の前衛的なパフォーマンスのコンテキストに反応したのは何だったのでしょうか？

EA－パフォーマンスという大きな傘で見ると、やっぱり日本の前衛の流れはすごい興味深く見えました。パフォーマンス的な、とくにグループを介した活動が繰り返し続いているという歴史性を意識できたのは大きいです。

それを現在のニューヨークに居る状況と照らしあわせたり、ケルンの考え方からアップデートしたり、いろいろな文脈が交じっています。

SG－荒川さんの世代と言うと、オーバーかもしれませんが、いろいろな歴史を経た文脈をクロスさせることに意識的だと思われます。接続する速度や、他の文脈とフュージョンも早い。

僕が面白いと思うのは、システムだとか、コンセプチュアリズムだといっても、ナイーブなものではなくて、とてもストラテジックだと思うんです。

今は、単純なコンセプチュアリズムという時代ではないので。それに対して荒川さんはオープンな態度を取られていると思います。

システムについてどう考えているのか、制作にどのように組み立てていかれるのかに興味があります。

EA－ニューヨークのアートコミュニティーに限定して言うと、僕らが活動を始めたときは、ニコラ・ブリオーの「関係性の美学」が認められて権威を持ちつつあったのですが、90年代のケルン的な視点、いわゆるアート・マーケットと批評の可能性といった観点からは、「関係性の美学」のナイーブさみたいなものは信頼できないというか、建て前なんじゃないのという意識はあったと思います。まだもう少し、その疑問が続くのかも知れません。

SG－先日、東雲のTOLOT/heuristic SHINONOMEで荒川さんが主宰した展覧会「O.E.C.F.D.S.」に展示された作品は、3つのパフォーマンスから成り立っていましたが、どのようにつくり上げていったのですか。

EA－あれは別々に3組のコラボレーターがいました（それぞれ南川史門、上崎千と森大志郎、サージ・チェレプニンと高橋アキ）。

ショーケースみたいに3つバラバラにパフォーマンスするよりかは、入り組んだ形にした方がそれぞれの要素が影響しあって面白いのではないかと考えたんです。

コラボレーションを続けていくにあたって、新しいテリトリーにどんどん広がっていくのは、身体的にも精神的にも大変で、それよりは、同じ人と何回も共働して、積み上げていくものに興味があるんです。

そういう中で個人としての僕のアーティストの主観がフィクション化するというか、肯定的にぶれるというか、ちょっとひとつの表現体、リプレゼンテーションでは説明出来ないような活動を続けていく、それ自体が僕のパフォーマンスだと思ってます。

そうすると共働に対する一般のイメージとは、ちょっとポイントがずれるのかなと思うんですが……。

SG－ゲームとは違うんですよね。

EA－ソーシャルゲームではない。どちらかというと、あるスペースを捉えるアーキテクチャです。

SG－それは、どのようなアーキテクチャーだと思われるのですか？

EA－欧米に関して言えば、以前はマーケットに対して、オルタナティブな場をつくろうという考えもあったと思うのですが、今は、アートワールドの中でどういうふうに主体性、エージェンシーを保つのか。

たとえば、美術館やビエンナーレからパフォーマンスや展示の依頼はいっぱい来るけれども、どういうふうにアーティストとしての自律を維持するか。そのことに僕と同じように興味を持っている友人がいて、その人たちとの作品や会話を通した交流の中でつくられていく。それは、アートのオブジェを介した、抽象的なアーキテクチャと言えるかもしれません。

SG－コミュニケーションですね。パフォーマンスの際、オーディエンスと交換されるものは通常の意味では理解できるものではないと思いますが、そこで行なわれるコミュニケーションは何に似ていますか？

EA－どちらかというと、「状態みたいなもの」をつくってそれに入ってもらう。

天気予報ではありませんが、ある天候のコンディションがあって、その中で、人がそれを受けて過ぎ去っていく。

観客に決められたポジションがあるとしたら、それがさまざまに変化していく。あるプラットフォームを仮定してそこに同時期に各アーティストが自分のファンタジーを実現していく。

そういう場のつくり方はずっとしていて、今回のパフォーマンスもそれに近かったと思います。

SG－2013年の森美術館の「六本木クロッシング」にも参加されていらっしゃいましたよね。

EA－南川史門君の98年から2000年前半くらいまでの作品を用いた映像作品を展示しました。

ちょうどこの時期は史門君にとって、今の彼のスタイルが出来るころでもあったので、興味があったんです。自分は98年から日本にいなかったので、僕にとっても、僕が日本にいなかった頃をファンタジーとして想像したいなと思ったんですね。

撮影は全部パリでしました。東京でもなく、僕が住むニューヨークでもなく、第3の街パリで、絵についてアクションを介した考察をしています。

今後も、アーティストのあり方、パフォーマンス性を考えながら、作品を発表したいと思います。

2014.01

荒川医×南川史門「三角木馬の夕べ」
TOLOT/heuristic SHINONOME（東京）でのパフォーマンス 2013　撮影：Kenji Takahashi
Courtesy of Taka Ishii Gallery, Tokyo; MISAKO & ROSEN, Tokyo; and TOLOT/heuristic SHINONOME, Tokyo

1977年、福島県いわき市生まれ。1998年よりニューヨークで活動、2019年よりロサンゼルス在住。主な展覧会に、ホノルル・ビエンナーレ、ミュンスター彫刻プロジェクト、ベルリン・ビエンナーレ、光州ビエンナーレ、ホイットニー・ビエンナーレ（ニューヨーク）、ヴェネチア・ビエンナーレ、MoMA（ニューヨーク）、テートモダン（ロンドン）、横浜トリエンナーレ、パフォーマ（ニューヨーク）などがある。

第４章
物質と精神。「私」を変成する

オラファー・エリアソン
Olafur Eliasson 1967-

デンマーク生まれ、アーティスト。光、水、気象など自然の要素を美術館に持ち込み、鑑賞者が体感するインスタレーション作品をつくる。2003年にテートモダンで「ウェザー・プロジェクト」を成功させる。2021年には、スイスのバーゼルにあるバイエラー・ファンデーションで個展「LIFE」を開催。生物との共生をテーマに打ち出す。

コンテンポラリーアートは、「私」と、「意識」や「精神」の問題をどのように扱いうるのだろうか。

それはオラファー・エリアソンのように「知覚」と「認識」、つまり世界の中における「私」の立場が固定的なものでなく、揺らぎ続け、きわめて流動的であることを「身をもって知る」機会をプレイフルに与えるという形で提出されることもある。ビル・ヴィオラやアントニー・ゴームリーらは、ハイテクノロジーの進化がもたらす恩恵を積極的に使い、「私」の認識の問題に深く介入してみせる。「私」の気づきが「世界像」を変容させることに有効だと確信的に知っているのだ。彼らは「瞑想」の持つ機能を重視し、人間の内省的な部分に触れるアート作品をつくり出す。彼らは「ソーシャリー」に振る舞うよりも、「私」の中によりラディカルに入る戦略を選択するのである。

これはコンテンポラリーアートが「超越」ということ、物質を超えるということをどう扱うかという問題とも関係しているし、アートが現代において宗教に取って代わり機能できるのかを考えることにもなる。「悟り」や「救済」「ウェルビーイング」の問題は古典なテーマに見えるかもしれないが、VRにおいて人間の意識に介入するメディアを使うコンテンポラリーアート作品も生まれてくる。第58回ヴェネチア・ビエンナーレにも出品されていたドミニク・ゴンザレス＝フォレステルのVR作品『Endodrome』（2019）は、複数の人が交霊会のように同時に「色彩」の中に自ら融解していく体験を味わえるものであった。このような作品は多くな

ドミニク・ゴンザレス・フォレステル
Dominique Gonzalez-Foerster 1965-

フランス生まれ、アーティスト。写真、空間インスタレーション、ビデオ、VRの作品を制作。作品の物質的側面よりも、参加や体験を重視したプロジェクトを展開。第58回ヴェネチア・ビエンナーレでVR作品『Endodrome』を発表。

マーク・ロスコ
Mark Rothko
1903-1970

ラトビア生まれ、画家。10才の時に渡米。イエール大学を退学後、アート・スチューデンツ・リーグで学ぶ。具象画から離れ、1945年に神話と原始をテーマとする作品を発表。抽象画へと向かう。ヒューストンの教会の仕事をスタートさせ、制作は死ぬまで続く。チャペルは慈善家メニル夫妻のコミッションによるもの。

るだろう。

意識の「超越」の問題は、ソーシャリーな外在的な矛盾が増え、パンデミックに代表されるカタストロフが増大する時代においては、アーティストたちの心に重要なインパクトを与えていく。

しかしこのような「衝動」は、今に始まったわけではない。たくさんの宗教的アイコンやメタファーにまみれた絵画はつくられ続けてきたわけだし、逆にキリスト教的なシンボルを破壊する（イコノクラスム）作業としてのアブストラクト絵画（たとえばバーネット・ニューマンのような）も登場してきた。また､より汎神論的なアブストラクト絵画（ヨハネス・イッテン、パウル・クレー、アグネス・マーチンから、現代のトマ・アブツ、草間彌生、内藤礼に至る）作品もつくられてきた。マーク・ロスコの絵画による「チャペル」を思いだしてほしい。

そのようなリアクションのもっとも象徴的な出来事は、エンマ・クンツやヒルマ・アフ・クリントらの復活だろう。エンマ・クンツはスイスのヒーラーであり、ヒルマ・アフ・クリントはスウェーデンで活躍した女性のアブストラクト絵画のパイオニアで、人智学の提唱者ルドルフ・シュタイナーに大きな影響を与えた女性である。クンツは振り子（ペンデュラム）を使ったダイアグラム絵画を制作していたが、それは1960年末にハラルド・ゼーマンによりアートに文脈化された。それをさらに今日のコンテンポラリーアートシーンに投げ入れたのは、サーペンタイン・ギャラリーのハンス・ウルリッヒ・オブリスト

エンマ・クンツ
Emma Kunz
1892-1963

スイス生まれ、ヒーラー／研究者／アーティスト。正式な芸術教育を受けたことはなかったが、1938年から幾何学的な図像を制作。現存している「作品」は400を超える。スイス・バーデンには、画像の保存と、ヒーリングストーンであるAIONAを採掘できるグロッタがある。
『Emma Kunz』Walther Konig (2019)

であった。

ゼーマンは早くからスイスのアウトサイダーアーティストたち、つまりアドルフ・ヴェルフリやアロイーズ・コルバス、ハインリヒ・アントン・ミューラーなどを発掘し、「これはアートなのか？」という問いをアートの領域だけでなく、人間の精神領域の問題としてラディカルに取り上げていた。ゼーマンは、「ペンデュリスト、ヒーラー、求道者」であったエンマ・クンツを画家として取り上げたが、彼女をアウトサイダーアートなどと同じ領域のものとして捉えていた。ゼーマンはこう書く。

「クンツはドローイングを展示しようとは考えなかった。彼女にとってこれらの絵画は経験によって得られた内なる目の知識と、物理的な存在と精神宇宙との直感的な相互接続が合わさった束の間の総体であり、つまり利用可能なものであった」

クンツにとり、ペンデュラムは精神のテクノロジーである。

2019年にサーペンタイン・ギャラリーでクンツの個展「Visionary Drawings」をキュレーションしたオブリストも「彼女は自分のことを主に治療者、研究者だと考えていた。正式な芸術教育を受けているにも関わらず、スピリチュアル・アートの先駆者」であったと評価している。

クンツが方眼紙に鉛筆と色鉛筆で描いた「画像」（ドローイング）は「radiesthesia」と呼ばれる幾何学的なものであり、彼女は「アート作品」としてではなく、心身の不調を訴える患者の診断・治療のためにこれを利用したのだ。

僕は幸いなことにスイスのバーデンにある「Kunz

Zentrum and Grotto」を訪問することも、サーペンタイン・ギャラリーでのクンツ展も観ることができたが、エンマ・クンツの「作品」が過去のものではなく、オブリストが指摘するように、自然や宇宙に対するミクロとマクロのコレスポンデンス、エコロジーや相互依存しあうエコシステムなど、「現代の言説」や「環境」とリンクし、新世代のアーティストたちに大きな影響を与えていくと実感できた。

エンマ・クンツの例を挙げたが、AI社会の進行で、コンテンポラリーアートにおけるスピリチュアリティの課題はますます大きくなるだろう。

しかし、もうひとつ忘れてはならないことがある。それは「私」の問題を深く内省的に扱うだけでなく、「私」と「他者」あるいは「共」の課題をコンテンポラリーアートにおいて扱うことではないだろうか。

それはもちろん、第2章で見たような「ソーシャリー」なアプローチもあるが、ここではその精神的な問題について強調しておきたいのである。「私」が「私」でなくなること。それは「関係性」というより「自己の変成」である。「悟り」や「ニルヴァナ」という「マイクロユートピア」を目指すアーティストたちもいるだろう。しかしそのような「超越性」ではなく、「私ならざるもの」への変成過程をトピックとする者もいるのである。

ハンス・ペーター・フェルドマンやクリスチャン・ボルタンスキーらは、「他者」の写真を自宅の額立てや壁面に飾り、それを自らの家族のように認識させる訓練の「アートの指示

ハンス・ウルリッヒ・オブリスト
Hans Ulrich Obrist
1968-

『do it』はアーティストによる「指示書」アンソロジーである。90年代の初めに、クリスチャン・ボルタンスキー、ベルトラン・ラヴィエ、オブリストの3人により考案された。今日では300人以上のアーティストが参加し、世界50カ国以上で展覧会も開催されている。成長する展覧会プログラムである。
『do it』Independent Curators International (ICI)/D.A.P(2013)

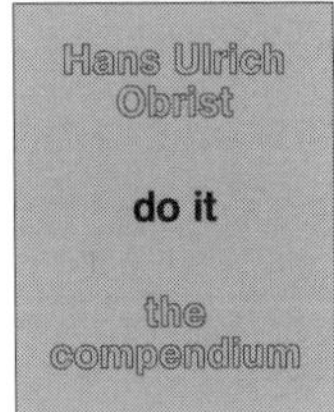

ジル・ドゥルーズ
Gilles Deleuze
1925-1995

パリ生まれ、哲学者。ジャック・デリダらとともにポスト構造主義の時代を代表する哲学者。『ニーチェ』『ベルクソンの哲学』『マゾッホとサド』『差異と反復』など著書多数。精神分析家フェリックス・ガタリとの共著も多く『アンチ・オイディプス』『千のプラトー』など大きな影響を与えている。
『フランシス・ベーコン 感覚の論理学』訳・宇野邦一、河出書房新社（2016）

書」を作ったことがある（『do it』収録）。そのことは、シンディ・シャーマンや森山泰昌がコスチューム・プレイによって「他者になる」というロールの変換を行なう以上に「不気味」な「プラクティス」であると思われる。
この章には、フィオナ・タンの写真やミン・ウォンによる映画のロールに自らを変成させる作品についてのインタビューも収録した。それらは一見すると「精神性」とは無縁のアートに見えるかもしれないが、そこで扱われていることもまた「私」と「私ならざるもの」を揺れ動く重要なプラクティスではないだろうか？
哲学者ジル・ドゥルーズは、その著作『感覚の論理学』において、見事にフランシス・ベーコンの「強度」の生成について分析した。形（フィギュール）の「歪み」「変形」の意味と効果について考察した。「叫ぶ」法皇の「口」は、「恐怖」のメタファーではなく、人間の「神経」をダイレクトに直撃するものとしてドゥルーズは明示する。ならば「変成意識」の問題、精神の変形はアートにおいてどのように考えるべきなのだろうか？
「アウトサイダーアート」は、「狂気」というエクストリームをやや和らげた形をまとって、コンテンポラリーアートの中へ入り込んで来てはいるが、「狂気」はスピリチュアルアートのコアにあるものだ。統合失調症が生みだすさまざまなフォルムは、絵画の別の可能性領域を広げ、ジャン・デュビュッフェはアール・ブリュット（生の芸術）を切り拓いた。しかしその「ボーダー」も今や曖昧になりつつある。たとえば田名網敬一の「サイケデリック」な作品は、精神の失調がもたらした形象ではないが、アウトサイダーアートと拮抗する「強度」を生成している。彼の作品がコンテンポラリーアートとして評価が国際的に高まっていることも注目すべきだろう。
コンテンポラリーアートが「物質」と「精神」の問題をどのようにアップデートしていくのか。それは実にスリリングなテーマと言えるだろう。AIがコンピュータネットワークを通じて人間の行動や思考を支配することが高まるにつれ、人間は人間でなければならない領域に向かっていかざるをえない。その時、人間はかつて「禅」が発見した「悟り」や「無」の境地を目指すのか、「私」自身を変成させ、「私にならざる」過程を表出していくのか問われるだろう。
ここでもまた、哲学者ポール・B・プレシアドの「私たちは変異を強いられるのではなく、自らの手で選び取らなくてはならない」というコトバが、強く想起されるのである。

022_Antony gormley
アントニー・ゴームリーに聞く：「私」は誰なのか。どこからやってきたのか、どこへ行くのかと

人類が滅び去ったあとの地球を訪ねた異星人たちは、そこで何を発見できるだろう？古代アレクサンドリア図書館をはじめ、いにしえよりの「叡智」は、ことあることに簒奪、焼尽され、地上から蒸発してしまった。皮肉にも逆に残るのはモアイ像や、ピラミッドのような石の遺跡、石碑。

僕がアントニー・ゴームリーの作品を前にした時、連想してしまうのは、いつもそのことだ。孤独な「人型」。ゴームリーの作品を前に、異星人は何を想像するだろうか。

彼の作品は、常に彼自身の体から型を取ってつくられた等身のものが基本となる。

彼曰く、「ポーズ」は基本的には3つ。立っていて地平線を眺めている、意識している姿。それから、横たわり、意識しないで地平線を見ている姿。それから、座っているという中間の体勢で、熟考の姿。

彼は西洋彫刻が試みてきた、動作をつくり出すことにはまったく関心がないと言う。

「彫刻」という印象より、超古代と超未来が同体したような、時空を超えた奇妙な印象。

その力はどこから来るのだろうか？

後藤（以下SG）ーあなたが考古学を学んでいたのは知っています。キリスト教以前の魂のあり方に興味を持ったんでしょう？

ゴームリー（以下AG）ー私は強いカトリックの伝統で育ちました。しかし、神という単一の権威や、天国と地獄という考え、ヒエラルキーに拒絶反応したのです。感情や魂のあり方の別のトラディションを見つけたかった。

70年代初頭2年間、インドに住んだ理由もそのひとつでした。

SGー瞑想を学んだのですね？

AGーそうです。私の作品は、インドに行って学んだ精神と体についての実践の直接的な結果だと思います。禅に似ていて、ただ座り、肉体を使うのですが、意識をしない。つまり、何らかの媒介を使わず、「あるがまま」ということにコネクトすること。私はそれを真剣に2年間学んだ。

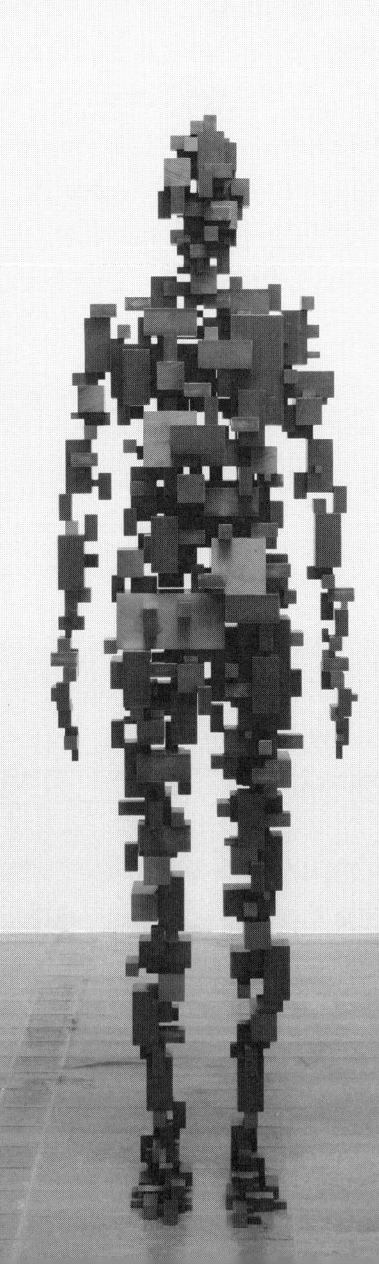

あなたも、そのことなしには私の作品を見れません。永遠に続く魂という概念がもうすでにないのです。
私は瞑想を通して、固定化された概念は幻想であり、私たちは、ただ「この瞬間」だけを生きているんだということを知ったのです。

ゴームリーにとっての作品は、彼自身のコピーや再現でもポートレイトでもない。「私」自身を「他者」として見る装置なのだ。彼はそれを「幽体離脱をつくるということです」とも説明した。

AG－肉体は、私たちが一時的に住む場所であり、その肉体を使って時間の中で生きるのです。私は、肉体の空間を、存在していたひとつの例として提示します。この空間は、物質化された思考のようなものなのです。
つまり、哲学の疑問を考えるためのスペースとして提示しているのです。
SG－しかしあなたは、「気」のような東洋的身体の共感者ではあるけれど、神秘主義者ではないように思えます。ただ、肉体の空間の探求をやめません。
AG－私は同時に、統計学のランダムマトリックスやカオス理論、コンピュータの二進法システムによる「マッピング」を使って肉体を出現させたりもします。
科学は「異なる言語」を提供してくれる。私はそれを使い、人間の空間というものを描写する道具として、どのようにトランスフォームできるかを探したいのです。
私の作品はひとつの提示です。どのようにリアリティというものを読み取るかという提示であり、あなたが関心を向けてくれるようにする、つまり、一緒に見ましょうよという誘いなのです。私は作品を装置として提示し、観る人はコラボレーター、共作者なのです。

彼の作品を観ていると、アートという価値形態の可能性を強く感じさせられる。「売買」

「人間の未来へ―ダークサイドからの逃走」2006《昇華物 IV》2004
水戸芸術館現代美術ギャラリー(茨城)での展示風景　撮影：Tsuyoshi Saito
Courtesy of Contemporary Art Gallery, Art Tower Mito

される対象であり、哲学的な「問い」であり、常に流動的で変化してゆく。
これはアートだけが持つラディカリズムだ。
ゴームリーは「人体彫刻」という、ほとんど「死語」になったもので、アートの最前線を切り拓いてゆくのである。

SG－あなたは、作品制作と並行して「フィールドプロジェクト」と名づける世界各地で行なう「集団制作」も行なってきました。埴輪のような土人を粘土で形づくり、火で焼くというものです。
AG－これは集合的な瞑想のエクササイズです。粘土のボールを手のひらで温める。多くのことを考えないようにしながら、あなたが話すように、サインするように、やり方を見つけるのです。手に持てるサイズ、立っていること、目がつけられている―その3つだけがルールです。作品すべてがあなたを見つめ、何が起こり、進行しているかを告げてくれます。私がこのプロジェクトで行ないたいのは、観る人が人生を考えることのできる場所をつくることなのです。
SG－あなたの制作態度は実に明確です。そして、その明確さを持って、人間という流動的でうたかたな存在の旅を続けています。
最後の質問です。唐突な質問かもしれませんが。
あなたにとって、アートの定義って何でしょうか？
AG－アートは我々がどのように生きているかを示すものです。体温計が人の温度を示すように、アートは、人の精神を指し示す体温計のようなものなのです。
2006.03

1950年イギリス・ロンドン生まれ。ケンブリッジ大学で考古学、人類学、美術史などの学位を取得したのち、インドとスリランカに3年間滞在、ロンドンに戻ったのちセントラル・セント・マーチンズ、ゴールド・スミス・カレッジなどで美術を学ぶ。作品の制作にはインド、スリランカで学んだ仏教や東洋思想の影響が反映されている。1994年にはターナー賞を受賞、1997年には大英帝国勲章を贈られた。

023_Bill viola
ビル・ヴィオラに聞く：意識の流れ。新しい時間の考え方が出現している

ビル・ヴィオラは青年期に、ナム・ジュン・パイクに大きな影響を受けた。それは技術的なことではなくて、ビデオというメディアを「意識を変革するための道具」として捉えるということだった。
ビル・ヴィオラは、妻であり、仕事におけるパートナーであるキラ・ペロフと共に、美術、宗教、哲学が歴史上担ってきた作用をビデオアートにおいてこそ、実践しなければならないと試みてきたのである。
僕が彼にまず質問したいと思ったのは、「物理的なこと」を「精神的なもの」に変換させるポイントということ。たとえば、美術館で時折、「美術展」にも関わらず仏像を眺めているうちに涙を流してしまう婦人がいたりする。「意識の流れ」と「時間の流れ」の問題。
人がある意識や感情を変換させるポイントをどのように作品の中で「装置」するのだろうか。

後藤(以下SG)ーまず最初に。あなたは「時間」についてどのような考えを持っているのでしょうか？
ヴィオラ(以下BV)ー現代は、マリリン・モンローやハンフリー・ボガートでも写真や動画ですべてのものが生きているかのように存在しています。過去と現在と未来がすべて融合しているかのようです。
また、電話などのコミュニケーションツールも、東京に今いる僕がシアトルにいる兄とリアルタイムで繋がる。そのようなことは以前には、シャーマンや魔術師、あるいは神しか為し得なかったことだけれど、今やそれは可能になった。そのように、現在のテクノロジーと、精神、心はすごく繋がっています。
SGー現在という感覚が強くなっているということですよね。それによって精神はどのような影響を受けているのでしょうか？
BVー新しい時間の考え方が出現していると思います。ルネサンスの絵画では、「決

次頁《The Quintet of the Astonished》2000 Video installation, color video rear projection on screen mounted on wall in dark room, projected image size: 55×95in. (140×240cm), room dimensions: 12×18×24ft (3.6×5.5×7.3m), 15:20 minutes
Performers: John Malpede, Weba Garretson, Tom Fitzpatrick, John Fleck, Dan Gerrity Photo: Kira Perov ©Bill Viola Studio

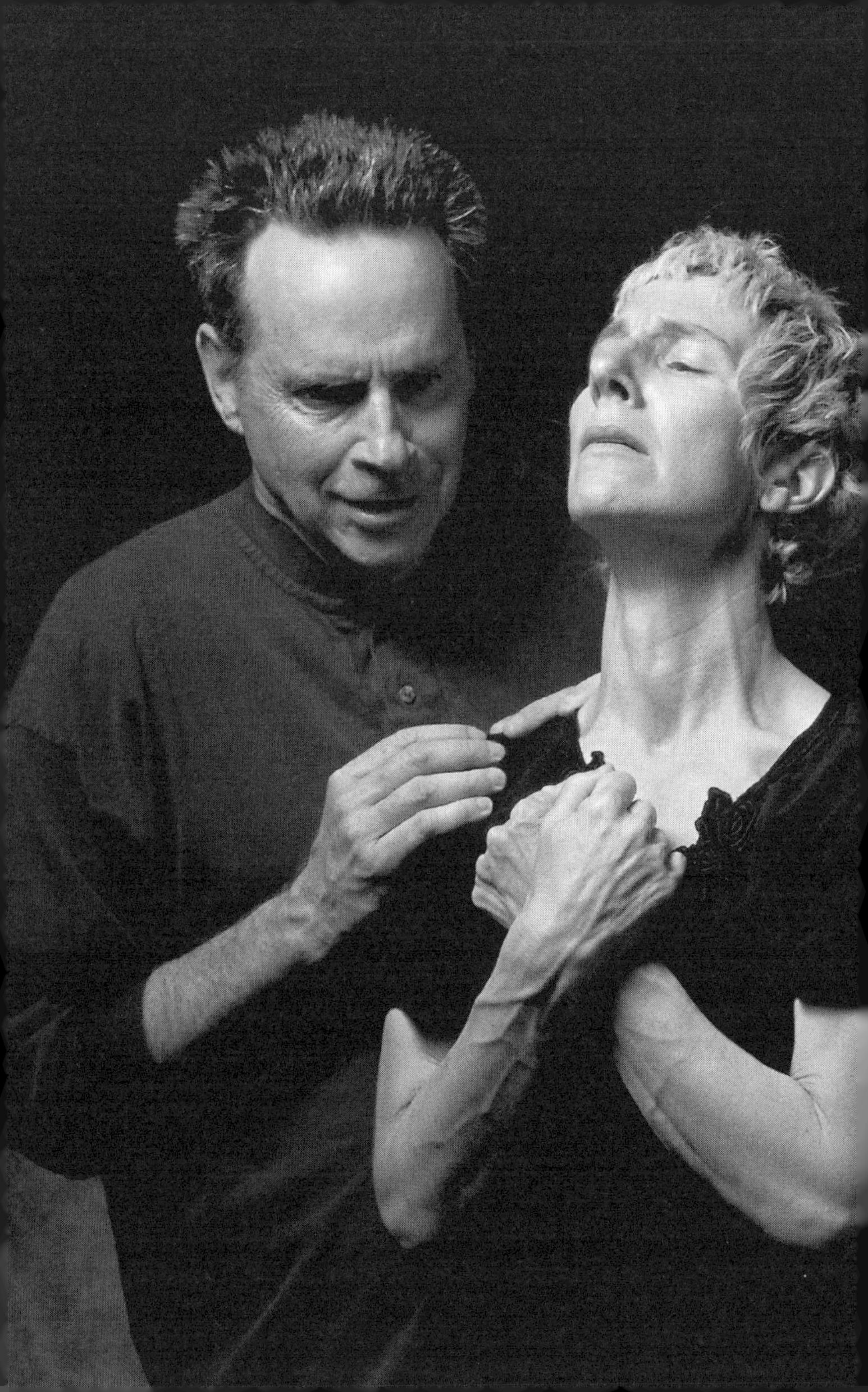

定的瞬間」のようにイメージを描いてきた。でも私のビデオでは、30分間に5万4千ものイメージが入っている。『パッション』のシリーズでは歴史上はじめて、「決定的瞬間」の前後をあらわせるようになりました。

SG―いわゆる写真史だと、アンリ＝カルティエ・ブレッソンが言った「決定的瞬間」というコトバがあります。それにより、強いイメージを獲得し、見る者の意識に届く。だけれど、あなたがやっている、ハイパーリアルでありつつ超スローモーションで感情表現の変化を描くというのは、何か精神的なチェンジを引き起こすための、今までとは異なる文法の発明だと思えます。

人間が、あることに気がつくということには、2つのあり様があるのではないでしょうか。たとえば「悟り」のように時間の切断によるもの。それとは違い、流れの中で次第にわかっていくものと。

BV―美しい考え方だ（笑）。

人間は、人生をアップ・アンド・ダウンがあると感じているけれど、実は繋がっている。そして「悟り」とか「ニルヴァナ」にたどり着けると思っている特別な生き物だと思う。「決定的瞬間」というのは「変換」の時をあらわすのではないだろうか。「悟り」などは、弟子をいきなり叩いたり、驚かせたり、そんな気づかせ方もある。絶頂のような「決定的瞬間」もある。フランスの印象派の画家たちも、東洋の禅僧も、すごい速度で線を描きました。それは、「今」というものを捉え、あらわしたくて、そのように速くやらなければいけなかった。

でも現在はビデオとかがあり、アーティフィシャルな「今」をつくることができるようになったんです。

SG―もうひとつの質問させてください。

人間は生きていくためにイメージが必要です。こんな動物は他にはありません。

でも特徴があって、抽象化してゆきます。具体的な日常物でさえ、それを映像や写真にして見たいという欲望が働くのです。

それも2つあり、ひとつはジャクソン・ポロックやモンドリアンみたいなアブストラクト。もうひとつは、あなたの『パッション』もそうだけれど、ハイパーリアルにすること。そのやり方も、ひとつの抽象化、アブストラクションの方向と言ってもよいでしょう。

しかし、その2つとも最終的にめざすのは、ある種の官能性とか、自由とか、あるいは光みたいな方向に向かってるのではないか。それについてはどう思いますか?

BV一うん。まったく私もそうだと思います。『パッション』をアブストラクトと言ってくれたのは、すごくうれしいです。

私は、人生というのは何事もあとで見て考え、繰り返している気がするのです。

たとえば、生活の中には、自分では見えない何かが存在していると人々も気づいている。過去や欲望、恐怖、死や誕生も、物理的に捉えられる部分もあるけれど、それ以外の部分を捉える技術はまだ備わってはいない。

映画や写真にしても「リアルワールド」を写しているとは思わない方がよいと思う。

我々が、まだ見えないものを捉えるのは、唯一捉えられるのはアートなんだ。

ビル·ヴィオラは、神秘主義や東洋思想にも通じているニュータイプの禅僧みたいだった。加えて、ユーモアたっぷりの魅力を持っている。彼が別れ際に書いてくれたサインには、絵が添えられていた。それは、水の中の魚の絵と、水の上を飛ぶ魚。水中はUNHAPPY、空中はHAPPY。そして、Keepflying !と書かれていた。

2007.01

1951年、アメリカ・ニューヨーク生まれ。70年代初頭にビデオ制作を開始し、72年に最初の作品『野生の馬』を制作。過去にはナム・ジュン・パイクらのアシスタントも務めた。生や死、意識の展開といった人間の普遍的な経験に焦点を当てた作品は仏教や、スーフィズム、キリスト教神秘主義などの思想をルーツに持つ。1979年から共同制作者であるキラ・ペロフとともにサハラ砂漠を旅したのち、日本に一年半滞在、禅僧の田中大圓に師事し、禅と日本の伝統文化を学んだ。

024_Rachel whiteread
レイチェル・ホワイトリードに聞く：「ロストネス」を超えてゆくために

イギリスでもっとも影響力のあるターナー・プライズの回顧展巡回が森美術館であり、レイチェル・ホワイトリードは来日した。
彼女のコンクリートの作品は、まさにコトバを拒絶したものだったし、それ以上に、その作品から、埋められない時代のボイドを感じていたせいだろう。まさか東京の、それもまっ青な空が広がるテラスで彼女にインタビューするとは、初めはとても奇妙な気持ちだった。
数ヶ月前のこと、あるアート雑誌を見ている時に、僕は１枚の写真に目が止まった。それは、レイチェル・ホワイトリードについての記事なのだが、彼女のスタジオ全体に、小さなドールハウスの山が広がっていたのだ。
とても子どもっぽい、懐かしさ、切なさが、その写真には漂っていた。
いったい、ホワイトリードの中で、何が起こっているのだろう？
ホワイトリードが与えた､形容しがたい違和感を僕が抱えたまま､彼女にインタビューを始めることになってしまった。

後藤（以下SG）－あなたの作品を初めて観たのは、90年代頭ぐらいのことでした。サーチコレクションでデミアン・ハーストなどのYBAs（ヤング・ブリティッシュ・アーティスト）連中が騒がれた頃です。あなたの作品『ghost』を観て、衝撃を受けたのです。
あの作品は、実にあの頃の空気を反映していたと思うのです。それ以来、この15年ほど､あなたの作品や活動には触れてきたつもりですが､あなたの最新作である「ドールハウス」のシリーズをつい最近、雑誌で見た時は、虚を突かれた感じで、再び大きな衝撃を受けました（笑）。
ホワイトリード（以下RW）－いや、『village』という作品は、私にとって、「家」を扱う作品という意味では同じなのです。ドールハウスは、すべてヴィンテージもので、ウェブを通じて収集しています。私の知らない、さまざまな人が所有してきた、歴史が詰まったものです。実は、このドールハウスの収集は20年にも及ぶんですよ（笑）。でも始めた頃は、どうして収集しだしたのか、自分でもよくわからなかった。ところが３年前にテートモダンで『EMBANKMENT』という作品を発表した時、ある作品が持つ「遊び心」みたいなものが、私を解き放ってくれたのです。

ドールハウスはそうやって取り組めるようになりました。次のグループショーが、ヘイワード・ギャラリーであるのですが、そこでドールハウスのもっと大きなバージョンをつくろうと思っています。

SG－僕があなたの作品を最初に雑誌で知った時、世の中の喧騒に対する反対のもの、沈黙であるとか、生きているのに死んでいるもの。そういう感覚を味わったのをよく憶えています。普通、ボイドも、記憶も、目に見えるわけではないけれど、それをはっきり見えるものとして突きつけられたような感覚でした。

そして月日は経ち、３年前の『EMBANKMENT』です。

テートモダン入口のタービンホールに、白いプラスチックの山ができていて、そのキューブが光を放っている。何か、宗教的な気分になりました。それ以前のあなたの作品は、切実な感じで、沈黙を強いたのに、何だかリラックスして観れたんです。

RW－あの作品は、私を変えた作品なのです。正直言って、初めて「遊び心」を持ってつくれた作品だと思います。

あれはとてもエモーショナルなものがコンセプトになっています。私の母の家にあったダンボール箱が元になっているんです。あの作品は、私の頭の中を整えるためにあったようなもの。そうすることで私自身もハッピーになれました。

テートには何千、何万人の人がやってくる。その中の子どもたちに体験させたい。何かもっと軽く、ゆるくしてあげたい。「わー！」「すごーい！」って子どもたちが言うこと。制作自体はとても難しい作品だったけれど、子どもたちが実際に「わーっ」って言ってくれたので、すごく嬉しかった（笑）。

SG－それ以前の『ghost』にしても、シナゴーグの作品にしても、「集団」の記憶、たくさんの人々の「思い」みたいなものが圧縮されていましたよね。
ところが『EMBANKMENT』は、遊園地みたいでした。なぜ、そのような変化が訪れたのでしょう？

RW－まったく違う方向へ行ってしまったとは思わないでください（笑）。

たしかに子どもたちを育てているというのはあるかもしれません。でもたぶん、20年間制作を続けてきて、「単語」が増えたので、コトバの並べ方次第で、違ったことが言えるようになったのだと思います。私は自由を得た気持ちですし、すごく解放された気がしているんです。

SG－僕はあなたの作品に同時代的な共感があります。それは、ロストとメモリーにまつわる感覚と言ってよい。

つまり、私は「いま・ここ」に生きているのに、何かを失ってしまっているという感覚です。ロストネスについての感覚は、ずっと強かったのでしょうか？

RW－社会に出た時に、何かを確立しなくてはと思ったのですが、「見失っている感覚」とか、「悲しみ」を使って見せていかなくてはと思っていました。

SG－なるほど。70年のことですが、大阪で万国博覧会が行なわれました。国の祭です。個人的な話をすると、僕の家は、万博会場の近くでしたが、一家離散になってしまったのです。自分が住んでいた家が取り壊されるというのは、今でも自分の中で衝撃として残っています。あなたの「家」に対するパッションは、どこから来たのでしょうか？

RW－『House』をつくった頃、私はまだ若かったのですが、肉体的にも感情的にもすごく大変で、できた時、私は「抜け殻」のようになっていました。でもあまりに話題になってしまい、見に行くと人に取り囲まれてしまうし、自分の完成した作品をゆっくり楽しむプライバシーがなかったのが、一番つらかった。

あの作品がすでに取り壊されてしまい残念ですが、記録も記憶も残っています。でも、あれをまたつくるかといえば決してつくらないでしょう。でも、あの作品を誇りに思っています。

SG－あなたはどんな家に生まれ育ったのですか？　そして今、どんな家に住んでいるのでしょう？

RW－フフフ。生まれたのは『House』に似た家でした。そして今住んでいるのは、スタジオにしている建物の屋上に、モダニストのアパートを設計して、ガラスに囲まれたような家です（笑）。

SG－ヘイワードでは、ドールハウスを出すのですか？

RW－キュレーターがつけたグループショーのタイトルは「サイコビルディング」。でも私の作品は、そこに行って考えるしかなくて、200個のドールハウスを組み合わせたものになると思います。美術館の部屋を暗くして、ドールハウスの中の照明だけがついているんです。

SG－こんなにあなたがドールハウスを集めていたことは、イギリスのアート界では知られていたのですか？

RW－いや特には（笑）。スタジオにやってきた人は、どうしてここにこんなものがたくさんあるんだろうと思っていたでしょう。一見するとノスタルジックでロマンチックに見えるかもしれないけれど、テーマは「ペーソス」ですね。哀愁とか、厳粛な感じです。面白いけれど、ちょっと恐いものなのです。

SG－（写真を見ながら）たくさんありますね。本当に普通の人たちが、それぞれの想像力でつくり上げた産物なんですね。

RW－集めたものを他者が見たとき、どのように受け取られるかは、ずっと不安もあったのです。

SG－センチメントじゃなくて、ペーソスなんですね。楽しくて哀しい。

RW－見てください。この部屋にはひとつだけ照明があって、私たちはそれを窓の外から覗くことになる。もはや遊園地というより、哀しい。

SG－サッド。

RW－このドールハウスに備えつけられたマットレスやベッドは、私が後からつくったものもありますが、もともとの持ち主がつくったものです。一個一個、小さな布団が縫ってあったり、セロテープでぐるぐる巻きに留めてあったりしました。それを、なるべくありのままの形を残すようにして、修復も最小限に控えています。窓が半分だけ開いていたり、ガレージのドアが開いていたりするけれども、誰も人がいなくなり、そこからみんな立ち退いてしまったという感覚が漂っているのです。

レイチェル・ホワイトリードが20年間にわたって集めたドールハウスは、小さな村、『village』の形をしていた。しかし、その部屋の中には、ドールどころか人っ子一人いず、空っぽなまま。そのドールハウスの写真を見ているうちに、初めはかけ離れていると思われていた「ghost」や「House」のイメージがはっきりと重なってきた。我々も、誰かがつくったドールハウスのような家に住み、暮らしているのではあるまいか。ホワイトリードの作品は、ボイドを形にして我々に突きつけてきたけれど、ドールハウスは一見、スイートなファンタジーに見え、実際は我々に同じようなボイドを突きつけてくる。目の前をレイチェル・ホワイトリードが、緑の芝生を歩きながら微笑んでいる。とてもファミリアで、やさしそうに見えるけれども、その実、我々に突きつけてくるペーソスの質は、かえって、進化しているのではあるまいか。明るい世界の中で、彼女はファンタジーとしてのドールハウスを、これからつくり続けていくだろう。しかし、我々の「ロストネス」は埋まることなく、放置されたままなのである。
2008.08

1963年、イギリス・ロンドン生まれ。浴槽やマットレス、椅子などの家具に加え、床や窓からなる建物全体を鋳造し、つくり上げられた作品で知られる。1993年に女性初となるターナー賞を受賞、1997年のヴェネチア・ビエンナーレではイギリス代表作家として出展した。1997年の「センセーション」展に出展したヤング・ブリティッシュ・アーティスト（YBAs）の1人でもある。

025_ Mark manders
マーク・マンダースに聞く：コトバとモノ。私にとってコトバは立体物なんです

2015年、ギャラリー小柳で、彫刻や家具、日用品や建築部材などを「想像上の」部屋に配置するインスタレーションを80年代後半より発表してきたオランダ人アーティスト、マーク・マンダースの日本初個展が開催された。
ギャラリーの空間に合わせた彫刻作品と平面作品を作家自らが構成。「建物としてのセルフポートレイト」と称されたそれらの作品は、一見ただの日用品に見えるのだが、緻密に練られた配置図に基づいて配され、不思議な雰囲気を醸しだしていた。

後藤(以下SG)ー今日は、あなたの作品の魅力というか、秘密について少しでもわかればと思って来ました。有名な作品ですと、ギャラリー小柳のDMに載っているものがそうですね。彫像の一部はできているけれど、一部は未完成なもの。非常にひとつずつが魅力的で、断片的なものが喚起されますが、全体にストーリーのようなものもある。断片なんだけどすごく魅力的で、魂を鷲摑みにされるようなところがあるんですね。いつも、どのように制作されているのか、興味があります。
マンダース(以下MM)ー何かを創造したいという気持ちは多分あるんです。ただ、とてもいいものをつくろうとしたところでどうせ上手くいかない。だから、創作意欲はあっても、完成型のイメージは忘れるようにしなきゃならないと思うんです。
つまり、解決するために多く問題をつくり出すんですね。
たとえば、エキシビションのために音の鳴る個々の彫刻をつくるとします。その際、彫刻や音の配置は調整しなければならない。何かを短くしたり、長くしたり、別の色にしたり､違った厚さにすることで､全体の音がまったく変わっていきますよね。ハーモニーのようなものです。そうすることで全体を形成していく。
いろいろな欲求を頭で整理していく中で、突然ひとつの作品になるのです。始めてから2年経って、ある瞬間に「できた」という感じで。
完成型のイメージに向かって何かを制作するというのは不可能です。
SGーそれは、スケッチでアイデアなりイメージをストックしているんですか？

次頁 ギャラリー小柳(東京)での展示風景 2015
撮影：Keizo Kioku

MMーとてもいいアイデアがあるときには、むしろ、それを忘れるよう努めています。代わりにダメなアイデアに取り組むんです。制作に集中していれば、いいアイデアはひとりでに戻って来るものだから。

SGーたとえば、モノと出会うことで再び思いだしたりとか？

MMー目の前に作品が見えることもありますが、アイデアから発展させるのにとても苦労する時もあります。

そういう時は、変な感じもしますが、自分の魂が部屋の端にあるつもりで展示全体を見まわして、何が問題なのかを見極めます。

また、問題を解決するために、意図的に解決するのがやたら難しい問題を新たに提示したりもします。そうすることでさまざまな考え方を学ぶことができるからです。

こういったプロセスは、制作にとても役立ちます。

たとえば、アイデアと問題が同時にあるとしましょう。どうやって作品を完成させればいいのかまったく見当がつかない。

そういう時は、とりあえず10個ほど解決策をひねり出してみます。

つくり始めたり、マテリアルから決めてみたりするうちに、その中のひとつがまた新たにアイデアを生みだすかもしれない。

私はオブジェクトとどう関わるかにとても興味があるのです。この世界で私たちが何かをつくり上げられるのは、とても面白いことだと思います。

オブジェクト同士をくっつけたりすることで、誰でも詩をつくることができる。とてもおかしな話のようですが、同時に、とても美しいとも思います。

SGー大変面白いですね。あなたの頭の中に具体的な部屋があるわけではないんですが、オブジェクトの配置というか、見えない地図のようなものがいつもある感じがします。

MMー私の頭の中が、地図のようになっているということですよね。

SGー厳密に頭の中の地図を再現しようとしているわけではないと思うんです。ただ、ひとつ何かをつくると、今度は違う地図上で異なるものがあらわれてくるような発想の仕方で、それぞれの作品が生まれてきている印象を僕は持っているんですが。

MM－私にとっての作品は「私の好きなもの」なんです。これらは文字のように機能しますから、文章をつくることも可能です。

私にとって文字とは立体物なのです。

これらは部屋にも、道路にも、美術館にも、スーパーマーケットにだって置くことができる。配置することで関係性が生まれ、時には詩的で美しいものになる。今はたくさん作品が揃ったので会話もできると思います。単語として彫刻を配置していくと、それぞれは変わらなくとも、意味することが変わるのです。この世界に新しい物体を生みだすことができるアーティストであることを嬉しく思いますね。

SG－マンダースさんは、元々ライターというか小説家になりたかったというエピソードをよく聞かれると思うんです。

でも僕はその対比より、オブジェを使っているけれど、ただのオブジェ以上の可能性を示していることが面白いと感じています。具体的なシンボルもミニマルで、アブストラクトなものが持っている言語性も使われていると思うのです。彫刻における言語性についてはどう思われますか？

MM－その2つの間には違いがあるとは思えないので、何とも言えません。それらはお互いに語りかけるんですよ。

SG－異質なものが衝突することによって、何かポエティックなものが生まれ、言語が発生すると考えればいいですか？

MM－たとえば、いくつかの木の破片と粘土が床に置いてあるとします。私にとって魔法のように感じられるのは、これらの言語性です。

これで何かをつくれたとしても、どこかに行ってしまったりはしない。そこにある、お互いに関係しあう物体たちは、魔法のようであり、美しいものです。

たとえば、大勢の人をマテリアルがある部屋に招待して、それらを配置してもらったとします。面白いことに、私たちは同じ言語で個々のマテリアルを認識しているにも関わらず、みんなバラバラの配置をするでしょう。これはとても興味深いですね。誰にでもできるけれど、それぞれやり方が違うんですから。

SG−デイビット・スミスやアンソニー・カロといった、現代の典型的な彫刻のモダン・ポストモダンという考え方からすると、マンダースさんの彫刻は全然違うところにあるような気がします。

でも、いわゆる彫刻というものの真意についてどう思われますか？　全然興味がないですか？

MM−ブランクーシはとても重要な存在だと思います。彼の作品はシンプルでありながら、存在が主張していますね。また、マーク・ロスコは少しの色だけで語りますよね。私は色ではなく彫刻で語りますが、思想と物体、体と物体を結びつけて考えています。

SG−ブランクーシの話から今ピンときたのですが、オブジェの新しい言語にきっと興味があると思うんですね。たとえば、「違うポエジーの形」に対しても興味があるんじゃないですか？

MM−彫刻は一瞬で認識される／できるものであることが、面白いと思います。

文章はいちいち読まなければなりませんよね。音楽も映画もそう。

それに対し、彫刻はオブジェクトをひとつ置いただけで意味を成す。わたしが彫刻を好きなのはそういうところです。配置していくだけで何か美しいものができるんです。

SG−毎回、体験も変わるし、組み替えもできるということですね。

視点が全然違うのですが、あなたの考え方と、あなたが読んだ本……たとえば小説だったり、オランダの戦後だったり、アートシーンだったり、興味がある何か。

具体的に関係があるものがあったら、お話していただけますか？

MM−残念ながら本を読む時間はないんです（笑）。その代わり、いろいろなところからインスピレーションを得ます。

たとえば、今日東京でお店を見て回ったときには、人々がどうモノを扱うのかを見ていました。

SG－子どもの頃からモノの在り方というのに興味があったのですか？

MM－子どもの頃、輪っかやマッチ、木などで飛行機をつくったことがあるんです。その飛行機に美しい日の光が当たったのを見て、自分はこの世に新しい物体を送りだしたんだと気がつきました。まだほんの子どもでしたが、誰かに言われたわけでもなく何かをつくったぞって。

アーティストになるとは思ってもいませんでしたが、何かしらつくってはいました。自分の手で新しい、美しい何かをつくり出すというのはとてもパワフルな体験ですからね。

SG－ところで、出版社を1998年に立ちあげられています。なぜやることにしたんですか？

MM－98年頃コンピュータやデジタルフォトが出現したことで、突然自分自身でも本を通して表現することができるようになったんです。自分でやったほうが安いですしね。美術館を通していては、なにもかも作業が遅くなるので、簡単に本がつくれることはとても重要でした。夜制作して、朝修正することができますから。自分でつくれるというアイデアをとても気に入ったんです。本をつくることは、作品をつくることと同じだと思いますよ。

2015.06

1968年、オランダ・フォルケル生まれ。現在、ベルギーのロンセ在住。86年より「建物としてのポートレイト」と称する、想像上の部屋に彫刻や家具、日用品や建築部材などを配置するインスタレーションを作品とする作業に取り組んでいる。98年のサンパウロ・ビエンナーレ、2002年のドクメンタ11など数多くの国際展に招聘される一方、ヨーロッパ、アメリカの主要美術館で個展を開催。2013年のヴェネチア・ビエンナーレではオランダ代表作家としてオランダ館で展示を行なった。2021年国内の美術館では初となる個展が東京都現代美術館で開催された。

026_Fiona tan
フィオナ・タンに聞く：
イメージが私たちに何をするかということ

とても個人的な話になるのだけれど、僕は、高校生の時に一家離散してしまい、そのどさくさで、「ファミリー・アルバム」が紛失してしまった。自分が撮影された写真のほぼ一切を見て育たなかった。

「証明写真」は、言うまでもなく、その人のアイデンティティを証明する写真だが、それ以上に、人は自分が写っている写真が貼りつけられた「アルバム」を人生の途上で、何度も繰っては、「自分」になってゆくのだと思われる。アルバムの写真は、そのような力、強い作用を与えるものだ。

ある時、ほんの少しだけ散逸からまぬがれたフィルムをプリントに出したことがあった。写真屋から手渡された封筒からそのプリントを取りだした時の驚きは、何ものにも代えがたい体験だった。それは、たしかに自分なのだがまったく忘れ去られてしまった記憶が突如蘇ったようなものであって、自分なのにも関わらずそれは他者であり、とても生々しい異和がそこに感じられた。おそらく、写真はもともとそのような凶々しい力があるのに、人は、小さな納得（「これが自分なんだ」）を積み重ね、自分の姿に慣れてゆくのに違いない。

フィオナ・タンという中国系インドネシア人の父とオーストラリア人の母を持つアーティストの作品にはずっと以前から惹かれるものがあった。反中国人暴動で離散した家族を追ったドキュメンタリー・フィルム『May You Live in Interesting Times』(1997)や『Mirror Maker』(2006)など、その作品には常に流転、記憶、喪失がついてまわる。そして、「私と他者」についても。昨年の秋、ロンドンのフリス・ストリート・ギャラリーでも彼女の作品群をあらためてまとめて観て、いつか彼女と写真のことについて話しあいたいと考えていた。

彼女がノルウェーやシドニーに滞在し、おびただしい数のファミリー・アルバムをリ・エディットしてつくった「写真集」シリーズ『VOX POPULI』は、見ず知らずの他者のアルバムのアッセンブリなのに、見ている者をとても奇妙な気分にさせる。そこには、写真という魔術が、むき出しになっているところがある。

フィオナは東京に来て、ワコウ・ワークス・オブ・アートにおいて、『News from the Near Future』(2003)と『Downside Up』(2002)、そして写真シリーズである「West Pier」シリーズからなる個展を開催するとともに、「VOX POPULI」の東京ヴァージョンを制作だった。僕の友人にも、ファミリー・アルバムを預けている者もいた。
フィオナは今、オランダに住む。そして、母でもある。

後藤(以下SG)ーあなたと写真の出会いというのはどのようなものだったんでしょう?
タン(以下FT)ー今、この2階で写真を選ぶ作業をしています。アルバムを借りて、長い時間をかけて見ていると、頭の中がイメージでいっぱいになっていて、イメージの中に溺れてしまって何を喋ったらいいかわからなくなる(笑)。私も子どもがいるので親でないと撮らないような子どもの写真がたくさんありました。私が日本の家族というものをよく思いたいと思っているからかもしれないけど、でも幸福な時間を感じます。七五三の写真。ピースサインをしている写真が多いのは予想外でした。
SGー写真は人間のアイデンティティを形成させる上で力を持っていると思うんですが。
FTー映像、イメージというものがアイデンティティと繋がりがあり、重要であると私も思います。アイデンティティの拠りどころ、場所です。
私は若い頃、1人でよくアルバムをめくって過ごしました。自分の鏡だったんです。ここに私がいる、ここに私がいると思っていました。私の義理の母は離婚したことがあって、彼女からよく聞かされたのですが、それはただ別れるというのではなくて、それによって、「歴史」が壊れてしまう感覚があるのだと知りました。
SGーあなたは他者のアルバムの写真をリ・エディットする。その時にどんな基準でそれらの写真は選ばれてゆくのでしょうか? 「他者」のイメージと「私」は切断されています。でも編集しているうちに、自分に近いと感じられたりするんでしょうか。それとも距離は変わらないままなのでしょうか?

FT－近づいてくると感じます。ただセレクトの時毎回、自分に質問するようにしています。桜の木の下に子どもがいる写真を見たりすると「これが日本だわ」と思って選んでしまっているのではないか。クリシェなものや、私の見たいもの、満足したいものを選んでしまっているのではないか。

常に見方や判断を訂正しながら見るようにしています。

SG－あなたの作業は、アルバムを調査することによって、その国の人々が共有する「まなざし」を触知することのように見えるけれど、仕上がった「写真集」は、とてもラブリーなものですね。

FT－操作ではなくて、できればとても自然にできていると思いたいのです。人が見た時に、「あ、うちにもこういう写真がある」「これって私みたい」そう思ってもらえばいいと思う。そういった気持ちを引き起こせるような状態をつくり出したい。

私たちは今、写真がほぼどこに行っても、どんな人でも簡単に撮れてしまうという、ある意味で特殊な中に生きています。写真によるイメージが溢れていて、私はそのたくさんのうちのほんの一部と関わることができるだけです。

最近、この5年ぐらいの間に、デジタル写真が流行ってきました。すべてはデジタルになってゆくでしょう。それは、私たちがどのように写真を撮り、保管してゆくかということを急激に変えていく。

紙におとさないイメージ、写真というのもたくさん出てきます。そういうことは、私が今まで育ってきた環境の中にはなかったことです。今、この2階には1,000カットの写真が集められていますが、70年代のものはかなり変色しているし、アルバム自体のプラスティックも色が壊れている。そのような写真はもう10年もしたら、なくなっているでしょう。

SG－非常に言い方が難しいんですが、あなたの作品を観て、いろんな人がいろんなことを考えるでしょう。ある人は、歴史（ヒストリー）というコトバを使うかもしれない。またある人は、メモリー。またある人は、時代の類型、無意識の調査というかもしれない。で

上《Downside Up》からのスチール写真 2002, Video installation, 1 video projector, 1 media player/dvd player, dimensions variable　Courtesy of the artist and WAKO WORKS OF ART
下《News from the Near Future》2003, b&w tinted, stereo, 9 min. 30 sec., projection min. 4×3 m
WAKO WORKS OF ART（東京）での展示風景 2007　Courtesy of the artist and WAKO WORKS OF ART

もきっとあなた自身は、フォトグラフスという言い方をするような気がします。そう言わないかわりに、写真を選んでいるのだと。
FT−(しばらく考えて)たしかにそうかもしれません。イメージにフォーカスしているのですから。イメージを私たちがどうするのか。イメージが私たちに何をするかということに私は興味があるのですから。
SG−さっき『News from the Near Future』を観ました。あの作品は昔のニュース映像の水にまつわるものを繋ぎあわせて1本の作品にしている。洪水のシーンや滝のシーン。
それらは、あなたが撮影したものではなく、誰かが過去に撮影したものを探しだしてきたものです。僕はそれを見て、映像自体は古いけれども、常に映像は未来を向いているということを感じました。
FT−あの作品の映像は古いものでは40年代のものもあって、TV でニュースが流れるものです。今見てみると、すごくニュースらしくないニュースに見える。なぜなら、その映像を見て駆けつけたとしても、すでにとっくに事件が起きてしまったあとのことで、船はもうすっかり沈んでいる(笑)。
洪水とか、そういうものがとても気になって、いろいろ集めました。そして、ある時、あっこれがつくりたかったんだってわかった。
私はJ・G・バラードの小説がすごく好きで、彼も過去のことを集めて、それを未来のものとするストーリーを書いています。そのアイデアがとても好きです。
今回の私の作品は、お話の構造としてはとてもシンプルです。まず、人が飛び込むシーンがあり、ボートが出てゆき、嵐にあい、ボートが沈み、やがて画面が暗くなり、すべては水の中に沈んでしまう。見ようによっては地球温暖化みたいに見えるかもしれないけれど、直接的な意味を込めてつくっているわけではありません。時間ということ。ニュースやメディアがそれをどのようにカバーするか——そのことを扱おうとしています。水、時間、ヒストリー。それらをすべてひっくるめて。

SGーあなたは、ファウンド・フォトを多く使うけれど、自分自身でも撮影することもあります。その時撮られた写真は、撮られたとたん、あなたが集めてくる昔に撮られた写真と同じようなものになる。今、撮ったばかりなのに、急に距離のあるものになる。でも、「古い」と同時に、何か未来へのきっかけ、「予言的なもの」を孕んでいる。複雑な気持ちにさせられます。

FTー直接的な答えにはならないかもしれないけど、ロラン・バルトが「写真とは、それが何であったかということだ」と言っています。つまり、写真とは「古い」とか「新しい」とかいうものではない。

たとえば今写真を撮り、すぐに見せたとして、たった2秒前のことであっても、なにかもっと昔のことのように感じたりする。川の流れのどの地点かということだけであって、同じ川の同じ地点を２度渡ることはできない。それが写真や映像の中心にある真実です。

写真を撮ると、撮ったものはオブジェクティファイ、物質化される。物体化される。イメージが物体となり、見えるものになる。つまり距離をつくる。イメージ自体がものになることにより、距離が生まれ、まなざしに距離が生まれてゆく。とても難しい（笑）。

SGー難しい（笑）。

2秒前に撮られた写真は、確かに２秒前の過去なんだけど、撮られた時には、それが示しているものはよくわかっていなくて、そこから未来に向かって始まっていくことがある。

それを僕は写真の「予言的な力」という言い方をしたんです。あなたは出自のことがあるから、アイデンティティや喪失ということを強調して評論家たちは語りがちなんだけど、実際には、過去を使って、未来の物語をつくっていく。「近未来からのニュース」というのは、未来の記憶であり、未来を指し示してくれるニュースでもある。

FTーフフフ（笑）。

SGーところで、今、あなたの頭の中は、他者のアルバムの写真でいっぱい（笑）。

でも、その写真集の「物語」のコアや起点となる写真はもうあるんですか？

FT－日本の「VOX POPULI」のアイコンになるイメージというのは、ある程度固まっています。ノルウェーの時は、ひとつの壁で１人の人生を見せてゆこうというスターティングポイントがあった。赤ちゃんが生まれ、子どもに成長し……そのような流れで写真を見ていました。シドニーでは自然と人との関係の流れをスターティングポイントとしました。

今回は､「フォーマル」と「インフォーマル」のコントラストをテーマにしたいけれど、はたしてどういくか。まだわからない。

SG－｢VOX POPULI｣はラテン語ですか？

FT－そう。ボイス。人々の声です。道行く人に聞いたりした時に得られる人々の声。インタビュー。

SG－その声が向かおうとしているもの。

FT－私のやろうとしているようことは外に向かっているように見えるけど、実は私はすごく内向的な人なんです。外に向かってやらなければいけない仕事のあとは、なるべく内にこもりたいのです。ポエティック、詩的でありたい。私にはポリティックであると同時に、ポエティックなところがある。

オランダの諺に、「自分のおヘソばっかり見るのに忙しい」という言いまわしがあります。自分のエゴをダイレクトに出す人もいます。でも、私は常にそこから抜けだしていたい。もっと広い平野、地平線を見ていたいのです。

2007.07

1966年、インドネシア・スマトラ島生まれ。現在はアムステルダムに在住する。中国系の父とオーストラリア人の母を持ち、幼少期をオーストラリアで過ごしたのちに、ヨーロッパに移住するという多様な文化圏でのバックグラウンドを持つ。アイデンティティや記憶や歴史を探求した詩的な映像や写真、インスタレーションからなる作品で知られ、日本でも東京都写真美術館での個展など数多く発表を行なっている。

027_Stephan balkenhol
シュテファン・バルケンホールに聞く:「実存的な問い」のためのリサーチ

バルケンホールは、木彫りの人間像や、レリーフ作品により知られる。そして日本においても、美術館クラスで個展が開催されるなど、現代アート作家の中でも例外的とも言える人気を持っている。しかし、一見親しみ深く見えるその作品は、とても興味深い多くの「問い」を孕んでいる。見れば見るほど、さまざまなものを考えさせてくれるのだ。このテキストは、僕なりに、ずっと彼にしてみたいと思っていた、とりわけ写真（イメージ）とモノ（オブジェクト）についての問いを、メールでやりとりして答えてもらったものである。

後藤（以下SG）－第1の質問。
あなたは作品をつくる時に、実は写真をベースにしています。写真については、どのように取り組んできたのですか？
バルケンホール（以下SB）－1976年にハンブルクの大学で学生になった時、私は写真のいろんな使い方を学びました。ドキュメンタリーポートレイト、ルポ、そして内的（ポエティックな）写真です。私は写真という媒体で何ができるか、可能性を見つけたかった。それから私は、街で偶然会った人々にフォーカスしていきました。私は彼らに、写真を撮ってよいかと聞くんです。ほとんどの人が、喜んでポーズをしてくれました。まるで彫刻みたいにね。それはのちの私の彫刻作品に通ずるかもしれません。
その一方で、私は写真を、知覚やリアリティを記憶するために、面白いと思ったもの、人や建物、風景、美術館で観た作品などからなるアーカイブというか、ノートみたいなものをつくっていて、彫刻のためのインスピレーションをときどき得ているのです。
SG－でも、そのまま使ったりはしないでしょう？　どう変換するのですか？
SB－80年代頃は、スタジオに招いた人や友人をレリーフにしていました。ドローイングや写真にしたり。
でも、写真を使う時は、様相を変えるのです。この数年は新聞などから切り抜いた写真を使います。そうやって得た写真を元にドローイングし、レリーフをつくる。

「Stephan Balkenhol」2019
小山登美夫ギャラリー（東京）での展示風景
撮影：Kenji Takahashi

出発点は、誰かが写った凡庸な写真であっても、私は移し変える。決して純粋な三次元コピーではありません。私が想像する、モデルの内にあるかもしれない表情を与えているのです。

SG－2番目の質問です。

あなたの彫刻は、ベッヒャー流のタイポロジーに見えて、実は、とても「表情」を問題にしているように思えます。

SB－作品には、「オープンな表情」を与えています。１ヶ所だけに向かっていないようなね。だからこそ、さまざまな雰囲気も感じてもらえるし、自由に想像でき、自分と重ねあわせてもらうこともできる。観る人自身の気分で、作品の表情は生き生きしたものに変わるのです。

私はロマンティストかもしれません。この世界をメランコリーや疑い、ファンタジーを持って見ているんです。それが作品に反映しているかもしれません。

SG－自分をモデルとした肖像はつくらないのですか？

SB－いや、一部のレリーフは、本当のセルフポートレイトです。ドローイングや写真を元にしたね。よく私の作品は、全部私にそっくりだという人がいますが、それは正しくない。誰しもなりがちなのですよ、モデルを使わないでやると、作品が必ず作者に似てしまう。それは、避けがたいことだけど、私は避けたくないんです。

私はアーティストとして、見たまま、感じたままのリアリティを写し、彫る。それは、客観的であるものと同時に、個人的な視点が関わります。

リアルであるとは何か。それは哲学的な問いです。人間の存在とは、生命とは、死とは？リアリティとは、私が見、感じ、想像するもの？　そういった意味で、私の彫刻は、とても「実存的な問い」のためのリサーチです。

そして、イメージの可能性とレスポンスとしてのデ・ピクチャリング＝彫刻、あるいは脱写真なのです。

2008.04

《都市景観の中の男》2017, relief made of Wawa-Wood,
two parts Fumigated with expertise, 200×200×4 cm
©Stephan Balkenhol, courtesy of Tomio Koyama Gallery

1957年、ドイツ・フリッツラー生まれ。1976年よりナム・ジュン・パイク、ジグマー・ポルケらが教鞭をとるハンブルク造形大学に入学し、ミニマリズムやコンセプチュアルアートなど当時のアートの中心的な潮流のなかで美術を学んだ。人物像の概念を追求し、特定の個性を持たない木彫りの人体彫刻を制作することで知られる。日本では2005年に国立国際美術館と東京オペラシティアートギャラリーで個展「シュテファン・バルケンホール:木と彫刻のレリーフ」を開催。

028_Ming wong
ミン・ウォンに聞く：
アウトサイダーという立場を選ぶこと

ミン・ウォンは1971年生まれ。中国系シンガポーリアンであるミン・ウォンの近年の活躍は、目覚ましいものがある。
2009年の第53回ヴェネチア・ビエンナーレで審査員特別賞を受賞して以降、作品はシアトル、タスマニアなどを巡回。ポストカルチュラリズム、ポストコロニアルを扱う代表格のアーティストになりつつあると言っても過言ではない。
彼はマレー映画の父P・ラムリーやウォン・カーウァイの映画を「再演」したビデオ作品を通し、「ずれ」や「失敗（エラー）」（そしてユーモア）を武器に、「アイデンティティ」の問題を浮かび上がらせる。
個人レベルを超え、グローバルな文明、社会的な「共通」と「差異」を問い続けるのだ。
僕が彼に注目するのは、「中国系」シンガポーリアンという立場である。それは西欧に取って代わろうとする中華帝国主義とも違う「ハイブリディティ」があるからだ。
アジア経済の急成長に伴い、現在の投機的な段階はあっという間にすぎ、アジアンアートは、袋小路に入り込んだ西欧アートを超えた、ニューモデルを形成するに違いないからなのである。

後藤（以下SG）－シンガポールは、中国系、マレー系、インド系などからなる多民族国家です。マスターの時（90年代後半）に、ロンドンのスレード校に留学したわけだけど、当時、マルチカルチュラリズムの浮上が強かったでしょう？　影響は強かったですか。
ミン（以下MW）－「アイデンティティ」という問題に対して、眼を開かせてくれました。当時、ポストコロニアルやカルチュラルスタディーズの本をたくさん読みましたね。「アイデンティティ」の問題は、常に変化し続けていますし、いまだに興味深いテーマです。「私」を超えて出会うそれぞれの異なった文化、コミュニティ、歴史について取り組むことになります。
SG－アートワールドにおいて、中国系シンガポーリアンであることを、どう自覚し

《Istanbul Diary》2014, series of 11 archival pigment prints, 35×52,5cm
Courtesy the artist, Vitamin Creative Space, Guangzhou and carlier | gebauer, Berlin

ていますか？
MW－人種的にも、外見的にも、私は「中国人」です。でも国籍は「シンガポール」。シンガポーリアンということは、多くの人を混乱させるでしょう。固定した特性や印象を抱きにくいからです。
今、世界の人は「中国」に対して興味を持っています。私自身は「中国」とあまり関係ないにも関わらず、私の外見を強調させる力となります。これはアーティストとしての私の立場をユニークにするでしょう。
「距離」、それが私に作品をつくらせるのです。あらゆるものに対し「新しい見方」をつくり出すために、私は自分を「アウトサイダー」という立場におきます。中国でも、シンガポールでも、私は「アウトサイダー」だと感じています。
SG－実にヒントになる意見です。次に取り組んでいる作品はどんなものですか？
MW－ちょうど、トルコの映画とポピュラー音楽からインスパイアされたプロジェクトが完成するところです。また、ハリウッド以前に盛んだった映画産業拠点としてのＮＹや、日本、中国、台湾のリサーチをしています。とりわけ、50 ～ 70年代のナショナルシネマ。それらの「違いと共通性」をテーマにしようとしています。
2011.08

1971年、シンガポール生まれ。演劇に関わった後、1995年、ナンヤン美術アカデミーにてディプロマ（中国美術）、1999年、ユニヴァーシティ・カレッジ・ロンドンのスレードスクールオブファインアートにて修士号（美術・メディア）を取得。2009年のヴェネチア・ビエンナーレではシンガポール人としては初となる審査員特別賞を受賞。2013年の資生堂ギャラリーでの個展「私のなかの私」では、日本の映画やアニメなどから着想を得た作品を発表した。

第5章
アートの力とキュレーション

「アートの力」、とりわけ「コンテンポラリーアート」の力がこれほどまでに強くなった時代は、今までのアート史においてもなかったことだろう。それはアートマーケットにおけるプライスのこともあるが、「アート思考」や「アートの価値生成」、そしてアートの力を束ねて社会に接続させていく「キュレーション」が、従来の「イズム」や現代思想以上に影響を与えることができるようになったことにある。

日本は、たしかに欧米からすれば「極東」であり、欧米を中心とする「アートワールド」においてリアルに活動するプレイヤー、つまりアーティストもクリティックも、キュレーターやアートコレクターも、周縁の場所で活動を続けてきた。しかし、僕はそのような状況に対して悲観的でもないし、ルサンチマンもない。そして反面、行政的な施策への期待もない。

実感として強く思うのは、15年前と決定的に違うのは、急速な情報のグローバル化やインフラの変化であり、僕らはリアルタイムで動いているアートワールドの最前線のニュースや動向にアクセスすることができるようになった。

美術大学の学生であれ、アートの戦略的、野心的なマインドに目覚めた者ならば、古いアカデミズムやドメスティックなクリティックを飛び越えて、グローバルに活動する「個人」としてプレイする者も出てくるだろうと楽観視している。時代は古い桎梏の余韻すらなく、無情に変化していくだろう。

ヴァーチャルワールドを拡張していくテクノロジーは、我々の判断を超えるスピードでインフラを変えていく。ギャラリーやオークションシステムなど、マネージメントやプロデュースのシステムも短期で大きく変化していく。コロナ禍は、オンラインギャラリーの仕組みを常態化したが、その戦略も日々更新されている。

さらには、アジアの急速な動きの中で日本が乗れるのか、それとも外れるか。分岐点にある。

しかし「才能」ある戦略的なアーティストたちは、かつて杉本博司、村上隆、奈良美智らが苦労して切り拓いたことをステップボードとし、より速く、より高く躍進していくことになるだろう。

しかしだからと言って、アートワールドの中での「立ち振る舞い」の巧妙な方便だけを考えても仕方がない。「価値生成」を行なうためには、新しい「アート思考」そして「価値生成」のコンテクストを知らなければ有効なプレイを行なうことはできない。

ニコラ・ブリオー
Nicolas Bourriaud
1965-

フランス生まれ、理論家／キュレーター。1990年第44回ヴェネチア・ビエンナーレのフランス館をキュレーション。99年～2006年、パレ・ド・トーキョーの共同ディレクター。第４回Tate Triennial（2009）で「Altermodern」、台北ビエンナーレ（2014）で「The Great Acceleration」をキュレーション。『Esthétique relationnelle（関係性の美学）』Les Presses du réel（1998）

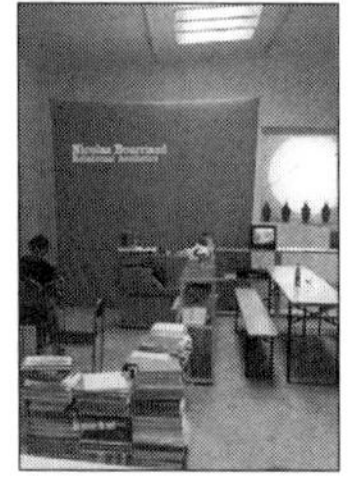

本書はグローバルなアートワールドで活動する者たちの本音のコトバで構成されている。アートワールドは、独特のエコシステムにより価値生成が行なわれるので、たしかに部外者にはわかりづらいかもしれない。

アートの傾向や潮流は、まるでエコーの反響のように、あるいはバタフライエフェクトのような力により形成されていく。キュレーターたちの判断は、そのようにシンクロニックに発生していくのであり、決してマーケティングやロジカルな論法で「価値判断」がなされるわけではない。むろん、乱流の中に入らなければ、泳ぎも覚えられないだろうし、予測できない事態にも対応できないことは言うまでもない。
リーマンショックとコロナという世界経済のカタストロフの中のグローバルアートシーンを見続けてきた者からすれば、今後ますますコンテンポラリーアートの動きはタフに、そして新たなプレイヤー、新たなインフラが牽引していくだろう。才能と戦略ある者にとって未来はきわめて明るいものだろう。
この20年ぐらいの間に影響力のあったものは、ニコラ・ブリオーの『関係性の美学』(1998) そしてクレア・ビショップの『人工地獄』(2012) である。それらはコンセプチュアルアート以降の「アートの力」がどのように展開したかを象徴する文脈形成の書であった。
しかしブリオー自身が、とっくに「関係性の美学」の立場にとどまっていないように、クリティック、そしてキュレーションもまた高速かつ深く、そしてオープンに変容しなければならない。
その意味で我々が常にチェックしなければならないのは、ハンス・ウルリッヒ・オブリストのストラテジーである。彼は流動性に対応し、リアルな展覧会はもとより、さまざまなプラットフォームを駆使し、キュレーションの可能性、言い換えれば「アートの力」の可能性についてオープンな攻撃をくり出している。
アート作品制作の指示書を集めた書物『do it』(1995)、アーティストたちによる「マニフェストマラソン」、アーティストインタビューシリーズ「カンバセーションズ」。かつてのパイオニアたちのキュレーションをリスペクトしつつアップ

エドゥアール・グリッサン
Edouard Glissant
1928-2011

フランス領マルティニーク生まれ、作家/詩人/文芸評論家。パリで民族誌学で博士号を取得後、マルティニークに戻り、研究所を設立。1995年以降は、ニューヨーク市立大学で教鞭をとった。『全-世界論』は世界が、群島化、クレオール化することの問題提起を行なった。
『全-世界論』訳・恒川邦夫、みすず書房(2000)

トマス・ヒルシュホン
Thomas Hirschhorn
1957-

スイス生まれ、アーティスト。1970年代にパリのグラフィック集団に参加し、社会風刺、政治的問題をコラージュを通して扱うアーティストへと成長。その後、インスタレーションや民衆が参加する作品形態へと発展させた。パレ・ド・トーキョーで、2014年に大規模展「Flamme Éternelle」を行なった。

『MAPS』JRP Ringier（2019）

デートしたり、アーティストのいまだ実現されていないアイデアをオープンソース的に公開したり、SNSの有効的な使い方をはじめ、その活動は、実にエキサイティングと言う他はない。

言い忘れたが、クレア・ビショップの『人工地獄』はコンテンポラリーアートにおける「ソーシャリー」の歴史を考える時に必読である。しかしそれがあまりにブリオーの『関係性の美学』に対する「敵対」という、アートが根源的に持つ非和解性の側面ばかりが強調されすぎていると思われる。

それよりも彼女がある意味で敵対を超えるヴィジョンとして提出している「教育としてのアート」「コミュニティ形成」に目を向けるべきだろう。ポール・チャン、トマス・ヒルシュホン、タニア・ブルゲラが行なっている実践はそれぞれベクトルはまったく違うが、決して単なる「敵対」的な活動ではなく、これからの「アートの力」の可能性を示す実践において基本的なものだと思われる。

オブリストにせよ、ビショップにせよ、彼／彼女らの活動・提案は「アートの力」を実装するためのアクチュアルなものなのだ。

さて、本書は「ヴィジョナリーとしてのアーティスト」というアーティストのリ・モデルに始まり、アートの価値を生成するものとしての「ソーシャリー」、そして「来たるべきメディウム」、スピリチュアルと「私」の変容などを方向（ダイレクション）として提示し、それにリンクするアーティストたちのインタビューを収録してきた。
もちろんアーティストたちの活動は決してひとつのキーワードで整理できるものではないにしても、それらの「方向性」は、「たまたま」のものではなく、アーティストが流動性を持つ社会へのリアクションとして、確信犯的に、リアルに生成されてきたものだ。
重要なことは「アートの力」を矮小化して捉えてはならないということ。昨今、ブロックチェーンによるNFTアートの価値生成に多くの人々が殺到しているが、これは新たな価値管理のインフラにしかすぎない。「アートの力」や「価値生成」をマーケットに限定し、「アートワールドのエコシステム」を飛び越えて成立することを夢見ても、それこそバブルな発想でしかない。
キュレーターの役割は、「アートの力」の可能性を切り拓き増幅し、社会とコネクトする上でもますます重要なものになっていく。しかしそれは美術館に属し、美術展をつくる役割としてのキュレーターという「モデル」からはずいぶんと異なるものだ。たしかにパイオニアのキュレーターたちは、設営からマネージメント、デザインに至るまでの「何でも屋」であった。ハラルド・ゼーマンは「展覧会メーカー」と呼ばれた。パイオニアというものはかならずそのような者である。しかし、ゼーマンにおいてそのこと以上に重要なのは、「キュレーターというモデル」すらも固定せず、自らを「ヴィジョナリー」として思考し、活動したということだ。
昨今は、バスキアやバリー・マッギー、KAWSのような「ス

アーロン・ローズ
Aaron Rose 1969-

アメリカ生まれ、映画監督／アーティスト／キュレーター／作家。21歳の時にニューヨークにアレッジド・ギャラリーをオープンさせ、アート、スケートボード、グラフィティ、ファッションの作品展示を継続して展開。バリー・マッギーら、現在アートシーンで活躍する才能を発掘。2005年には、アートブック『ビューティフル・ルーザーズ』を編集し、同展を世界巡回。また長編ドキュメンタリー映画も制作。
『BEAUTIFUL LOSERS』
Distributed Art Pub Inc(2005)

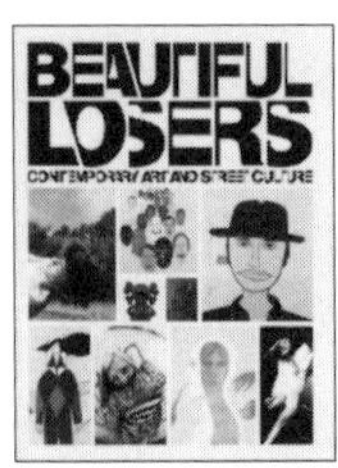

トリート」から誕生してきたアーティストたちが批評的にも、マーケット的にも高い評価を得ている。しかし彼らが登場した時には、彼らは「アートワールド」のアカデミックな価値の中央にはおらず、サブカルチャーやコマーシャル、ファッションのように「周縁のもの」としてしか評価されていなかった。しかし、その現場には古いキュレーターのモデルを逸脱・横断するディエゴ・コルテスやアーロン・ローズのような自由な「価値破壊者＝新たな価値生成者」がメディエイターとして機能することにより、多くの才能が世に出たことを忘れてはならないだろう。
またティルマンスのような成功したアーティストであれ「Between Bridge Project」というオルタナティブギャラリーの運営を継続している。
今、成功しているアーティストやギャラリーも、そしてアートコレクターも、流動する時代の中でヴィジョンを更新し続け、価値発信のテクノロジーやソーシャルなプラクティスなどにアタッチする積極的な姿勢がなければ、瞬く間にまた凋落してしまうだろう。
コンテンポラリーアートの力は、矛盾に満ちた変成力から生まれ続けることを忘れてはならない。

029_ Aaron rose
アーロン・ローズに聞く：コンテンポラリーアートという逃げ道

アーロン・ローズのことは、彼が1992年にアレッジド・ギャラリーを始めた頃からずっと気になっていた。僕自身も、編集の仕事をやり、同時に展覧会の企画やキュレーションをやってきていたので、彼の動向が気にならないわけがなかった。
彼が運営するNYのアレッジド・ギャラリーにも、何度か足を運んだことがあった。
しかし残念ながら、アートシーンのみならず、ユースカルチャーに決定的な勇気を与えた展覧会「ビューティフル・ルーザーズ」を直接観ることはなかったけれど、彼がコンテンポラリーアートに開けた穴は、かつてマルコム・マクラーレンがやった業績と比べられるべき「発明」だったと思う。
スケーターのカルチャーやファッション、音楽などをアートの世界に侵入させ、ミックスし、エネルギーをチャージさせ、そしてブレークスルーさせる。そのストラテジーは、とてもクールであり、過去のアートシーンのシステムに固執している発想からは、絶対に発生してこないものだった。
動きまわっているアーロンを、やっと掴まえることができた。
それも東京での展覧会の、設営の壁の裏。
建込みの音がガンガン鳴っているが、彼に聞きたいことは山ほどある。

後藤（以下SG）ー「コンテンポラリー」というか、同時代とか現在とか。そういうことについて、いつもどう感じたり、感じようとしてるのですか？
ローズ（以下AR）ー「今」？　ここにいるよ（笑）。
SGー僕もね（笑）。
「今」って、ずっと続いていく。でもすぐ過去になってしまうと固まってしまう。つまり、壊したり、広げたり、解き放つっていう感覚が「コンテンポラリー」でいるってことですよね。
ARーそうだね。鳥を箱に入れてしまうと飛べなくなって、死んでしまう。やんない方がいい。アートにはヒエラルキーや階級なんてない。それにペインティングメディアとかグラフィティとか彫刻とか、媒体とか関係なく、アクティビティやフィールド、クリエイティビティが大切なんだよ。みんな、あるカテゴリーの箱に入れたら、「わかる」ようになると思うんだけど、そうしたら死んじゃうだろう？

SG－それがアレッジド・ギャラリーの哲学でもあったんですね。

AR－ギャラリーをやって成功させ、何万ドル稼ぐということや、パンクバンドで当てるということ自体が大切だったり。そのことに価値があるんじゃなくて、「できる」ということに価値があると思う。アレッジドでは、生活の中のアートを見せたり、映画やファッションを見せてきたけど、ギャラリーというのは、もともと「空っぽのスペース」なんだ。そこにいろんなアートが入ることで、エネルギーが発生する。壊したいのかどうかはわからない。ただ「探し求めてる」ってことだけは確かだね。

SG－何を探し求めようとしているんだろう？

AR－いつもフレッシュな、新しい、考え方の違う連中。僕の友だちには20代の連中が多くて、彼らはいつもプラグインして、すごくレーダーを張ってる。彼らと一緒にいることで、自分もそうなれるんだよ。と同時に「過去」に対するアプリシエーションがすごくある。「ビューティフル・ルーザーズ」のあとは、若い作家を探すよりも、歴史の中に埋もれてしまった人を見つけ、テキストを書いたりしてるんだ。

SG－たとえば、どんな人？

AR－ニキ・ド・サンファールとか。彼女は本当に素晴らしい。それから、トム・オブ・フィンランド（Tom of Finland）。彼は、すごくホモエロティックなキャラを描いた。あまりにエロティックなので、70歳になってやっと有名になったのさ。他には、シスター・コリータ・ケント。彼女はカトリックの修道女だったけど、ベトナム戦争に反対して、ものすごくサイケでポップな作品をつくった。シルクスクリーンを大勢の修道女が刷ったんだよ（笑）。彼女の作品をオーストリアとベルリンのギャラリーで展示したりしたんだ。

SG－アレッジドは、いろんなアーティストを発掘し、レプリゼントしてきた。バリー・

マッギーやスーザン・チャンシオロ、マイク・ミルズやエド・テンプルトン。そうそうたる才能たちです。
でも、それらは単なる「流行り」というのではなくて、今の話を聞いていて思うんですが、ひとつの「歴史観」があるんだと思う。歴史の中に隠れているものが、実は歴史や文化の原動力だっていう。オーバーに聞こえるかもしれないけれど。
AR－「発見」というものはどこにでもある。過去にも新しいものがあり、もちろん未来にも見つけられるだろう。それらは「裏っかわ」にあるんだ。それをどう見えるようにするかが問題だ。「過去」というものを大切にすること。それはギャラリーをオープンした時から、実はあった。それを培ってきたんだよ。一緒にやってきたアーティストたちにも僕と同じ感覚があるみたいで、みんな工芸（クラフト）がすごく好きだ。人が手でつくったもの、人の魂が込められているのが目に見えるようなものが、過去にはたくさんある。今では、なんでも、コンピュータで簡単につくれるからね。この展覧会でも、「サインショップ」のブースをつくったけど、サインを手で描くのは、もう死滅しそうなクラフトだよ。それを見せると、若い人たちは、本当に面白がってくれる。
SG－あなたはワークショップも重視するし、わりと教育的なことにも興味がありますよね？
AR－実は、学校とか始めてみることもちょっと考えてみたことがある。若い連中に話を聞くと、今の美術学校と自分たちって、コトバがずれてきてるんだってよく言ってたし、これから僕が将来的にやるプロジェクトも、教育的な要素が出てくるかもしれないな。
SG－よく質問されると思うけれど、アレッジド・ギャラリーをもう一回やる気はないのですか？　やるべきことはやってしまった感じですか？
AR－振り返ってみるとね、ギャラリー自体が、コンセプチュアルアートのプロジェクトだったような気もするんだ。どう考えてもビジネスとしては成り立ってなくて、もうひっちゃかめっちゃかで、10年間ずっと続いたパフォーマンスがやっと終わった感じ。まったくビジネスとしては成り立ってなかった（苦笑）。
SG－だけど、この数年、アートシーンはマーケットが主導してきて沸騰してたわけで、そういう流れについては批判的に見ていますか？
AR－アーティストがすごく気の毒だと思ってたよ。バブルの状態になると、かならず嫌な思いをするのはアーティストなんだ。たしかにコレクターたちも嫌かもしれないけど、だけど彼らは裕福でしょ。バブルが沸騰しても落ちても、おしまいで、アーティストはめちゃくちゃな目に遭う。値段がバーッと上がると、あとはバブルがはじけて、値段は落ちるしかない。僕の友だちにも今まで値段の高いやつがいるけど、嫌なことにならなきゃいいのにと思うよ。
SG－今の世界って、経済や政治が支配しているし、人々にはなかなか逃げ道、逃げ場がない。あなたのやったことの重要性というのは、「逃げ道の可能性」をいろいろ示すことができたことだと思う。たとえばアートも、単なる作品のできあがったスタイルのよし悪しじゃなくて、新しい誕生・発生させることを示した。人はそこから都市でのサバイバルということだったり、リアルという生きてる実感を掴むことができる。そういうアーティストをプロデュースできた。勇気を与えることができたと思う。アレッジドを10年やってみて、これらから取り組もうとしているプロジェクトやヴィジョンってありますか？　アタマの中にぼんやりあるものでもいいんだけど……。
AR－スーサイド、自殺でもしようかな（笑）。
SG－ハッハッハ（爆笑）。
AR－いや、何にも完了してないんだ。終わっていないからずっと動き続けてるしね。人生というのはいろんな形に変わっていったり、いろんな見方ができるようになったりするものだと思う。今言ってくれたことは、僕にとってすばらしい褒め言葉で、とてもうれしいね。
今のシーンやいろんなギャラリーのネットワークを見ていてすごく楽しいのは、この20年の間に、若い連中が「アートってカッコイイ」って思うようになったことなんだ。

その前は、上流階級とかエリートとかにしかなれない高尚なものだと思われてた。それがカッコイイものになったってことが、僕らにも希望を与えてくれる。アートは、未来への希望を与えてくれるものだから、何も終わっていない。今、一番興味があるのは音楽だ。これはあと5年ぐらいやり続けるかもしれないね。それが終わったら、また次のことにいくだろう……。

2009.04

『YOUNG, SLEEK, and FULL of hell　TEN YEARS OF NEW YORK'S ALLEGED GALLERY』
DRAGO ARTS AND COMMUNICATION（2005）

1969年、アメリカ・ポートランド生まれ。映画監督、アーティスト、キュレーター、ライターなどマルチに活躍する。21歳のときにロウワーイーストサイドにアレッジド・ギャラリーをオープンし、アートだけでなく、スケートボーダーやグラフィティ、ファッションなどの多様な分野で活動をする若手アーティストたちの作品を展示した。ギャラリーは2002年に惜しまれつつも閉鎖したが、その後ギャラリーと関わりの深かったアーティストらを中心にキュレーションされた展覧会「ビューティフル・ルーザーズ」へと結実し、世界中を巡回。2008年にはドキュメントムービー『ビューティフル・ルーザーズ』が公開された。

030_Agnes b.
アニエス・ベーに聞く：アートの持つ「力」について

アニエスは赤い箱を取ってくる。

「ぐちゃぐちゃになんでも入っているのよ」。箱が開けられる。レターヘッド、手書きの文字、そして紙に貼りつけられた、たくさんの写真。

「初めは、こうやってシナリオのメモを手で書いていた。こっちがボルドーの方の砂浜」。それらは映画のロケハンのための資料群で、写真は彼女が自ら撮ったものだった。

彼女は進めている映画『Je m'appelle Hmmm...（わたしの名前は...）』（2013）のことからまず話し始める。

後藤（以下SG）ーストーリーはあるんですか？　それともドキュメンタリーのようなスタイルなんですか？

アニエス・ベー（以下AB）ー10歳半の女の子の話。近親相姦、お父さんとの。ベルギーもフランスも、そういう事件がすごく多いんだけれど、日本の話も聞きたいの。開けっ広げに話せることなの？

私は若者が持っている力、その原動力、そして自由にずっと惹かれている。でも「自由」というものも、若い時持っていても、喪失してしまう。傷ついたことからどうやって立ち直るのかしら。近親相姦の被害者も、口を開けられるようになるのは30歳を過ぎてから。

SGー具体的な場所が描かれるのですか？

ABー具体的よ。ボルドーの広く長い海岸。そこで撮ろうと思っています。最初は郊外の狭い部屋、そこに主人公の女の子は閉じ込められていて、次第に広い空間に出ていくの。学校との行き来のほかには何もなかった少女。その子が逃げる。お父さんや家族から逃げ去りたいの。トラックに隠れ、大西洋の方へ行くのよ。ほんの5、6日の物語。その日々の中でトラックの運転手と少女の間で起こることを描きたい。その道のりで少女が目覚めていくことをね。最後までは言えないんだけれど（笑）。

SG－タイトルは決めているんですか？

AB－まだ変わるかもしれないけれど。「私の名前はウンと言う」。

SG－え？

AB－トラックの運転手が彼女に名前を聞いたら、ただ「ウン」と頷くだけ。自分の名前を言えないのよ。だから、マイ・ネーム・イズ・ウン（笑）。これから撮影して、2010年のカンヌに出せたらね。

僕は彼女に質問する。「何かの理由で傷ついた少女がいる。そういう若い子たちが生き続けていくために、一番大切なことって何だと思いますか？」と。

AB－子どもたち、若い人はみんな持っているわ、「可能性」ということをね。「才能」があったとしても学校や親や周りが芽を摘んでダメにしてしまう。「可能性」を振り返ること。「信じること」。

アニエスの部屋の中を見まわす。壁にはイタリアの写真家マッシモ・ヴィタリの大きな、ビーチを写した写真が飾られていて、遠くから夏の浜辺の喧騒と波の音が聴こえてきそうな気分になる。奥の壁には、彼女のお気に入りのマリの写真家マリク・シディベが撮った黒人の写真がコピーされ、壁に何枚も貼りつけられている。Tシャツか何かのアイデアを練っているのだろう。

「マリクは3年ぐらい前にハッセルブラッド賞をもらったけれど、もう10年ぐらいサポートしています（と言いながら、コピーした写真を壁に掛けられたTシャツやワンピースにあてている）。服に写真をつけたりするとどうかしら」。

テーブルの上には、この数年間、ずっと彼女のブティックで無料配布し続けているコンドームがガラスの器に盛られている。パッケージにもまた、若いアーティストの作品が使われている。それらは、96年に始まり、もう100万個以上配られているのだ。

SG－アートの力が、若者たちを勇気づけるということはとても重要です。
AB－その通り。私自身もちょうど主人公と同じ年齢の頃、アートに興味を持つことができた。アーティストたちは私たちみたいなサポートする人間を求めている。アーティストたちには愛が必要。

アニエスはまた別のコーナーに僕を案内する。そこには一着のワンピースが吊るされ、全面にブローチがつけられている。それは鉄を溶接してつくった小さなハートだ。
「サラエボに行った時にアイデアが浮かんだの。理想主義やペシミズムに陥るよりも、本当に大切なことは、人間の力や人間の、ちょっといい面を信じること」。彼女はそのハートをひとつ外し、僕にプレゼントしてくれる。

AB－ひどい問題を抱えているところが世界にある。そのことを地球上のみんなが認識し、意識を変えていかないといけない。自分のレベルで何ができるのか。私は他者に関心がある。他者に起こっていることに。（ハガキを見せながら）これはね、エイズに感染した人のために売っている赤いマフラーなの。首に巻くと、ほら、エイズ・リボンの形になる。その売上金を病院に送ったりしています。彼らの多くは、家族から見放されたり、仕事も失ってしまった。

僕はアニエスに、ずっと以前のことだが、ニューヨークのHIVポジティブのボランティア団体を取材してまわった時の体験を喋る。
生きる力というのは、機会や場を与えられることによって出てくる。エイズの人たちのインタビューを50人以上続けていると、彼らは自分のことを話すために、体調が大変なのにやってきてくれる。「喋ることで元気になるんだ」って言って。その時、インタビューの大切さを知りました。アートの力、イメージする力が人間のサヴァイブする力と強く関係しているということを。

AB－必死に考えているのよ。21世紀のこと。
これからは水や食料でもシェアしていかないと生きていけない世の中になるでしょう。富や豊かさもね。アフリカのプロジェクト、それから観測船Tara号をサポートしている地球環境のプロジェクト、エイズのプロジェクト……。自分ができることは何だろうって。
SG－アートのプロジェクトも単に文化メセナというより、社会活動のひとつ、社会における総合的なクリエイション活動なんですね。
AB－小さな頃からの自分の性格でもあるんです。他人や人間、分けあいたいというね。そう（テーブルの上の本を手に取る）。これをあなたにプレゼントするわ。最近、出たばかりの本（それは『collection agnes b.』）。私は本当に若い人が好きなのよ。この写真が好き（ページを繰りながらそれを見せる）。ナン・ゴールディン……ライアン・マッギンレー……ハーモニー・コリン……。
SG－僕も彼らが好きで一緒に仕事をしてきました。ナンとは10年以上前に東京に来てもらって荒木経惟と『TOKYO LOVE』のコラボをやってもらった。ライアンには雑誌でロバート・フランクのポートレイトを撮影してもらいました。彼らはみな、アートと生きる力が一緒になった人たちなんです。
AB－そう。（ナン・ゴールディンの写真を見せながら）NYのダウンタウンで彼女に会った時、まだ誰も彼女のことは知らなかった。2人でウォッカを飲みながら、すごく気が合って。その時、すぐわかったわ。すごい写真家になるってね。

彼女から手渡された本のページを繰る。それは彼女が永年にわたって集めてきた写真を中心としたアートの数々。
しかしそれらは、単なる所有欲の結果でも、ましてや昨今の資産価値の対象ではありえない。ブラッサイの落書き、バスキアのペインティング、若い写真家たちの作品。異端の映像作家ケネス・アンガー。『リトアニアへの旅の追憶』などの作品で知られる映像作家ジョナス・メカス……。
ここに集められたのは、アニエス・ベーのアートの持つアドレッサンス（青春／若さ）への共感とオマージュだ。不安定で傷つきやすい魂とセクシュアリティの集積だ。そして同時に、彼女がいかにアーティストたちと交わり、ギャラリーなどの場をつくり、彼らからのインスピレーションを彼女のクリエイターとしての原動力にしてきたか、そのドキュメントと言ってよい。
この本には、アニエス・ベーが1997年以来、発行し続けるアートフリーペーパー『pointd'ironie』の編集長ハンス・ウルリッヒ・オブリストによる3本のインタビューが収録されている。
ベルサイユに生まれた彼女が、ファッションデザイナーとしてスタートする前からギャラリーで働き（何と17歳の時）、いかにアーティストたちをプロデュースし続けてきたかが語られている。ぜひ読むべきテキスト。彼女が単なるファッションデザイナーではなく、歴史哲学や現代思想（ジル・ドゥルーズやトニ・ネグリとの交流）を体で実感しながら、総合的に社会に対して働きかけ続ける「クリエイター」だということがよくわかるから。

「若い人たちを応援してください」とアニエス・ベーは、別れ際に僕に微笑んだ。
若い力、青春、そして生きる力。それらとアートがこれほどまでに深く結びつく時代は今までなかったろう。アニエス・ベーは勇気を与えてくれる。またパリで、アニエスとアートのことを何度も何度も話せたらと思っている。
2009.06

左『collection agnès b.』JRP|Ringier (2009)
右『agnes b. STYLISTE』青幻舎 (2016)

1941年、フランス・ベルサイユ生まれ。1975年に自身のファッションブランド、アニエス・ベーを立ち上げ、世界中に店舗を持つ国際的なブランドへと成長させた。2013年には本名のアニエス・トゥルブレ名義で映画『わたしの名前は…』を監督。熱心なアートコレクターとしても知られており、日本を含む各国で自身の収集するアートコレクションの展示を行なっている。2020年にはパリ13区にナン・ゴールディン、マン・レイ、バスキアなどの自身のアートコレクションを展示する私設美術館、ラ・ファブをオープンした。

031_Hans ulrich obrist
ハンス・ウルリッヒ・オブリストに聞く：キュレーションという戦略

グローバルに動きまわるマネーは、オークションで一枚の絵画が、何億もの値をつける異常な光景を生んだ。それは、2つの価値づけがリンクして生みだされたものだ。
先に言っておきたいが、その現象は、単純な善や悪という倫理を超えたもの、すなわちモンスターである。
アートバブルを批判することはたやすい。重要なのは、この高速で動きまわる世界資本主義の中で、どのような「可能性の泡」が湧きおこっているのかをつぶさに見て、そして交わることだ。「不可能だ」と叫ぶ前に、リスクを負いながらも進み続けることだ。
経済のグローバル化、カルチャーのボーダレス化を背景に、この数十年、ビエンナーレなどの「国際芸術展」、そして「アートフェア」が両輪となり、「アートの速度」を加速してきた。「未知」で「不定形」な新型の「価値形態」であるアート作品が次々に出現し、コトバとマネーが与えられていくのである。
自らのモンスター性の自己批判を繰り返したとしても、あっという間に高速度の資本の渦がのみ込んでしまう。そんな「帝国内」で、アートを生み続けるには、どうすればよいのだろうか。

ハンス・ウルリッヒ・オブリストは、卓抜したキュレーターである。
イギリスのサーペンタイン・ギャラリーの共同キュレーターであり、同時に多くの国際展も企画運営する。また、膨大な数のアーティストを次々にインタビューし、著作を発表。ウェブ上でもそれを公開し続けている。アニエス・ベーと組み、ラディカルなフリーペーパーを発行し、ファッションセレブたちとの交流も積極的に行なう。
彼は、流動化する世界の中で、コンセプトを瞬間的に結像させ、ここにいたかと思うと、また次のポイントへと高速移動する。
だから彼を掴まえるのは至難の業だ。アポイントを取ってから半年後、やっと彼と会うことができた。しかし、インタビューの時間は、30分限定である。

後藤（以下SG）ー今、アートの世界もまた、グローバルエコノミーの流れの中に取り込まれ、どんなアバンギャルドなアートでも、すぐにファッション化してしまう。では、コンシューマリズムや資本主義を敵視して、テロリストみたいに活動すればいいかというと、そんな単純な問題ではない。イマジネーションとサバイバルの可能性を追求していくには、多様なストラテジーを同時に選択しなければならないことを、あなたは、非常に意識的に行なっている。つまり、あなたが取ろうとしているキュレーションというストラテジーの可能性について話したいのです。
あなたは、編集もインタビューも精力的に行なう。アート以外の分野とのコネクトも行なう。古いキュレーターとはまったく違う次元で考えているでしょう？
オブリスト（以下HUO）ー非常に興味深い質問ですね。現在のアートマーケットは、いろんな可能性があるよい状態ですが、一方で、カッセルのドクメンタ12のように、アートマーケットにないものだけを見せようという、極端にネガティブな反応もある。アートは、やはりポジティブであるべきで、ネガティブであってはならない。
まず言いたいのは、「パラレル・リアリティーズ」というコトバです。平行していろんな現実がある。これはデイヴィッド・ドイッチュの量子力学の本『ファブリック・オブ・リアリティ』に出てくるコトバですが、アートにおいても同じことが言えるのではないか。私がインタビューをずっとやり続けているのは、それが、「知識を生みだすもの、生産するもの」だからです。話を聞き、それを「オープンソース化」する。インタビューしたものは本にもしますし、インターネットでも公開している。今まで1400時間分ぐらいあり、映像でも撮っています。それを読んだ人が、いろんな形で使うことができる。そこにも「パラレル・リアリティーズ」があるのです。
SGーエディティングとキュレーティングは戦略性という点で、きわめて似たところがあります。大がかりにお金をかけなくても、有効な、いろんな方法があります。
HUOーヴェネチア・ビエンナーレでは、アーティストのリクリット・ティラヴァーニャと「ユートピア・ステーション」というプロジェクトをやりました。これは、21世紀においてアーティストと社会がどのように契約(プロトコル)可能なのかを考えるということでした。ひとつの事象でも複数のディメンションでできることがたくさんあるし、私は非常に楽観視しています。18歳の時に出会った先生に、アーティストには本当に多様な発想や可能性があることを教えられた。ルーティンのものだけではないんだってことをね。勇気づけられたんです。私が91年に初めてやったのは、「キッチン・ショー」。私の住居の台所です（笑）。フィッシュリ＆ヴァイスやボルタンスキーも参加してくれました。

SG－僕もアートの力で世界を変革できると、楽観的に思っています。しかし、美術館で何を見せるのかに限定していたり、多様なストラテジーに踏みだせないでいる。つまり、人間がサバイバルしていくための新しい知の形態だという認識はまだまだ低いのです。

我々は試みなければならないことがあると思いますが、どのようなことから始めればよいのか。

その中でもインターネットは社会や生活にとり、ますます重要になるでしょう。しかし、均質化していく世界の中で、どのようにすれば、その閉塞を食い破っていけるでしょう？

HUO－必要なのは、何か間違った形での「革命」を始めることではなくて、毎日の小さな積み重ねこそが大切だと思います。おっしゃるようにインターネットは興味深い存在です。私は「Do it」というプロジェクトをやっています。これは何か、ひとつこういったことをしなさいという指示、あるいはレシピで、あたかも音楽の楽譜をたどるようなもの。

これに関して、インターネットを使っています。さまざまな選択肢が可能だし、多くのフィードバックを得ることができる。たしかにインターネットは初期の段階です。TVの場合も、発明されてすぐではなく、ある程度時間が経った後、ナム・ジュン・パイクがマスターピースをつくった。けれどインターネットを使った、後世に残る偉大な作品はまだ出ていない。

「何をすべきなのか」。それは、既存のフォーマットを変えていくことが必要になるでしょう。何か新しいクリック・スタート。新たなゲーム・オブ・ルールが見つけられないか。

アートにとっての大きな敵は、ルーティン、決まりきったことを何度も繰り返すということ。大事なのは、展覧会をやるたびに、これが自分にとっての初めての展覧会なんだと思うぐらいの気持ちで取り組むことです。

SGー日本にはたびたびいらっしゃっていますが、発見したことについてお話しいただけますか?

HUOー横浜の三渓園を訪ねた時、こういう素晴らしい日本庭園で、まったく予期せぬものを見せられたら面白いんじゃないか。そう思って、2008年の横浜トリエンナーレでは、パフォーマンスなどをそこで見せることにしました。かつて『特性のない男』という小説を書いたローベルト・ムージルは「予期せぬところにアートは見えてくる」と言ったことがある。

それから、もうひとつ言っておきたいのは記憶喪失(アムネジア)になってしまう危険です。レム・コールハースと、デジタルエイジにおける健忘症についてよく話をします。「忘れない」ということはアートに関わる者にとって、本当に大事なことです。とりわけ我々のような、「新しいプラットフォーム」をアーティストたちに提供する立場にある者は、忘れてはいけません。

レムと共同で進めたプロジェクトに、日本建築の「メタボリズム」への聞き書きがありました。黒川紀章氏にも、彼が亡くなる前に、何度もインタビューしました。この運動の全容を捉えられる本をバイリンガルで出すという計画です。この計画も、キーは「忘れないこと」なのです。

SGーキュレーションというと、アートスペースに作品を配置し、見せることだと思われがちですが、あなたのやっていることは、常にアートによって、都市の機能や関係、意味を変えたり、新しくネットワークをつくり出そうとすることです。インターネットや携帯は、固定されたものを流動化、ボーダレスにしていきます。インヴィジブルなプロジェクトを戦略的に生みだすのが、キュレーターの仕事なのだと思えてきます。HUO－「アートの旅」の仕方があるのではないか、それから「アートとサイエンス」「アートと建築」さまざまなテーマが浮かびます。今までも「Cities on the Move」という展覧会を組織したり、サーペンタインでオラファー・エリアソンにパビリオンをつくってもらったり。それから、「実現されなかったプロジェクト」を、今、いかに実現するかというのにも興味があります。「エージェンシー・オブ・アンリアライズド・プロジェクト」というのをサーペンタインで立ち上げたんです。夢に終わってしまうかもしれないけれど、できれば実現させてあげたい。そういう手助けもしたいんです。

ひとつ問うと、彼は高速で、大量のアンサーとアイデアを送り返してくる。アーティストや思想家というのではなく、ある種のHUB、メディアなのだ。短かったけれど、痛快な時間はあっという間に過ぎた。彼は、別れ際に2枚のビジネスカードをくれた。爽やかに微笑みながら。そこにはearly brutally club early hyper clubとある。何のメッセージも書かれてなく、何やら時間が書かれているだけ？
「この時間（かなり早朝）に、ある場所に出現するクラブなんだ。でもどの店でやるか、誰が来るかは秘密。ウェブでチェックしてくれたまえ。ロンドンで、ときどきやってるから、ぜひまた会おう」
2008.12

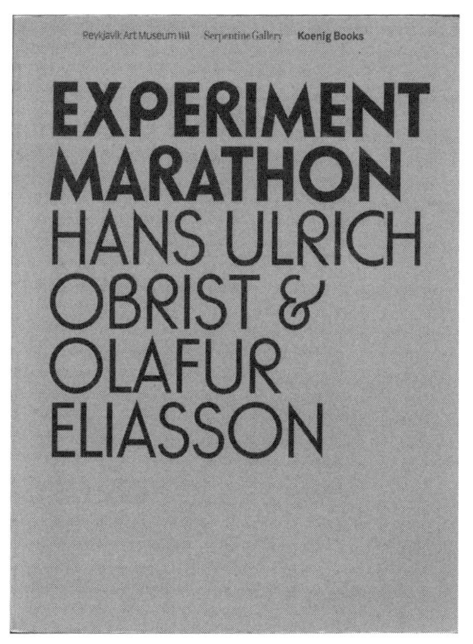

『EXPERIMENT MARATHON HANS ULRICH UBRIST &
OLAFUR ELIASSON』Walther Konig Verlag（2009）

1968年、スイス・チューリッヒ生まれ。キュレーター／ロンドン、サーペンタイン・ギャラリー、ディレクター。1968年、当時23歳の頃に、自宅のキッチンで展覧会を開催し（「The Kitchen Show」）、キュレーターとしての活動をスタート。現在、世界でもっとも影響力のあるキュレーターの1人である。アーティストのみにとどまらず、科学者やデザイナー、思想家、建築家など多様な領域で活躍する第一人者らとの協働やインタビューを行なう。著書に『アイ・ウェイウェイは語る』(みすず書房、2011 年)、『キュレーション』(フィルムアート社、2013 年)など。上に掲載されている本では、オラファー・エリアソンと始めたプロジェクト「エクスペリメンタル・マラソン」が記録されている。

032_ John warwicker
ジョン・ワーウィッカーに聞く：同じ時代に生きるということ

あなたにとって、「同時代」を共に生きていると思える人を挙げるとすれば誰ですか？
そう質問されたら、僕はジョン・ワーウィッカーの名を告げるだろう。
ジョン・ワーウィッカーは、デザイナー集団tomatoの中心メンバーとして、野心的な仕事を続けてきた。それらの仕事は、彼らの別名義である音楽集団Underworldのジャケットや PVはもちろん、企業のCI、キャンペーンなどで知られてきた。
と同時に彼自身はオーストラリアに住み、美術大学で教鞭も取っている。それに、日常的に写真も撮り続けている。
数年の紆余曲折はあったものの、2009年に作品集『The Floating World: Ukiyo-e』が、ドイツのアートブック出版社Steidlから発行された。日本のデザイン誌『アイディア』もその特集を組み、出版記念のトークショーも青山ブックセンターで行なわれたのである。

彼はパワーポイントで映像を映しながらレクチャーを行なった。
次々に映される写真。
自分の子ども時代の写真や、彼に影響を与えた彼の「おじいさん」と、ブライトンの風景や、モッズたちがバイクを連ねた写真、クラフトワークのジャケット。
それを僕は見ている。
彼は世の中的には、デザイナーということになるが、僕は彼とはアーティストとして付きあってきたと思う。
いや、「デザイン」と「アート」は、分離したものと扱われているが、どうなのだろうか。その「分離」と「融合」の駆け引きは、どれぐらい意味のあることなのだろうか？
すべてはもっと可能性に満ちたものではないかと、僕はジョンに会うたびに思う。
ジョンは聴衆に語り続けている。

「僕の人生で一番影響を与えたのは、おじいさんでした。彼は数学者であり、また保険会社のロイドに勤めていて、石油タンカーが、ロッテルダムからボンベイへ航海する時の危険度、その確率を算出するのが仕事でした。
6歳の僕にとって、数式がびっしりと書き込まれた彼のノートは、僕のタイポグラフィーに対する人生の始まりだと言っていい。単純な記号であると同時に、その集積が何か別の意味を持つ。「結論はどのように導かれるの？」と僕が聞くと、彼は決まって、「ただ予想するだけ」と答えるだけでした」

一枚の写真が映しだされる。
それは、石灰岩（チョーク）が露出した海岸の崖。おじいさんの住む家の近所だという。

「そこは一種の魔術的なクオリティを持つ場所。海はいつもすごく荒れているので、僕は落書きをし続け、その間、波の音が聞こえていました。考古学的にも重要な場所で、5,000年もの歴史の積み重ねがあり、古代の誰が描いたか不明な「ロングマン」のドローイングが地面にチョークで描かれたりしていた。
その素材が、自分が今落書きで使っているものと同じだという事実に気がついた時、何かが自分の中で180度転回するぐらいの衝撃だった。歴史的事実を自分が「共有」していることに。
つまり、時間軸を越えるクオリティということ。
僕のおじいさんは、一般的なおじいさんと違っていて、よくギリシア哲学の話をしました。世界がどのように成り立っているか。ひとつのルールで成り立っているのではなく、きわめてたくさんのルールが集積し、成り立っているのだと教えたのです。
一番重要なのは、どんな疑問があったとしても、その答えは、あなたの目の前にある。それを見つけたければ、ちょっとだけ角度を変えて見てみることだ。それだけで答えは見つかる、ということでした……」

『The Floating World』について、僕がくどくど説明するよりも、ぜひ本屋に行って手に取って欲しい。それは通常の意味でのデザイナーの「作品集」ではない。
この世界で生きるための態度表明、スタディ、ドキュメント、フィロソフィーに溢れた本であり、この本自体が「作品」そのものなのだ。

彼の思考が形成されてきたそのエピソードの断片。
リズムそのものがタイポグラフィーだということ。
そして音楽。
おじいさんがくれた1771年に印刷された「想像上の歴史」についての本の話。
百科事典のアルファベットのオーダーのおもしろさ。
東洋美術との出会い。

「北斎漫画のダイナミックさ、アニメーションの面白さに驚いた。まるで他の惑星の出来事みたいだった。特に西洋美術とはまったく異なる情報の整理の仕方に衝撃を受けました」

何処から来て、何をやって、何処へ行くのか。おじいさんが言ってた、角度を変えれば見える、ということと繋がっていて、これが浮世絵と呼ばれるものだと教えてくれたこと。
自分を含め、歴史、風景、すべてが漂っている状態であり、ひとつのものが変化し別のものへと変化していく連続だということ。
だから、素材も環境も違うすべてが集まり音楽を奏でていたと感じたこと。
その時から、『The Floating World』の探求（それはデザインの旅、冒険でもあるだろう）が始まったに違いないということ。
パンクの連中がユニオンジャックの旗をリコンストラクションすることの中心にある

ロマンやポエトリーのこと。
ブライアン・イーノの「オブリック・ストラテジー」と呼ばれるカードのこと、
ジョン・ケージの本『ア・イヤー・フロム・マンディ』のこと。
美大に入学した時感じた「やりたいことをやれ、それ以外のことは一切気にするな」という空気。
クラフトワークやYMOが与えてくれたリミックスの感覚。
そして、ドビュッシーの『海』。
イメージをどのように言語に変化させていくかということ。
そのような作業としての、書くこと、デザインすること、ドローイングすることについて……。

トークイベントは終了したが、僕たちはオープンカフェへ場所を変えて話し続ける。

後藤（以下SG）ージョンの話を聞いていて、古代の人間が気がついていた調和の美のことと、一方で存在するランダムネスのことについて連想した。
ジョン自身はどっちに向かっていると思う？
ワーウィッカー（以下JW）ーたしかにね。でも、古代の人間も調和性を考えた文化でもなかったんじゃないかな。野蛮な、自然と対峙するというね。
自然は、いつも予測不可能に満ちていて、それを宗教によって整理しようと求めてきた。言葉を発明すると同時にコントロールできるものにしようとした。それは時には、物事のエネルギーを殺したりするけれどね。
SGーなるほど。タオイズムとか、悟りとか、そういうものへの関心は？　落ち着きたくはないんでしょう？
JWーずっと旅が続いている、休む間はない。何も動かないことに悟りを見出す人もいるだろうけど、僕の場合は、変化していることに悟りを見出す（笑）。

周囲と自分のエネルギーがぶつかりあい、混合することに僕はひとつの悟りの場を見出しているんだろう。
SGー歳を取ると、動きがなくなると多くの人は感じがちなんだけれど、逆なんだね。ジョンはライブドローイングの話をしたけれど、それは、もっともっと重要になってくるんじゃないかな。
JWー外部から刺激を受けると、内側に溜まったものが溢れ出てくる。角度を変えてみれば、自ずと答えが見つかる。これもおじいさんの教えと同じさ。やっぱり、自分なりの悟りのエネルギーなんだろうね。
SGージョンの作品は、常に旅であり、マッピング、そしてリ・マッピングの連続だね。出版された作品集『The Floating World』も、『アイディア』誌での試みも、「終わりなき編集」に思える。
JWー生活の地図をつくること。生きる力のね。（坂本）龍一にしても常に自分を試し、新しいコラボレーションを企て、新たな場面に自分をさらしている。同じ気持ちなんだ。
SGー『The Floating World』の巻頭には、波の写真が入っていたね。海に対する関心が高まっているというのは、僕にも共感できることだ。
JWー波の音は自分が育ってきた時に、いつも聞こえていたし、常に変化していた。常に変化するということは、どこにでもあり、どこにでもないということでもある。同じ海であり、別の海である。
それに自分の血の中には、半分祖先であるブルトン人の漁師の血が入ってるせいがあるんだろう。森より海が気になる。
それから、おじいさんがよくこう言ってたのも思い出すんだ。空の雲のエッジはどこにあるんだ。海岸線のエッジはどこにあるんだって。
簡単だよと僕が描くと、また質問がくる。もう少し近づいて海岸線を描いてみろ。ほら、さっきと形が変わったろう？　もっと寄ってみろ。そうすると、波が打ち寄せるところで、境界線がなくなってしまう……。

SG−ところで、今、地球環境が危険にさらされ、サバイバルとクリエイションや想像力がひとつのものとなった時代に、我々にできることってなんだろうか？

JW−転換期においては、システムが崩壊する時が、かならず来る。災害は悲劇を生むが、しかしそれがなければ人間は再生するチャンスを逃してしまうだろうね。

SG−気象変動は人間の創造力にも大きな影響を与えるに違いない（そうして、僕たちは、また海の話に戻っていく……。そしてドローイングと海の話）。

そうだ、次に来日した時には、ギャラリーでライブドローイングをやってもらおう。

その日が来るのを、楽しみにしているよ。

2010.04

『The Floating World: Ukiyo-e』Steidl（2010）

1955年、イギリス・ロンドン生まれ。デザイン分野やファッション、建築、企業CMなど多彩な活動で知られるロンドンのクリエイティブ集団tomatoを、サイモン・テイラーやUnderworldのメンバーでもあるカール・ハイド、リック・スミスらとともに創立。Underworldのジャケットやアートワークほか、映画『トレインスポッティング』のアートワークを手掛けたことで世界的に脚光を浴びた。2006年よりオーストラリア・メルボルンに拠点を移し、現在はメルボルン大学の特任教授を務めている。

033_ Wolfgang tillmans
ヴォルフガング・ティルマンスに聞く：この世界を「アストロノミカル（天体的）」に見る

「ベルリンで会えるよ」というオーケーの連絡をもらったのは、そのわずか４日前の夜中のことだった。そして僕は今、飛行機に飛び乗っていて彼に会いに行く旅の途上。ウォルフガング・ティルマンスほど、写真を通して、この世界の意味を示してくれる同時代人はいない。僕の部屋は一面が大きな本棚だが、持っている写真集はそれだけだ。普通の人からしたら多いかもしれないが、コレクションというものではまるでなく、個人的なインデックスだと思っている。その中でもティルマンスの写真集は、とても僕にとって大切なものだ。ふと思ったときに、すぐに見れるように手の届くようにしてある。それは「ここ（here）」と「そこ（there）」を繋ぐ装置のようなものなのだ。

昼過ぎ、ベルリンに着いた。飛行場からホテルに直行。荷物を放り込んで、すぐにインタビューに出かける。

彼のスタジオは、多民族のるつぼであるクロイツベルクの近くにある。もう４月になるが肌寒い。ベルリンの街並みはグレーだけれど、行き交う人には熱を感じる。

約束の４時ちょうど。入り口のブザーを押す。階上のドアが開く。ロンドンのスタジオは行ったことはあったけれど、ここは初めて。マネージャーの女性が暖かく迎えてくれる。

ティルマンスのスタジオは、ロンドンのときより大所帯になっていたが、雰囲気はまったく会社ぽくはない。入ってすぐのところのコーナーは、不揃いな椅子やテーブルが寄せ集められていて、応接というより、スタッフが自由にお茶を飲んだり休憩できるコーナーになっている。そして、窓際の植物は伸びるに任せられている。

ティルマンスはすぐに出てきて、久しぶりに会えて嬉しいよと、迎えてくれる。まずは、スタジオの中を案内してくれる。とてもオーガニックな空間だ。オフィス什器なんか何もなく、プリントが収められた紙箱が天井まで積まれていたかと思うと、鉢植えの大きな植物が枝を伸ばしていて、続く広いフロアはコーナーごとに展覧会の模型や、テストプリントがチェックを待っている。

「ニューヨーク近代美術館での、個展準備をしているんだよ」

2017年に、立て続けに大規模な写真展をロンドン、スイスで行なったばかりか、同時進行で世界の各地で美術館レベルの展覧会が矢継ぎ早に行なわれている。コンゴや南アフリカ、エチオピアなどを写真展がアフリカを巡回している。
これほどまで、質と量、社会的な問題提起を精力的に行なっているフォトアーティストは、彼以外にはいないだろう。
楽器や機材が集められたコーナーもあれば、EU DAYのためのＴシャツを制作しているスタッフもいた。
ティルマンスは、アンチEU離脱派でアクティビストとしての活動も精力的に行なっている。
明らかにティルマンスは、新しいフェーズに入っている。そう僕は強く感じていた。
写真についても、アートについても、それがつまりは、世界と自分の関係についてが変わっているということだ。

後藤（以下SG）ー今日は、インタビューできてとても嬉しいよ。
2017年、ロンドンのテートモダンと、バーゼルのファウンデーションバイエラーで、立て続けにあなたの個展を観に行った。とても感動したし、新たな発見が多い体験だった。
90年代から何度もあなたにはインタビューをしていますが、今日は、写真だけではなくて、音楽の話もしたいと思って来たんです。
当然のこと、ティルマンスといえば写真というイメージが持たれる。でも2016年に、ミニアルバム『2016/1986』が発表されて聴いたときに、僕はあなたが新たなフェーズに突入したと思った。
でもそれはもちろん、写真家の余技などではないし、これは、現在における「アーティストという存在」を、アップデートするものだと思った。新しい曲も入っているけれど、あなたが生まれた場所でもあるドイツのレムシャイトで1986年に音楽活動をやっていたときの音源も入っている。まるで螺旋を描くように、時間がループしている。

ティルマンス(以下WT)ーそう、30年という時間の差があるわけなんだよ。

SGーあなたがドイツからロンドンに来た1980年代後半は、ちょうどセカンド・サマー・オブ・ラブという音楽のムーブメントが発生していた頃だった。ファクトリー・レコードからニューオーダーとかが出てきたタイミングだった。

WTーそうだね。でもその前に、ハンブルクに住んでいたときに、アシッド・ハウスがでてきて、それが僕が本当に実際の音楽ムーブメントに参加した瞬間だった。

なぜなら、それ以前の僕は若すぎたし、小さな町に住んでいたからね。学校を卒業して、ハンブルクに出てきたとき、アシッド・ハウスが熱狂的に広がっていた。そしてテクノへと向かっていく瞬間だった。

僕は突然、若者の新しいムーブメントの真只中にいることになったんだ。その瞬間を、10代の若者として迎えられたというのは、とても幸運だった。

東西を隔てていたベルリンの壁が崩壊し、80年代が90年代へと変わっていくとき、スタイルとコンテンツのパラダイムシフトが起こったんだ。

SGー音楽がアートのモデルになることは、コンテンポラリーアートを語るときに、もっと重要視されてよいことだと僕は思っている。だからあなたが、この音楽活動の再開を解禁したのには、とても大きな意味がある。

そして、もうひとつ重要なことがある。それは、あなたが2012年に出版した写真集『ノイエ・ヴェルト』と繋がってるんじゃないか、と僕は思ったんだ。あれは、最高の写真集だった。あなたにとっても、僕らにとっても。あれはあなたがデジタルを始めた契機だったし、世界各国を再び旅するようになったし。あの写真集は、世界に対し「新しい見方」をするという宣言だった。写真に限定しない表現の可能性が出てきたタイミングにもなったんじゃないかな。

WT－写真は僕にとって最後にやってきたメディウムだった。20歳の頃にカメラを買ったんだけど、それ以前にはペインティングやドローイング、音楽活動などさまざまなことを試していた。
写真が最後にやってきたのは幸運だった。写真が好きという理由ではなくて、ただ使いたいから使っただけだから。僕もある意味じゃ、無知で純粋だったんだよ。
僕は写真に関して執着したこともなかった。ただ自分にとって、もっとも伝えられるメディアだと気づいた。
つまり、写真となら世界について伝えることができると気づいたんだ。それはコミュニケーションのひとつの方法だった。
白か黒ではない中間に興味があったんだ。なぜなら言語というのは時には、とてもはっきりしたものだ。イエス、それともノーというようにね。そして人々もまた、物事を白黒つけたがる。だけど、世界というものも、世界の現実というものも、決して白と黒で分けられるものではないんだ。そのことに気づいていたんだよ。
SG－世界は、白黒にはっきり分けられないというのは、まさに『ノイエ・ヴェルト』のエディットを貫くものでした。音楽も写真もそうだけれど、そこには複数のレイヤーがある。
たとえば僕は文章という形で表現をするけれど、振り返ると、レイヤーに関しては、音楽から学んだことが大きかった。音楽に存在しているレイヤーと写真の中に存在しているレイヤーには共有するものがあると思うんだ。
WT－きみが『ノイエ・ヴェルト』を気に入ってくれてとても嬉しいよ。
僕も、これをとても誇りに思っている。こんな言葉は、いつもなら言わないんだけどね。だってすべてのものは人生からやってきて次から次へと構築されていくに過ぎない。なぜそれを誇りに思う必要があるだろう？
でも、これは人生と、これから構築していくものについて考えることで出来上がったもの。ある意味これは、自分自身を、意識的に再発見する試みだったから。

SG－ある種のリセットだよね。

WT－これは、2007年からスタートしていた。もう一度、「ひどい写真」をやりたいという思いがあった。なぜなら、やっていることを、自分が上手にやりすぎているという思いがあったからね。

でも写真を「取り戻す（take back pictures)」なんて言うのも、気取った態度だよ。君も知っているように、僕はシニカルにやるのは好きじゃない。それで、シニカルでも、批評的でもないやり方で、どうやって新しい写真をつくれるかを模索することにしたんだ。そこで僕は、この世界を「アストロノミカル（天体的)」に見るという見方をするようになった。

つまり、まるで他の惑星からの訪問者みたいに、この世界を見るということ。

でも、何の批評的な見解も持たず、価値という概念も持たずにすべてを見たとしたら、それは虚無的でそこには何もないということにもなりかねない。

だからバランスも必要なんだ。それはどのように自分の知らない文化を見るかの実験だった。

どのようにアフリカを、エチオピアを見るか。そしていつから自分は何かについて話をする特権を持つほどにうぬぼれてしまったのか。

初めて訪れる場所に着いた最初の二日は、とても頭の冴えたクリアな状態で、360度のすべてを頭の中に入れようと思う。たとえ､うわべに過ぎなくても､僕たちにとっては、それらの体験は、とても神秘的に感じられる。

同じように、ニューヨーク、ロンドン、ベルリンなど、よく知っている場所に訪れる時でも、新しい訪問者のようにそこを経験するようにしたんだ。ともかくそれは、基本的に2009年から2012、13年のことだった。

そのあと僕は、自身の個人的な体験と、『ノイエ・ヴェルト』の世界を繋げることに挑戦することになる。

SG－世の中は今の時代を指すときに「グローバル」という単語を使うけれど、あなたは「アストロノミカル」という単語を使う。
それはとても独創的だと思った。『ノイエ・ヴェルト』は、ベアトリクス・ルフが関わっていたチューリッヒのクンストハレのリニューアルオープンのときに発表された。ルフとあなたが対談したテキストを読んだが、ルフが「アストロノミカル」という単語に強く反応して、執拗に質問していたのが印象的だった。
対立的に見るのではなくて、アストロノミカルな視点から見るとすべてがイコールとなるというのは、なかなか受け入れられないかもしれない。写真集『ノイエ・ヴェルト』のレイアウトをよく見るとわかるけど、何かと何かが衝突するようになっていない、すべてが均等に併置するというようになっているんだよ。
WTーこれをつくったときは嬉しかったよ。この5年後だったとしたら、この見方を持つのは難しかったと思うから。世界がより分断されていっている、今日のようにね。難民問題に、テロリズム……いやもちろんテロリズムは2001年にも1999年にもあった。
だからこれはすべてずっと前につくられたものだけど、同じように今日でもできるかもしれない。しかし、ますます事態は複雑になっているよ。
SGーストラグルは存在しているんだけど、それを写真が扱う、扱い方は違っていくだろうね。
WTーこの本が完成したときは、「本」を書いたかのような気持ちだった。おそらくコラージュの作品をつくり始めたのもこれと同じ時期だ。
だけど、2014年になったときに、「音楽」に興味を持つようになった。
美術館に展示されない形式のアートとして、音楽を考えるようになった。
ちょうどそのときに、「Playback Room」というプロジェクトもイギリスで始めたんだ。
SGー2017年のテートモダンでの展覧会にも「Playback Room」があったし、あなたの80年代の頃の写真や、描いていた絵も初めて展示されていて、リミックスという側面がそこにはありました。
WT―いや、リミックスというよりもリコネクティングかな。
自分のパフォーマティブな側面を再発見して、再接続しようとしていたんだ。1988年かな、20歳のときになぜだか突然、カメラの目の前でパフォーミングするのをやめた。
雑誌『ARENA』のfragileの特集ページに載せた写真みたいなね。1983年から1999年は、そんなパフォーマンスもやっていたけど、それ以後は、やめた。カメラの後ろに立つようになったんだ。写真を、ニュートラルなフレームとラインのなかに収め、配置することを通してパフォーマンスするようになった。そして空間内で僕の存在を、ほとんど消したんだ。
でも、面白いことに、僕は美術館やギャラリーで夜に設営するときに聴く音楽を使い、自分自身の耳を通して、写真の配置を発見してきた。音のプロセスが好きなんだ。
どのように部屋は鳴るか、どのように壁が鳴っているかというようにね。
僕はいつも写真やインスタレーションを音楽的な方法で捉えている。
だから何らかの形で、繋がっていて、音楽のように写真と言葉で表現していることになる。
しかしどういうわけか僕は、文字通りのパフォーマンスの意味というのを否定的に見ていた。でもそれからfragileの写真を見たときに、そこから音楽的な側面を感じて、音楽とは何なのか、マテリアルの美とは何なのかを考えていたよ。
でも同時に、音楽的な部分も感じていた。
僕は物質的な世界で制作していて、いつも紙と物を扱ってきたけれど、同時に非物質的なもの、音楽の即時性を望んできたんだ。音楽はメディウムそれ自体だからね。僕は何のプランも組まないで、その方面へとゆっくりと進んでいった。でも「Playback Room」をやったときは、もう1回音楽活動をするなんて、まったく考えてなかったんだけどね。

SG－じゃあ、きっかけは？

WT－LAに行ったときに、僕は５人のミュージシャンを訪ねた。そこで彼らの写真を撮って、彼らがどのように音楽をつくっているのかを見たんだ。

とっても興味深かった。初めてだったからなのか、そこに僕の知らない新しい音があったからなのか、わからないけど、すごくインスパイアされたんだ。新しい音楽が集まっていた。

そのあとで、Pet Shop Boysと食事をすることになったときに、iPhoneの音楽ガジェットの話になったんだ。

SG－ちょうどそのタイミングのあとで、あなたは『Device Control』を発表しました。PVも面白かった。これは、新しい情報テクノロジーのイノベーションの渦の中に僕らはいて、未来への不安な批評もたくさんある。でも、あなたの表現は、新しいテクノロジーをシニカルに批評するだけでなく、自身もスタディしているというのが重要だと思いました。

WT－哲学的な歌にしようとしていないというところが大事なんだと思う。

楽しく観察すること。スマートフォンの広告の謳い文句を観察しているんだよ。僕は広告の謳い文句が、「You can stream your life（あなたの人生を再生できる）」と言っているように感じたんだ。「Live-stream your life（人生をライブ配信しよう）」ってね（笑）。

僕らは同世代だからたぶんわかると思うけど、1987年頃、僕の姉がコンピューターを持っていて、それは20メガバイトだった。

だからその感覚をいまだに持っているんだね。すべての人間が自分の人生を再生（ストリーム）することができる、というアイデアは、膨大なデータの生産とエネルギーの消費を併せ持っていて、完全に狂気じみてるように思える。

そもそも人が自分の人生を全部見る時間なんてない。おまけにそれらの提示のされかたも大体クレイジーだし。

Neue Welt
Wolfgang Tillmans

『Wolfgang Tillmans Neue Welt』 Taschen（2012）

だけどもちろん僕らは今その中にいる。
この歌は、その馬鹿らしさを、批判的に解説するんじゃなく、軽快に観察するようにつくられているんだ。それが、成功した理由だと思う。
もしこれをテクノロジーの批評としてつくっていたら、重くなりすぎる。
だからダンスソングのようなもの。しかもライブ録音した。
ちょっと二日酔いだった朝、突然僕の頭にこれが浮かんで、一気に全部歌いきった。つまり書き下ろして、1回ワンテークだけ歌ったんだ。それを僕のコラボレーションパートナーであるティム・クナップに送って、これをビードグリッドに入れられないかな？　と相談して。何とかやってみようってことになって、彼が切り貼りして、形にしてくれた。
SG－そうやってつくったものを、フランク・オーシャンが聴いて、その一部が使われることになった（笑）。
WT－2016年の９月にそれをリリースしたかったんだけど、ちょっと付き合いのあったフランク・オーシャンと彼の新しいアルバムの写真を撮るために会った。そのときに僕は彼に、音楽活動を始めたんだと言って、２つか３つのトラックを渡した。そのあと彼は『Device Control』は最高だと言ってくれて、その２日後に「これをアルバムのイントロに使ってもいいか？」という連絡が来たんだ。オーケーしたよ。だけと、実際にそれが使われるなんてね！　びっくりさ。それで８月に彼は、この全体で７分のイントロからなるビジュアルアルバムを、何の通知もなくリリースした。僕はその年のヒットレコードの中に、突然入ったわけさ。何の通告もなくね（笑）。
そしてその翌日、僕がカバー写真を撮った２枚目のアルバムがリリースされた。つまり第１のアルバムで、僕はミュージシャンとして７分登場して、続くアルバムではカバーをやったことになる。2016年の巨大な音楽の渦の中に、僕がいたのは、とてもシュールだったね。
SG－（笑）。あなたの『Device Control』に続く３枚目。これはメッセージ性が強いのかな。desireがテーマだよね。
WT－『Here We Are』はラブソングに近いかな。想像上のラブソング。これは、ニューヨークで僕を含めた６人のミュージシャンメンバーでバンドとしてつくった最初の歌なんだ。このアルバムのためにファイアアイランドに３ヶ月滞在したよ。
これは僕にとって、新しい章の始まりだった。それまで僕は１人で制作していたしね。
『Naive Me』は、ブレクジットが決定した２日後にレコーディングされた曲だ。
25年前にこんなことが起こるなんて、まったく想像できなかった。
SG－この『Warm Star』はローリー・アンダーソンの歌詞のやつだよね？
WT－ああ、そう一行だけ入っている。「We don't know where we come from」はローリー・アンダーソンの『Strange Angels』からの引用だよ。それ以外は全部僕が書いたんだ。あと、何について話さなきゃならないかな（テーブルの上に並べたアルバムをチェックしながら）。
SG－僕は行けていないんだけど、ハンブルクのクンストベルンで展覧会（「Between 1943 and 1973 Lay 30 Years. 30 Years After 1973 was the Year 2003」）をテートのあとにしたでしょう。2017年だから、このアルバムのちょうど次なんだけど、あれがすごく重要なんじゃないのかな？
音楽活動の再開、って言うよりも、もっと新しいことに挑戦していないかな？
WT－重要なんだ。
最初、あのサウンドインスタレーションは、テートモダンの展覧会の一部として試行してみた。テートで僕は、地下の大きなオイルタンクに、音と光のインスタレーションの場所をつくった（『South Tank』）。そこで20のライトと100分のミュージックオーディオインスタレーションをプログラムしたんだよ。でもこれは、美術館での４ヶ月の展覧会の、たった10日だけの開催だったのさ。
SG－じゃあそれが、ハンブルクの展覧会へ発展したと考えていいのかな？
WT－そう、その通り。テートが５月で、ハンブルクが９月だからね。当初はテートでのインスタレーションを、そのままハンブルクへと持ってこようしたんだけれど、テートの会場は円形だったし、特殊なプロジェクション法を使っていたから、四角い部屋にそのままでは使えない。
ハンブルクは100平方メートルの、巨大なスペースでの特別なショーだった。だけど本当は、ハンブルクは考えていなかった。なぜなら同じ年に、僕はテートとバイエラーで展覧会を２つ開催することになっていたし、おまけにこの２つは、まったく別の内容だった。しかも世界でもっとも重要な美術館のうちの２つだしね。
だから、ハンブルクのクンストベルンから、200周年を記念した展覧会をやりたいという依頼が来たとき、とても光栄だけど、バイエラーの直後に大きな展覧会はできないと言って断ったんだ。
そうこうしてる間にテートのプロジェクトが始まった。そこには表現の新しい方法、新しいマテリアル、新しい音と光があったんだ。そこで僕は、もし彼らがこの実験を続けさせてくれるのであればハンブルクでやろう、と思った。
ハンブルクでは、空間全体をひとつの作品として使うことが出来た。窓のカーテンの４分の３を閉じ、照明を消したので、このスペースのすべての光は窓の片側から来ていて、最終的に薄闇になった。そこには外部の環境との相互作用も働いているんだ。ハンブルク駅で録音した電車の車輪の軋みの音とかを挿入した。
クレージーな要素、スピリチュアルな要素、ときには愉快なボーカルが入ったり、馬鹿馬鹿しい要素、またトライバルな要素。それらが入り交じった、はっきりしない音たち。
そのようにして、僕は音楽を、何の計画もないままに始めた。どのように終わるのか、いつやめるか、どのように続けていくか、何も考えないままにね。
SG－このハンブルクのCDにもサウンドコラージュが入ってるんだよね？
WT－そう。展覧会で演奏した音も入っている。
SG－最近、ボーカリゼーションをあなたはよくやるでしょう。歌詞というより、一種のドローン。けれど昔のポストパンクのときはやってなかったと思う。そういうちょっとトライバルなボーカリゼーションはどこから来たの？

WT－これはケルンの1985年と1986年のレコーディングなんだけど、ここにもそのような実験的な声の使い方が含まれていたよ。

SG－なるほど。どうして聞いたかというと、「fragile」という展覧会が、アフリカを巡回したよね。アフリカは『ノイエ・ヴェルト』にとってきわめて重要なファクターだ。だから、トライバルな音楽から影響を受けたんじゃないかと思ったんだよ。

WT－いや、そこには繋がりはないんだ。同じ「fragile」というタイトルだから混乱するよね。だけど、そこに関係はなくて。

おかしな感じだけど「fragile」って、本当にアフリカ巡回展のタイトルにふさわしいと思った。この言葉は、僕が若かった頃から親密に感じる言葉だった。

自分自身の「脆さ（fragility)」と向きあうことを通して感覚を得たとき、それはどんな強さにもなりえる。

つまり強さは強さからやってくるんじゃなくて、自身の「脆さ」を理解することからやってくるから。僕のすべての写真とアートワークの根幹には、この「脆さ」との多義的な関連がある。

これを完全に理解は出来ないかもしれないけれど、受け入れることは出来る。

僕は「脆さ」を楽しんでいるんじゃない。

だって永遠に若くいたいからね。

だけど最終的に、僕らは死んでいくし、老いていく。ここで座って「脆さ」についてそれを操作できるかのように 話せたら楽しいだろうけど、もちろんそれはできないよね。僕らは病床に横たわり、痩せて衰えていく。

「fragile」について、明確に言うことも見せることもできない。なぜなら、知らないから。それについては、謙虚でいること。そして同時に、それを認めなければならない。

たとえば、ジェフクーンズは「強さ」を見せる、異なるアプローチの例だ。彼はきっと「ここで表現されているすべては脆さ（fragility）だ、だから僕はスチールをつくるんだ」と言うだろうね。まあ、もちろんわからないけど。
つまり僕が言いたいのはすべての物事は根底に同じ問題を持っているということさ。
それで「fragile」という言葉はこの展覧会にとても合うような気がしたんだ。
そういえば2013年の展覧会で、この言葉を入り口にサインしたことがあった。はじめはただ Wolfgang Tillmansだけを描いたんだけど、設営中に「いや違う、僕はこれをfragileと呼びたい」と言って、描いた。そうしたら、僕のギャラリストがやってきて言ったんだ。
彼は、思慮深い男で、「デュッセルドルフ州立美術館という重要な美術館で巨大な回顧展をオープンするんだぜ。その君のどこがfragileなんだよ。君はここで力を持っている。権力の象徴のような場所にいるんだよ」。そう言った。
いいアドバイスだなと思った。
その話を今思い出したよ。
だけど僕はfragileな世界との繋がりを感じていたし、それにそこは僕の故郷とも交わるデュッセルドルフだから、fragileを表したかったんだよね（笑）。
SG－ところで、バンドのfragileには特定のメンバーがいないんだよね？　fragileの構成はオープンに見える。とても流動的に見えるけど。
WT－僕は、今この言葉を、人生の形成、人生のパフォーマンスのためだけに使っている。あとそれ以外に、fragileは、レーベル自体の名前でもあるんだ。バンドメンバーの１人はコロンビアのボゴタに住んでいるし、他の３人はNYに住んでいる。だから、これはテンポラリーなバンドプロジェクトと言っていい。
僕らはプロジェクトをつくるときしか会わない。別に集まる機会がないからね。
だから会うのは、基本的に１年に１回だけ。
そこには中心はない。
たしかに僕のプロジェクトだけど、とてもオープンさ。最近ではセス・トロックスラーのLSOS（Lost Souls of Saturn）というプロジェクトで『World Of The Wars』のリミックスをやった。
あと今はリスボンでやる公演に向けて準備しているところ。ライブボーカルと一緒にビデオやレコードミュージックを使うパフォーマンスさ。これは僕が今年からやっていきたいこと。どのようにビジュアルとパフォーマティブな側面を持っていくかということさ。
SG－新しい表現に近づいているね。
WT－たしかに、新しい言語を開発しているね。これから５年目を迎えようとしているけれど、より自然になってきた。でも大事なのは、僕は写真に飽きたわけじゃないということだ。僕のギャラリストは心配していないよ（笑）。スティーブ・マックイーンみたいに、アートをつくるのをやめて映画監督を始めたりとかね。そんな風には、僕はならないから（笑）。
2019.03.29

1968年、ドイツ、レムシャイト生まれ。ベルリンとロンドンを拠点に活動する。自身を取り巻くカルチャーやクラブシーン、同世代の友人たちをスナップショットのような手法で撮影した写真は、セクシャリティなどの社会的なテーマを内包した作品として注目を浴び、2000年には「ターナー賞」を受賞する。近年では、ミュージシャンらとのコラボレーションや、アルバムのリリースなど音楽活動も積極的に行なっているほか、社会問題へのアクションにも注力。2022年９月からニューヨーク近代美術館で個展「To Look Without Fear」が開催される。

034_ Diego cortez
ディエゴ・コルテスに聞く：
エクストリームでラディカルであること

ニューヨークのダウンタウン・アートシーンを、バスキアやキース・へリングスらと一緒につくってきたディエゴ・コルテスは、ハイとローという、一見するとかけ離れたものを繋げて、次代のコンテクストを常に生みだしてきた。
そこに存在する、よりリアルで、人間の根源的なものを捉えることは、パラダイムシフトが起こる今という時代において、とても重要なことだと思われる。
彼がキュレーションするブルース・ダベンポート・ジュニアのショーが原宿のVACANTで開催された。来日したディエゴに話を聞いた。

後藤（以下SG）－最初に、ディエゴがブルースにどうやって出会ったのか教えてくれますか。
コルテス（以下DC）－2010年の８月、MoMAで、ニューオーリンズのディドという女性アーティストに、紹介してもらったのがきっかけです。ブルースの作品を観てすぐ気に入った。僕はベネトン家のアートアドバイザーをやっているんだけれど、彼らに見せると、早速10点購入したんだ。そこから彼のエージェントを務めることになった。
SG－あなたは、バスキアみたいに人間の根源的な力をくれる作家を、多く発見してきました。ブルースに対しても同じ視点を持っているのですか？
DC－いろんな要素があるところに、ブルースの作品の魅力を感じる。僕は、もともとフォークアートが好きだし、ちょっと曲がっていたり、歪んでいたり、完璧ではないもの、いわゆるエデュケーショナルな部分ではないところに人間味がある。
ニューオーリンズは古びたところがあって、雰囲気がある街なんだけど、ブルースの作品は、それをすごく反映している。
彼みたいにまったくアートを知らない人が作品をつくって、アートギャラリーで見せるプロセスにやりがいを感じるんだよ。
今の黒人文化における新しい象徴というか、ヒップホップとも似ていて、何もないところから自分たちで学び、独自の文化をつくり上げていくというアプローチは、まさに今回のブルースの作品と繋がることだ。
SGーディエゴは僕にとって優れたキュレーターです。いわゆるアカデミックではないけれども、文化人類学的な知見が幅広いし、文化、民俗、もちろん美術にも精通している。
なかでも面白いのは、さまざまな根源性に注目していて、そのハイブリディティな部分を紹介している点です。あなたにとって根源性はどうゆうものなのだろう？
DCー僕はラディカルな思想や物事に興味があるので、ラディカルなもの、つまり今「ここ」にあるものではなくて、「外側」にあるものや、ワイルドでクレイジーな人が好きなんだ。
「中心」にいる人たちは、やっぱり安全で守られてる部分があるからね、ここからは面白いアイデアは生まれない。中心から一番離れたところにいる人たち、一番エクストリームでラディカルな人たちが、何を考えているのかをいろんな方向でピックアップしていきたい。僕自身、大学時代に、人種というコンセプトやしがらみから逃れるために、ラテン系の名前に変えたんだ。そこから僕は自分の人種のアイデンティティを捨てたんだ（笑）。
また、僕のキュレトリアルワークのポイントは多様性で、一貫性や関連性を持ち込みたくないんだ。自分のテイストというものはないし、むしろ僕はすべてのテイストを発見し、すべての方向に進みたい。もはやコンテンポラリーアートという概念自体には興味がないし、そうではない別のアングルから、いろんなものを見るようにしているんだ。
SGーあなたは昔、東京に住んでいたけど、今までアジアに関するプロジェクトはやっていなかった。今回なぜ東京でショーを開催することにしたのですか？
DCー僕は日本人の感性をとても信頼していて、この作品が語っているものを日本人なら理解できると思い、東京を選んだ。
SGーブルースの作品に「I see you looking」と書かれているけど、これは何な

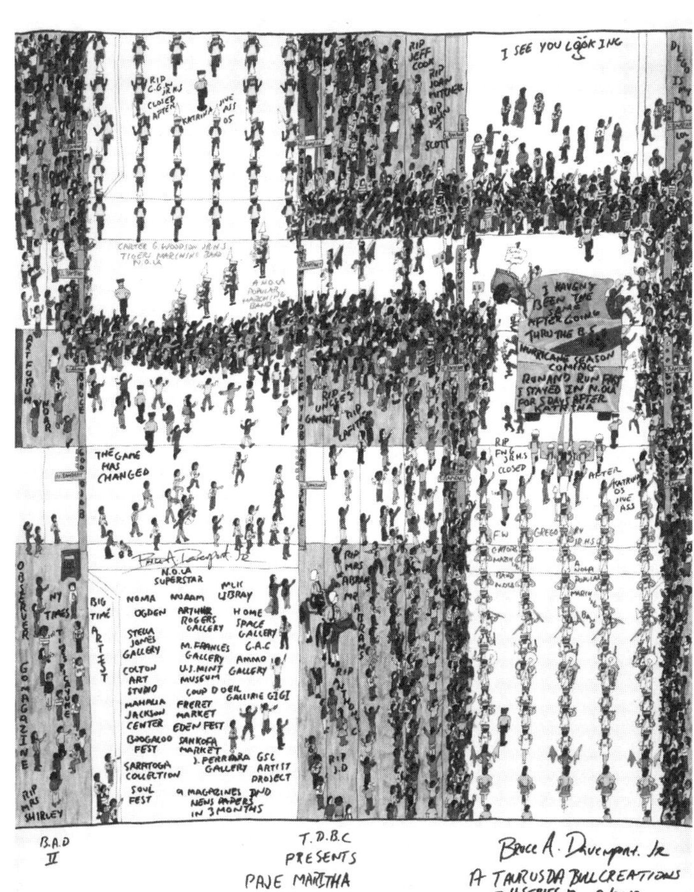

Bruce Davenport Jr.

Good Stuff To Look At

ブルース・ダベンポート・ジュニア『Good Stuff To Look At』VACANT（2021）

んだろう。

DC－「お前のことを見ているぞ」という観客に向けてのコミュニケーションだね。あとは彼の周りのなかで亡くなった親戚や、お世話になった人、2005年のハリケーン・カトリーナで被災したことなど、その時その時で彼が体験したものがそのまま描かれている。ブルースと草間彌生の作品はどこか似ている。日本人は草間を評価しているし、海外でも認知されているけれども、本当に彼女の素晴らしさを理解している人は少ないのではないか。僕は、草間はアブストラクト・ペインティングの頂点にいると思う。それは、彼女は無限や宇宙へのコンセプトというように、他のペインターとはまったく違うところに夢中になっているし、枠の外、つまりエクストリームのところで、ものを考えているから。彼女は、他のアーティトと比べて一線を超えたところにいるんだ。ブルースの作品の何が本当に面白いところかというと、ヒップホップやグラフィティと一緒でアカデミックなヒエラルキーの社会から出てくる言語ではなく、ストリートから生まれた言語であるところだ。

以前デューク大学で、博士号を持つ黒人のインテリ教授とブルースが対談したとき、お互い黒人だけどまったく持っている言語が違っていた。ショッキングだったけれど、２人がぶつかりあった後に、ストリートから出てくるような、根源的なアイデアや言語がリアルで、重要性のあるものだと強く思ったんだ。

2012.10

キュレーター。アメリカ・イリノイ州出身。1973年よりNYに移住し、NYのダウンタウンシーンに深く関わり、フィリップ・グラス、ローリー・アンダーソン、ブライアン・イーノ、アート・リンゼイらアーティストと共演／共作、また、トーキング・ヘッズ、ニコなどのビデオディレクターも務めた。1978年にはアーニャ・フィリップスらと共に伝説的な「Mudd Club」をオープン。1981年には当時若干21歳だったジャン＝ミシェル・バスキアやキース・ヘリングも参加し世界的にその名を知られるきっかけとなり、NYのアートシーンに多大な影響を与えた「New York / New Wave」展をP.S.1にてキュレーションした。バスキアを世界的に有名にした立役者と言われている。2021年６月、ノースカロライナ州バーリントンで死去。享年74歳だった。

035_ Theseus chan
テセウス・チャンに聞く：アートと編集とキュレーション

僕は雑誌『エスクァイア日本版』で、「闘うグラフィックデザイン」という号を、まるまる1冊、企画編集したことがある。ジョナサン・バーンブルックやブルース・マウ、フュール、アバケなど、共感する世界中のラディカルなデザイナーを尋ねて取材した。

日本だとグラフィックデザイナーの概念や職務は自己限定性が強く、おまけにムラ意識が強すぎて辟易とさせられることが多い。おまけにデザイナーのエゴや不必要なアートコンプレックスに驚かされることも多い。

そこにデザイン外から風穴をあけ、別のバイパスを繋げようと企画したのである。

シンガポールのデザイナー／アートディレクター、テセウス・チャンとは、その時はまだ知りあっていなかったが、彼がつくっているものを一目見た時から、「同胞」だと思って、その後、何度も会い、インタビューもしてきた。

彼が自ら出版するヴィジュアル・マガジン『WERK』は、毎号、ユニークな「仕掛け」があり、いつも刺激される。写真やアート作品を再編し、見たことのない「異質」なものに価値を変換するからだ。

コム・デ・ギャルソンや田名網敬一、イーリー・キシモト、ヤン・デ・コックらをコラボレーションの対象としているだけでなく、ある時には、冊子の表面が焼け焦げ。またある時は、紙の破片が手作業によって貼りつけられたり、もはや雑誌そのものが「アート作品」と呼ぶに等しい存在感を示しているのだ。

アートブックとは、カタログのことではない、とテセウスのつくる本を見た時に、いつも思わされるのである。

その中でも僕が愛するのは、編集、発行したコム・デ・ギャルソンとのコラボプロジェクトである「ゲリラストア」とその印刷物である。

テセウスは、2004年シンガポールにオープンした〈COMME des GARCONS Guerrilla Store +65〉に関わり、その後、シンガポール内で、ハイエンドな商品を売るグラマーな商業区域を避けた場所で、本当にゲリラ的に店をプロデュースしたのだった。それまで、別の店舗だったところがインテリアはそのままで、ギャルソンのブティックになっているゲリラジンの写真は、アートブックとしても衝撃的だった。

後藤（以下SG）ーまずテセウスは自分のことをどう定義しているの？　アーティスト？　それともデザイナー？
チャン（以下TC）ーほとんどの時間をグラフィックに費やしているから、グラフィックデザイナーの方がいいかもしれない。アートをやりたがるデザイナーは多いけど僕は違う。
SGーグラフィックデザイナーを志したスタートポイントは何だったんだろう。
TCー転機は自分のスタジオを自由につくれるチャンスに恵まれたとき。いろんなやり方で、自分のスタジオや仕事をデザインしたり、ビジネスやプロジェクトを運営できるようになった。
誰にも邪魔されずインディペンデントな立場でイエス、ノーを言える自由を得たんだ。活動の上で、すごく重要なプラットフォームを手に入れた。
僕の仕事には２つの側面があって、ひとつはコマーシャルな仕事。もうひとつは、スタジオをつくった3年後、2000年にスタートした『WERK』。クライアントやコマーシャルなプレッシャーからもっと自由に仕事をしたくて始めた。
SGー『WERK』には、最初からすごくグローバルな視点が入っていて、大きなビジョンが感じられたけれど、何かインスパイアされたものはあったんですか？
TCーそれはない。自分のためにやったんだ。デザイナーとしての自分の見方や、方法を表現したかった。
最初の５号までは、特に自分がやりたいことにフォーカスするものでもなかったしね。ただ、エディトリアルなコンテンツにしたくなくて、ヴィジュアル・ランゲージを中心にしたかった。雑誌のサイズもわざと大きくしていたんだけど、６号目からは、あえて典型的な雑誌の大きさに変えた。

わざと「古くさい広告雑誌」みたいにして、どうやってそれを目立たせることができるか挑戦したかった。

SG－『WERK』という名前はどこから？

TC－会社には「WORK」という名前をつけたんだけど、「work」はドイツ語では「werk」。「we」（私たち）と「work」をならべて「wework」にすると、コラボレイティブな印象が強くなるかなと思ってね。

SG－テセウスの仕事には２つの側面があってひとつはアーティストとのコラボレーション。もうひとつはコム・デ・ギャルソンとのプロジェクト。早くからゲリラストアやZINEを始めていたよね。

TC－もともと彼らもすごくアートに近い存在だったからね。ファッションブランドなのにアートとの接点をどんどん増やしていて、アートと接続するよりもっとラグジュアリーにするほうがブランディングとしては簡単だと思うんだけど（笑）。

ファッションとアートというプラットフォームで新しいことをやるには、ギャルソンはうってつけだった。

『WERK』は、表現する方法を探すことにおいてはすごくナイーブだよ。５号目ではテキストを印刷しなかった。６号目以降も、そういう強い試みがあって、印刷所に行ってインクを多く盛ったら何が起こるか実験してみたり、リサイクル紙を使ったり、重ねて印刷したりもした。僕はよくある典型的な雑誌には飽き飽きしていた。表紙に箔をつけたり特別な装丁にしたりする方法もあるかもしれないけれど、限界を感じていた。だからわざと水に入れたり、汚したり、壊したりして、何か違うものをつくり、僕自身も人も驚かせたかった。

SG－ただ破壊するだけじゃなくて、リ・コンストラクトというか、デコンストラクションしていると思うね。

ゲリラジンのアイデアはテセウスの方から出したの？　それともギャルソンから？

TC－アイデアは、多くの場合、観察から生まれてくる。

あとは僕の哲学で、人々が失敗、間違いと見なすようなものをあえて使い、間違いに見えないようにするということ。一度くしゃくしゃにして､水につけて､テープを貼ったこともあるけれど、それはゲリラストアで、客に見られてボロボロになったゲリラジンを見て思いついたんだ。誰もが失敗だと思うようなものを使い、表現することが面白い。
SGー機械でプリントされたものにステンシルやスプレーをしたりしてるよね。ハンドメイド的な要素を重視しているね。
TCー理由は2つあって、デジタルは完璧なものをつくることを可能にした。
でも、僕はデジタルが導入されてからも、わざわざ手で切って、プロマイドをコラージュして、のりでくっつけたりして、アナログ的な要素を持ち込みたかった。
それから、多くのデザイナーたちは、レイアウトする時、タイポグラフィや写真をうまく使って、美しくレイアウトするやり方を試してきた。でもそういうのは、溢れ過ぎてる。
このあいだ別の仕事で､文字を全部ボックス､固まりにして､わざと平坦なフォーマットにしてみた。シンプルにしても、誰かを驚かせたり面白がらせたりすることできるか挑戦だよ（笑）。
SGーそれから、あなたには、キュレーター的才能があって、いろんなアーティストをキュレートして結びつけるようなことをしているよね。ヤン・デ・コックと一緒にやったり。あれには驚いた。
TCー出会いは、本当に偶然でしかないんだ。ただいつも物事や人に出会えるように、チャンスの窓は開けている。
チャンスが巡ってくれば、すぐに行動に移す。コマーシャルのプロジェクトが難しいのは、いくつもステップがあって、慎重になりすぎるところだ。実現したときにはもう退屈になってしまっている。
SGーギャルソンのゲリラストアも、ヨーロッパの田舎の街でつぶれたような店でも開いて、実際そこに行く人は限られているけど、それを撮影してマガジンにすると、世界に広がっていった。とても刺激的だったよ。

ゲリラストアみたいなプロジェクトを自分で起こすという気持ちはないのかな、ギャラリーとか。

TC一前のオフィスには展示のスペースがあった。でも今は新しいところに移って、ちょっとスペースが足りない。でもまた別のステップに行きたいと思ってるところなんだよ。

2013.01

『Guerrillazine A/W 2004-05』
COMME des GARCONS（2004）

1961年、シンガポール生まれ。ナンヤン芸術学院でグラフィック・デザインを学び、マッキャンエリクソンなど外資系の広告代理店にアート・ディレクターとして勤務した後、1997年にデザイン・オフィスWORKを設立。コム・デ・ギャルソンやANREALAGEなどとのコラボレーションワークを手がけるかたわら、雑誌というスタイルにこだわり抜いた表現を世に送り出している。2006年シンガポールのプレジデンツ・デザイン・アワードで「デザイナー・オブ・ザ・イヤー」を受賞。2015年には、唯一のシンガポール人として国際グラフィック連盟のメンバーに選ばれた。

第６章
平面の再生と享楽

アート・ディーラー

この本は、ローラ・ディ・コペットとアラン・ジョーンズが、ニューヨークのアートシーンを動かすギャラリストに取材してつくった本であり、「アートの価値」がどのように形づくられていったかという貴重な「発言」に満ちている。
『アート・ディーラー』訳・木下哲夫、PARCO出版局（1988）

誰もの頭に浮かぶ「問い」は相変わらず、「価値のある平面とは何なのか？」「何を評価し買えばよいのか？」かもしれない。
「価値」は変わっていく。貨幣の価値が国家と金本位により規定されていた時代はとっくに去り、デジタル通貨とブロックチェーンによる暗号通貨のフェイズに突入している。それだけではなく、「所有」という「価値」もサブスクリプションやシェアリングを実現化するテクノロジーにより大きくシフトしつつある時に「アートという価値形態」を「所有」することの意味やシステムも、当然のことながら急速に変化する。NFTで「所有」したアートは、瞬く間に「トレード」もされるし、自分がどのような作品を「所有」＝「コレクション」しているかということもSNSで拡散され、その「所有者のバリュー」やブランディングにも強い影響を与えるようになる。
もちろんこのような推移には多くの異論があるし、プラットフォーマーの独占は問題になるかもしれないが、不可避的に進んでゆくだろう。
そこで本題の「平面の再生の享楽」である。
平面芸術は現在も「アートワールド」の中心にいる。ダミアン・ハースト、村上隆、ゲルハルト・リヒター、デイヴィッド・ホックニー、そして次代の盟主たるマーク・ブラッドフォードらが、アートマーケットのトッププレーヤーであることは間違いない。
しかしだからと言って、現代が平面芸術について幸福な時代であるかどうかは疑わしい。今は「芸術運動（イズム）」の時代ではないし、絵画の内在的な論理やスタイルが「価値生成」の要点とも言えない。「印象派」や「キュビズム」、あるいは「ニューヨーク派」「ニューペインティング」というような「動き」を組織することはますます難しい。

セザンヌやルノアール、モネらを売りだしたポール・デュラン＝リュエル。抽象表現主義絵画とペギー・グッゲンハイムやグリーンバーグとローゼンバークら批評家たち。そしてベティ・パーソンズやサムエル・コーツ、チャールズ・イーガン（そして引き続いて登場するレオ・キャステリ）らコマーシャルギャラリー。彼らが共同してつくり出した「エコシステム」をいかにアップデートし、プラットフォーム化できるか。これはきわめて今日的課題だ。

現在のオークションセールスの記録においては、デ・クーニングやジャクソン・ポロックらが上位を占めているが、この事態は、かつてのプレーヤーたちなしには到来しなかった。このような「現状」を踏まえた上で、いかなる「平面」が生成されているか。その「進行形」を再検討することはきわめて重要である。

ウォーホルが1987年に死に、フランシス・ベーコンが92年にこの世を去って以降、現存し、平面の前線で活躍し続けるアーティストはゲルハルト・リヒターであり、デイヴィッド・ホックニー、そしてジェフ・クーンズである。ホックニーやクーンズのオークションレコードは、それぞれ100億円以上に達する。クーンズのそれは立体（シルバーバニー）で

ジェフ・クーンズ
Jeff Koons 1955-

アメリカ生まれ、アーティスト。1980年代にコンセプチュアルな彫刻を始め、「Statuary」や「Banality」シリーズに発展させる。資本主義の欲望とアートを重ねあわせたストラテジーにより制作。存命のアーティストとしては最高額のオークションプライスを持つ。
『EASY FUN-ETHEREAL』
Guggenheim Museum Publications（2003）

はあるが、彼は「平面」作品をもきわめて戦略的につくり出しており、それはコンテンポラリーペインティングの「価値生成」の手法として特筆すべきものだと思われる。
2001年にベルリンのグッゲンハイム美術館での個展のタイミングに出版された作品集『Easyfun - Ethereal』には、イギリスのクリティックの長老デイヴィッド・シルヴェスター(フランシス・ベーコンへのインタビューでも知られる)が、ジェフ・クーンズに行なった興味深いロングインタビューが掲載されている。
「ペインティングでは、まず静物画のような小さなセットから撮影した写真をキャンバスに投影し、そこに基本的なプロポーションと写真から拾えるものを置いていきます。ペイント・バイ・ナンバー方式（1950年代アメリカで流行した絵画キット。線画の部分に数字が書かれており、その順に絵の具を塗っていく）で、スーパーリアリズムにスタイライズしていく過程を経ています。混じり気のない、超現実的な作品に仕上げていきます。(中略)とてもポップで、無邪気さが漂っています」
クーンズの絵を観ると「バロックを思いだす」と言うシルヴェスターに対する答えである。
そしてクーンズは、バロックは常に鑑賞者を介入可能な状態する、それが「自信と安心感を与える」のだと説明する。
「私がいつも心掛けているのは、観る人に自信を持ってもらうこと。自分の中に基盤をつくってもらうことです。私の作品は人が人生を楽しみ、人生をできるだけ豊かにし、安心で

ゲルハルト・リヒター
Gerhard Richter 1932-

旧東ドイツ生まれ、画家。1961年に西ドイツのデュッセルドルフに移住。ジグマー・ポルケらと資本主義芸術グループを結成していた。フォトペインティング、カラーチャート、グレイペインティング、アブストラクト・ペインティングなどを展開。また『アトラス』など写真作品も発表している。
『ゲルハルト・リヒター 写真論／絵画論』訳・清水穣、淡交社（増補版、2005）

きるようにするためのサポートシステムだと思います」と答えている。
このような発言を平然と行なうクーンズを嫌う人が多くいることは予想できる。しかし成熟した資本主義社会において、サルバドール・ダリのパラノイア・クリティークとアンディ・ウォーホルの哲学を吸収したジェフ・クーンズの「価値生成」術は、実に確信犯的だ。
クーンズがモチーフを厳選し、欲望を喚起させるべくスタジオで「生産」する絵画は、見事な「解」であり、その「制作方法」を今や多くのアーティストたちが当たり前のものとして採用している。その「有効性」の事実は認めざるをえないだろう。
1932年生まれのゲルハルト・リヒターの影響は、ペインティングをやる者ならば避けては通れないものだ。それは、モダニズムとその次の過渡期がない交ぜになったことによって引き起こるトライ＆エラーが、リヒターという「画家」と「絵画作品」の坩堝の中ですべて発生しているからだ。
写真と絵画の関係、偶然、アブストラクト・ペインティングを再演すること、そしてガラス、鏡……。彼はベンジャミン・ブクローのインタビューに対してこう語る。
「自分は、絵画芸術および芸術一般という、恐ろしく偉大で豊かな文化の継承者だと思っている。それは失われてしまったが、なお我々はそれに負っている」
とは言え、彼は絵画の凋落に抗する責任を背負うつもりはない。しかし諦めるつもりもないと言う。執拗にリヒターをポ

デイヴィッド・ホックニー
David Hockney 1937-

イギリス生まれ、画家。1960年代にアメリカのロサンゼルスに移住し、ポップアートの影響下で制作を始める。写真や版画から絵画・舞台美術へと制作の中心は移っていく。古今東西の絵画に精通し、著書も多い。2017年からはロンドン、パリ、ニューヨークを巡回する大回顧展が行なわれた。
上『絵画の歴史』訳・木下哲夫、青幻社（増補普及版、2017）
下『CAMERAWORKS』Knopf（1984）

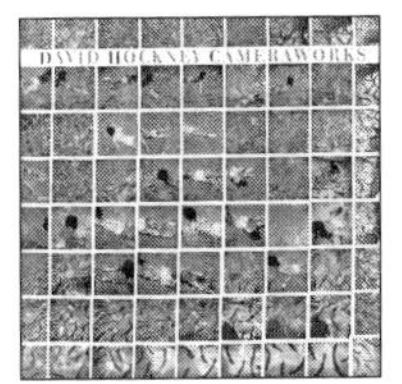

ストモダンに位置づけたいブクローに対してリヒターは一貫してNOを言い続け、対話はこう終わる。

「絵画を通じて僕がしようとしているのは、他でもないもっとも異質なもの、もっと矛盾に満ちたもの同士を、できる限り自由で活発に生きられるように結びつけようとしているわけだ。天国ではないんだ」

リヒターは写真を使って絵画を制作する点だけならばクーンズと同じだが、考え方はまったく異なる。写真を使って描かれる時、モチーフが意味あるものでなければならないのか、そうでないか。このリヒターの「問い」は、本章に収録しているデュマスやタイマンスでも同様につきまとう。「矛盾体」であるがゆえに批評的価値を生成する。リヒター的な平面への戦略はそのような回路なのだ。

デイヴィッド・ホックニーもまた、前者２人と同じように写真との相関の中で絵画を生みだし平面を扱ってきた。リヒターにおいては、政治と私生活など異質なものがグリッドに配置されることが写真作品「アトラス」の戦略であったがそれに対し、ホックニーはキュビズムの多視点的なフォトコラージュを試み､かつそれを否定する。その上で絵画を「生」として肯定するのである。実にツイスティッドな戦略を今も取り続けており、iPadによる絵画もまた精力的に制作している。彼は言う。

「絵画に進歩はない。最良の絵のいくつかは、最初に描かれたものだ。ひとりの画家だけを見てみれば、成長しているかもしれない。人生とはそうしたものだからね。しかし絵画そのものは進歩することはない」
このコトバを僕は決してネガティブだと思わない。リヒターもホックニーも、そしてクーンズも人間が積み上げてきた「絵画の歴史」に対して大きなリスペクトがある。極論すれば、彼らの大半の絵は、「絵画の歴史」というアートワールドの中で考察され生みだされ続けているものだと言ってよい。
ホックニーの発言はそのようなことだ。彼は美術評論家マーティン・ゲイフォードとの共著の中で、絵画は実は写真が誕生する前からカメラ･オブスクラのような「光学装置」や「遠近術」によってつくられてきたことを暴露した（それにならえば、クーンズのやり方はなんと古典的か！）。ホックニーは美術史は画像について何も語ってこなかったと反証しているのだ。彼は絵画をオルタナティブな「美術史」へシフトした。我々は長い間、美術史の隘路に自ら迷い込んでいたのかもしれないと囁くのだ。ならば何からやり直せばよいのか？
ホックニーはゲイフォードにiPad絵画を説明してこう言うのだ。
「テクノロジーのおかげでいろいろなことができるようになりましたが、それが絵画に役立つと考えた人はいなかったでしょうね」
絵画も写真ももう一度、「外」へ、そして「生」の享楽に向かわなければならないのか。

036_Sigmar polke
ジグマー・ポルケに聞く：トランスフォーメーション

１枚のポラロイドがある。半透明のカーテンをかぶって男がおどけて笑っている。その被写体はなんとポルケ本人で、インタビュー後、機嫌がいいので、頼んで個人的に撮らせてもらった。だからといってインタビューが最初から順調に行ったわけではない。「インタビューじゃなきゃダメなのか」。のっけからポルケは言い、僕が「トランスフォーメーション」というコトバを持ちだすと、それは電気のテーマだとか、性転換の話だとか煙に巻こうとする。
老獪（ろうかい）、韜晦（とうかい）。かつて「資本主義リアリズム」グループとして同朋だったゲルハルト・リヒターが、戦後ドイツ絵画の巨匠にまつりあげられても、一方ポルケは脱走する、逸脱する、それでいて撹乱することをやめない。
2005年の春、バーゼルのアートフェアに行った折、チューリヒのクンストハウスで、大規模なポルケの展覧会を観た。
『仕事と日々』。紀元前のギリシアの詩人ヘシオドスの作品タイトルからとったこの展覧会は、上野の森美術館にも出品された80年代の代表作『ネガティブ・バリュー』も含まれたが、半分ぐらいは新世紀になってからの作品で、ポリエステルを染み込ませたフィルムや、さまざまな布地を継ぎあわせたキャンバスを使ったペインティングには、圧倒された。錬金術、ムラサキ貝、ウラニウム、サーカスの人形、写真群……。あきらかに戦略的に組みあわせされた「イメージ」が観る者を襲い、困惑させる。東京での展覧会「不思議の国のアリス」（2005）にそれらが出品されていなかったのは残念だが、それでもポルケの戦略は充分体験できる。このようなアーティストに何が質問できるというのか。
しかし、僕はポルケに聞きたいことがあった。それは、よく美術批評家がするアメリカのポップアートとの関係などというものではなくて、彼がつくり出した「パポロジー」というコトバについてだった。

「そうだ、私がつくった。パポロジーのパペは紙（パピルス）から来ているが、2つのことを張りつけること。パポロジーには、皮肉が入っていて、多重的で、だから芸術概念や論理学を茶化す、パロディー化する。学問的な概念に含まれる、そもそもの無意味性を提示するものだ。コンセプチュアルアート的であり、ダダ的要素も含まれている……」

ポルケは言った。

彼は包装紙に印刷された画像について説明した。世の中にはさまざまなシステムがある。お金も、彼がモチーフにする錬金術も、スポーツやアートだってシステムだ。包装紙の画像はそのシステムのシミュレーションだが、それ自体に意味があるわけではない、問うても仕方がない。ポルケはそんな話をした。

「パポロジーに私がいつ気づいたとか、そんなことの説明さえも意味がない」と続けた。

もちろんあきらかにポルケは錬金術に興味がある。しかしそれは、金を得られることはないエセ・システムとしての錬金術への興味だろう。

彼は錬金術を自作のモチーフにするが、錬金術など信じていないと思う。彼は絵をつくるが、だが厄介にも、錬金術の過程を思わせるのだ。彼は70年代にオーストラリアに旅した時、1人の男が赤い色を得るのに自分の足を切って血を使い羽根で塗っていた話をしたり、それから『ネガティブ・バリュー』に使われている鉛丹と紫の顔料の話をする。

「紫色は高貴な色で、本当は買うこともできない。この顔料は強く塗ると紫色になり、薄く塗ると金色にも、緑にもなりうる。奇跡的な顔料さ」

『ネガティブ・バリュー』は、3枚からなる連作。副題にオリオン座の3つの星の名がついてはいるが、画面には具体的なものは何ひとつ描かれてはいない。「絵を観てそこに何もないからといって、何もないことにはならない」と謎のようなことを言う。そして、チューリヒでのカタログのページを繰り、新作についての話を始めた。透明のキャンバスに、サーカスのおもちゃがドットなどで描かれ、裏側には、顔料が流されアブストラクトな紋様をつくり出している。

後藤(以下SG)ーなぜ、サーカスのモチーフなんですか?
ポルケ(以下SP)ーおもちゃというのはいつも現実のモデルさ。子どもたちのものじゃなくて大人たちのものである。そのモチーフを表と裏で、遠近法じゃないホログラフィー的な技法を絵画に使って影絵みたいに使って、空間の中にイリュージョンをつくり出そうと描く。君は現物を観たことがあるからわかるだろうけれど、近くから観るのと遠くから観たのとでは違う、舞台のようにつくられてるんだ。
SGー芸術そのものがキンダーシュピール(子どもの遊び)みたいだと思ってるんですか? いや現実世界がシュピールというか。
SPーフフフ(笑って答えず)。
SGーあともうひとつ質問していいですか? アルカイダとかをテーマにした近作があるでしょう(今回は出品されていない)。そういう政治的なモチーフも取り上げていこうとしているんですか?
SPーすべての視覚的なことは政治性と関係している。衛星放送のニュースで流れることは、同時に戦争の情報本部にもいく。衛星から画像で捉えたら、アルカイダだって、こんなドットの塊に捉えられたりする。誰もこれが何を意味するかなんてわからないだろ。クリスマスツリーって言ったっていいんだから。狂ってるよ。単なるアイロニーじゃなくて、これはトランスフォーメイションのベストサンプルだ。新聞にも、マガジンにもリアルなものはない。トランスフォーメーションさ(笑)

ルーツのないイメージの氾濫と操作。そのような中で彼は絵を描き続ける。確信犯的に。数日後、ポルケのレクチャーを聞きに、東京藝大の教室に出かけた。ステージにあらわれたポルケはまず一言とマイクを振られると、ただワーツと奇声をあげ、そし

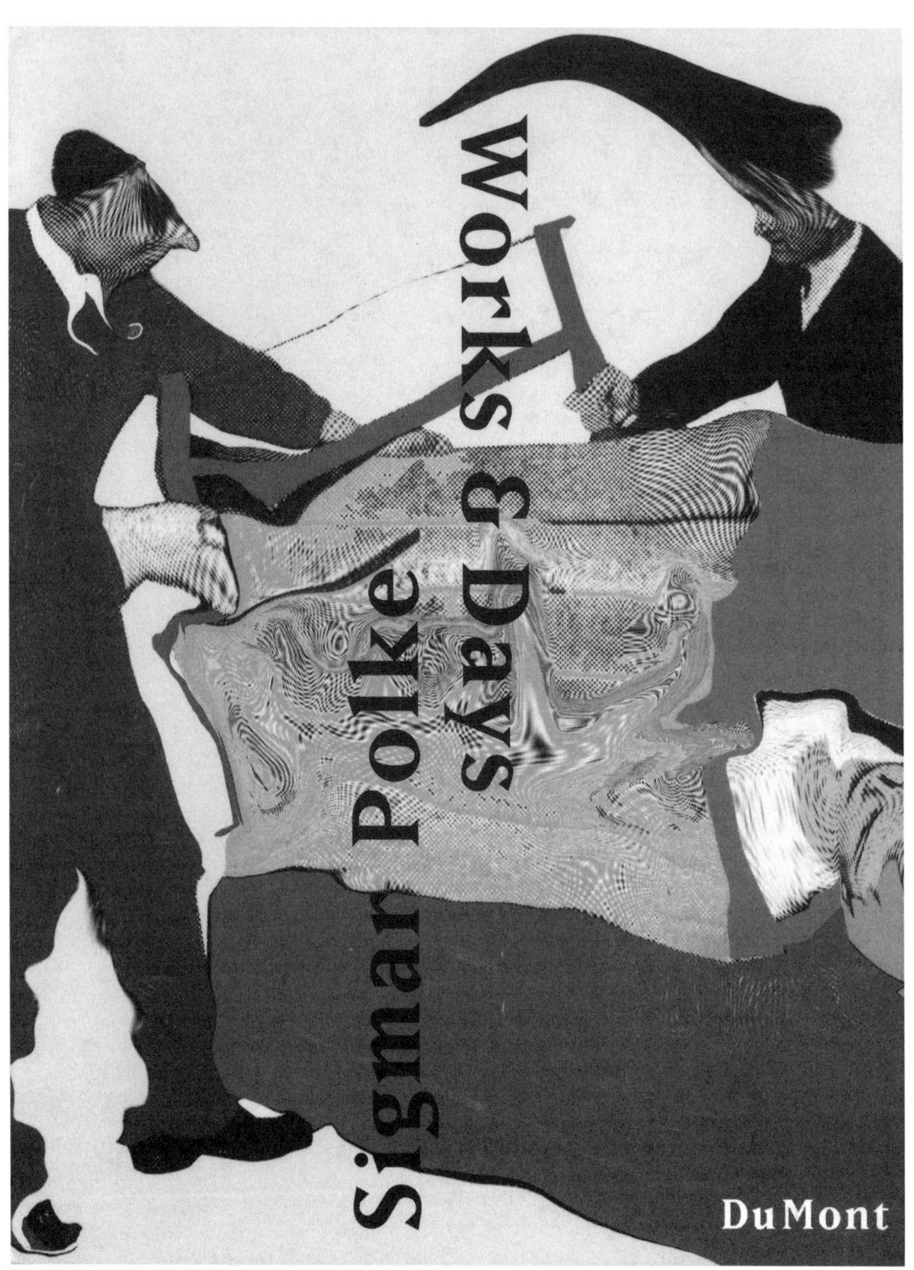

『Sigmar Polke　Works & Days』 Dumont（2005）

Hermes Trismegistos IV, 1995
2005

て70年代に自ら書いた長いテキストを読み上げ始めた。
彼は「意味が関係をつくるのか、関係が意味をつくるのか」という問いをスフィンクスのように出し、自分の発想過程を説明する。よくリキテンスタインと比較される「ドット」ペインティングは、貧乏時代にパン協会のチラシを見つめていたこと（貧乏ゆえに本物は食えずイメージだけというトラウマ）から来たと言い、また、パーム油を買うとおまけにもらえたカードの絵柄に隠れたPOLKEという文字を発見した話。ジャガイモの話などを延々とした。
それは、まさにアートは意味によってつくられるのではなく、すでにあるものの関係（相似とかゴロ合わせとか）により関係が発見され、つくられていくというポルケの本音であった。
遊戯的で、無意味に見えるが、意味がないわけではない。ポルケは現代社会に溢れるイメージの波を巧みにサーフィンしてゆく。
トークが終了し、壇上のパネラーがポルケに「意味」を質問しようとすると彼は笑って、あとは勝手に喋りたまえとばかりに舞台から引っ込んだ。それは見事かつ痛快なパポロジストぶりだった。
2006.01

1941年、旧チェコスロバキア・シレジア（現ポーランド）生まれ、2010年に死去。1945年に旧東ドイツに移住し、53年に旧西ドイツに一家で亡命。1961年よりデュッセルドルフ美術アカデミーに入学し、ヨーゼフ・ボイスに学ぶ。1960年代よりゲルハルト・リヒターらと「資本主義リアリズム」を掲げ、絵画制作を行なった。1986年に第42回ヴェネチア・ビエンナーレで金獅子賞を受賞、2002年には第14回高松宮殿下記念世界文化賞を受賞した。

037_Sean landers
ショーン・ランダースに聞く：アートにおいて正直であること、共感を求めて

コンテンポラリー・アートのシーンの流れは、とても速い。その中で、アーティストとして成功を手にしたり、サヴァイヴァルしてゆくにはどうすればよいのか？　僕はショーン・ランダースに会った時、最初にこう質問してしまったのだ。

後藤（以下SG）ーポストモダンな時代にアーティストでいることの大変さは、それ以前のアーティストとはずいぶん違っています。つまり、すごく考えていることと考えないこと、つくらなくてはいけない理由が必要だってことと、理由なんて要らないってことが、ほとんど同じに見える時代だから。あなたは、すごく自然にやってるようにも、戦略的にも見えるけど、作家テビューしてからの17年、大変でしたか？
ランダース（以下SL）ー答えはノーです。

彼はその不躾な質問に伏し目がちに低い声でそう答えた。
1962年マサチューセッツ生まれ、イエール大学院美術部出身。彼が最初に話題をさらったのは、手書きで貧乏物語をつづった作品であり、ピエロが主人公のコミックやバッド・ペインティングのスタイルを引用しての「絵画」だった。

SGー「スラッカー芸術家」「メジュネレーションのアーティスト」と、自虐とユーモア、戦略性を強く感じさせるなんでもありのスタイルでしたよね。あっという間にアートシーンの人気者となりました。今とずいぶん作風が違います。
SLーいや、そうでもないんです。このワードペインティングだって、何を描こうかとかを先に考えてしまわないで、心に思ったことを描いています。
ビデオをつくった時も、30分、60分と時間を決めて、その枠の中で出てくるものが真実だと正直に信じていれば、形になっていくんだと思ってやっていたんです。
SGー戦略的なプレイにも見えるんですが。
SLーいや戦略的じゃなくて、正直（オネスティ）であること。そして、共感（エンパシー）が大切なんです。

次頁《Drink My Kool-Aid》2006, oil on linen, 152×259 cm
©Sean Landers, courtesy of Taka Ishii Gallery

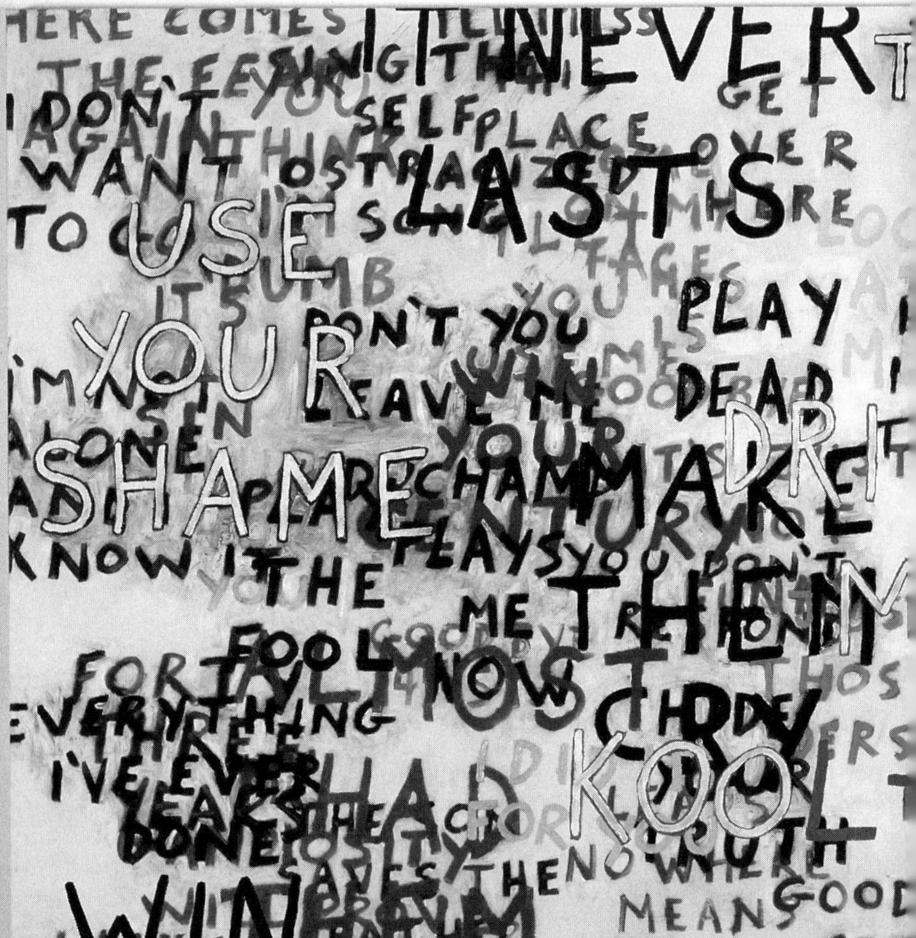

HERE COMES I NEVER
I DON'T SELF GET
AGAIN THINK PLACE OVER
WANT LASTS
TO USE SONG THERE
FACES
DON'T YOU PLAY
YOUR
LEAVE ME DEAD
ALONE YOUR
SHAME MAKE
KNOW IT PLAYS YOU DON'T
THE THEM
ME
FOOL NOW
FOR
EVERYTHING CRY
I'VE EVER HAD KOOL
DONE TRUTH
SAVES THE NOWHERE
WIN MEANS GOOD
CONTENT NOTHING
EVERY
THE TIME IS
VERSES WE DO
MUCH CARE
DUE REMINDER
BEAUTY AFTER ALL

IT'S MORE

THAN JUST

IS THIS PRETEN

I'M NOT THIS

I'M

OKAY HERE

DEAD

HURT

ANYMORE A I THINK

ME

I LIKE HE'S

JOKE THE SERIOUS

I FEEL

PAIN

INSANITY A

GOODBYE

JUST HE THINKS

TRUTH PANIC

MUST

SKIN DEEP HE'S A

GET LOST

NEVER

THROUGH GENIUS

I WANT THIS

DIES IT

TO BE NOBODY

ANOTHER

HE MUST

HAS THE

MAN IN THE

SHTICK

AGAIN BE

AND ROOM HEART

KIDDING

LOSE YOUR

TELL HIM

THE WAY

YOU CAME

MIND

FOR THIS

SG－でも周りは、みな戦略的にアートのことを捉えていませんでしたか？
SL－アートスクールで僕がならった先生たちの多くはNYでコンセプチュアルアート全盛の頃に教育を受けた人たちだった。
僕がしたいと思ったのは、そういう「冷たいコンセプチュアルアート」ではなくて、もっと人間的なもの、人が入ってこられるような余地があるんじゃないかと思った。
ただ難解なのではなくて、見ていて恥ずかしくなってしまうような覗き見している感じとか、関係を操作したりね。
SG－なるほど。
SL－一時期、僕は告白的な作家みたいな言われ方をしたけど、それをまた逆手に取ってつくったキャラクターの後ろに隠れたりもした。
いい時も、悪い時もあって、その過程で僕は成長していったと思う。
SG－（ギャラリーに掛かった作品を観ながら）キャンバスにさまざまな「フレーズ」が描かれています。ブラッシュ・ストロークが加えられた重ね描きですね。一見ラフに見えますが、眺めているとすぐに、それが実に子細につくられていることがわかってきます。
SL－90年代の頭に、文字だけの作品ワードペインティングをやった時に、急激な注目を浴びてしまいました。自分ではどうしていいかが整理がつかなくてやめてしまった。熟してなかったのか、忍耐力がなかったのか。それをもう一度開拓しようと思ったんです。いったん忘れていたことが、戻って、蘇ってきた。言ってみれば、頭の中でひとつの考えが浮かび、それがちょっと消え、次の考えが浮かんでくる。それを抽象表現主義スタイルと繋げて形にしようと思ったのです。

彼の作品は、キャンバスいっぱいにコトバ、テキストが書かれたものや、ピエロが出てくるコミック風のものなど、スタイルがとても変化しているように見えるが、実は、ある「感情の物語」が形を変えているだけで、一貫しているんだとわかる。

彼はずいぶん誤解されてきたんだと思うのだ。

SG－あなたの話にはエンパシーとか心理学の考えが出てくる。だから、あなたが書いてるフレーズだって、コンセプトとかテキストの断片じゃなくて、たとえば格言とか、読む人誰もが納得してしまうツボがあって、それをよく知ってるなと思うんです。
SL－いいコメントをありがとう。僕もそう思っているんです。周りもそう思ってくれるといいんだけどね（笑）。
僕はそのツボを知っていると思う。それの表現には、いかに正直でいられるかってこと。正直というのは、とても難しくて、ほんの一瞬しか得られない。その一瞬をいかに止められるかが問題だと思う。パワフルで、それでいて、とっても恥ずかしいもの。ふざけたカリカチュアに見えて、実はすごく正直な作品にすること。

話していて僕はだんだん彼のことが好きになってゆく。インタビューも終わり、帰り際、質問をひとつ思いだした。それをショーン・ランダースに聞いてみる。

SG－あのカラフルなワードペインティング。あれって、あなたが結婚したり、子どもができたりっていうことが反映していたりしませんか？

とってもプライベートな質問。シャイなランダースは、ビールでちょっと赤くなった顔でこう言う。

SL－ハッピーな絵かもしれない。でも自分でもちょっとわからない。あの絵を描いてる時は、子どもと一緒で、実はあの絵の中には4文字、子どもが足したものが混じっているんだよ。
2006.12

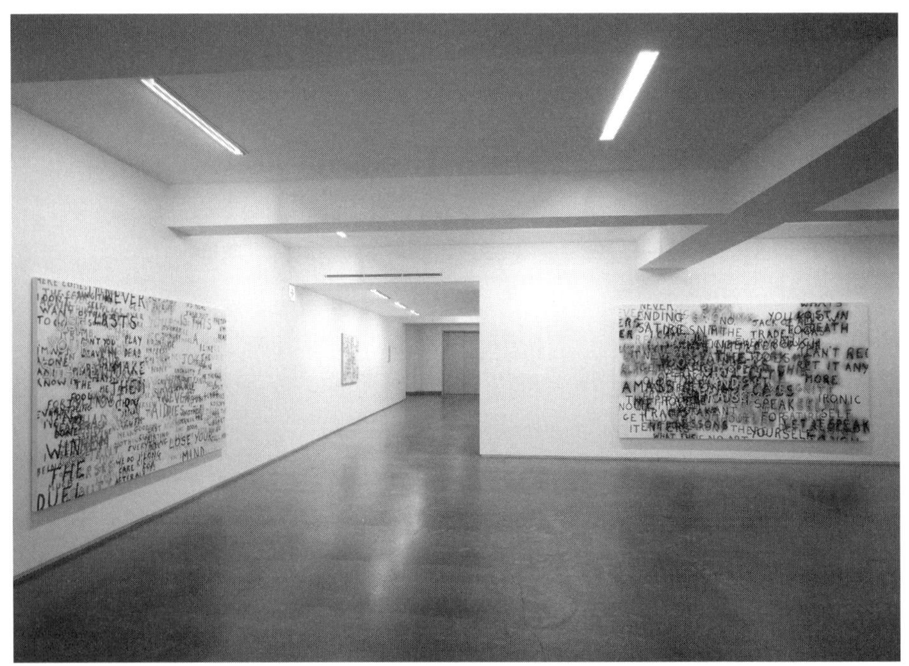

タカ・イシイギャラリーでの展示風景 2006.9.2-30
Courtesy of Taka Ishii Gallery

1962年、アメリカ・マサチューセッツ生まれ。ペインティングを制作の軸としながら、彫刻、写真、テキスト、オーディオなど多様なメディアをパフォーマティブに活用する。ルネ・マグリットの「La Période Vache」シリーズなどにヒントを得ながら、コンテンポラリーアーティストであることの意味や絵画の永続性などのテーマを追求している。これまでに、Le Consortium（ディジョン、2020年）やセントルイス現代美術館（セントルイス、2010年）やクンストハレ・チューリヒ（2004年）などで個展を開催。

038_ Luc tuymans
リュック・タイマンスに聞く：
「帝国」の中で「絵」が闘うということ

イエズス会の創始者イグナチウス・デ・ロヨラの首が描かれた絵が壁に掛かっている。デスマスクは眼を閉じていたのだが、それを彫った当時の彫刻家は、ロヨラの眼を開いた。
そしてタイマンスは、その彫刻の写真から絵を描いた。「眼を開いているとか、それは問題ではありませんでした」。彼は終始じっと僕の眼を凝視し続け、喋る。明確にコトバを選びながら。
たしかにリヒターやバゼリッツという巨匠たちは存命だが、「絵画」という大文字の芸術は、終わってしまった。その荒地のはずの場所に、しかし、「絵」という花が咲く。幽霊の花だから、これほどまでに妖しく魂を奪うのか。
リュック・タイマンスが続けてきた「絵」は、最初はとても古風で、地味で、勝ち目のない戦術に見えたのに、今や何と多くの人に、強い作用を与えていることか。
しかしそれは、絵の復権を目指すものではない、その極北だ。彼は、希望でも絶望でもない道を歩もうとする。「何を描く」とか「描かれたものの意味を問われること」から逃走しながら、イメージを絶妙に拾い、「医学書」や「異端」などの小さな系、プロジェクトをつくってゆく。それは、寿命の終焉した銀河の星たちが、拡散し、停止してしまった様を僕に連想させる。イメージの熱死を。
ところが、ワコウ・ワークス・オブ・アートの個展会場（2006）に足を踏み込んだ途端、逆襲にあった。今度の系は、「Restoration」、つまりは「復古」、「王政復古」。それも、ロヨラ。なぜなのか？

後藤（以下SG）ー驚いています。テーマもさることながら、なぜひとつのテーマに集中しているんでしょう。
タイマンス（以下LT）ー今回はたしかにピンポイントの展覧会になっています。ワコウのスペースを想定して描きました。実はこれからたくさんつくろうとしているシリーズの最初の一部です。隣室にあるイエズス会のマークの入った箱の絵は、実は昔、日本の信者のためにつくったものでした。イエズス会は、世界的なネットワークをつくり出しましたが、日本にも影響を与えたのです。その象徴的な展示を、最初に日本で始めたかったのです。

SG－ロヨラは、バスク人です。最初、騎士であったのを捨て、霊能者、霊的指導者としてイエズス会を始めます。独自の霊的修業法、教育。それに加えてアーミーの組織を持ち、宗教の名のもとにアジアや南北アメリカなどを「侵略」して行なった。そのような両面性に注目されたのですか？

LT－私の出身のベルギーでは、イエズス会の教育が今も活きていて、政治家であれ、美術館の館長であれ、同じ学校で、同じ教育を受け、世界に対して絶大な影響力を持っている。

それはイエズス会が代々、宗教の教えを、目で見てわかるようにしたり、あるいはインディオには音楽、日本や中国には科学を武器として布教したということに根があるのです。

SG－あなたは今まで作品をつくる時に、イメージを収集したり、あるいはポラロイドをもとにし、関連性が読み取れないように注意してきました。でも今回、過去に描かれたアイコン、クリシェのイメージを正面から使っていますよね。

LT－テーマ自体がとても複雑なので、逆にアイコンになっているロヨラから始めたのです。

しかしルーベンスがかつてやったように、ロヨラを生きているように描くのではなくて、彼の残ったもの、それらはもう歴史によって歪まされていて、その歪んだものをまた絵にしていったのです。

私は、「何を描くか」ということがわかった時点で、「どう描くか」が決まります。気づかれているように、ひとつひとつの作品の描き方を変えています。メインの教会は、わざと有名なローマの教会は選ばず、チェコ共和国にあるものを選んでいて、それをまた写真で見たように、遠くから見たように描きました。

《Church》 2006, oil on canvas, 235.5×142 cm
所蔵：国立国際美術館（大阪）
Courtesy of the artist, WAKO WORKS OF ART and The National Museum of Art, Osaka

SG－あなたは今まで見事に、視覚の権力化という力を排除してきた。そのあなたが、「ヴィジュアライズの帝国」というべきモチーフに取り組む。これからのあなたの展開がとても気になります。
LT－たしかに、イメージが力を持ってしまうことに不信感を持っています。自分なりの探索を続けていった時、視覚を使って力を得ていったものとして、イエズス会に突き当たった。
まず取っ掛かりはアイコンですが、教育、継承された知恵、その影響に興味があるんです。というのは、今アメリカがやっていることを、他の西洋人はすごく反発をもって見ています。でも、アメリカのように、征服の中で宗教を使うやり方を最初にやったのは、実はイエズス会ではないかと思っているんです。

タイマンスは、アメリカのデビット・ツヴェルナーで個展をやった時も、ライス長官のポートレイトを発表するなど、今までにない「政治性」を露出し始めていた。
「帝国」の中でサヴァイヴするためには、どうするのか？　そんな思いで、僕は彼に「あなたが信じてるものは何ですか」と問う。
タイマンスは、とっさに、明確にこう答える。「正確（プレシジョン）さとタイミング。この2つしか信じていません」。
これは実に重要な教えなのだと思う。
2006.08

1958年、ベルギー・モルツェル生まれ。1985年、ベルギー・オーステンドで自身初となる個展を開催し、それ以降ヨーロッパを中心に数々の展覧会を開催。1992年のドクメンタ９で世界的に注目を浴び、90年代以降のペインティングシーンに多大な影響を与えた。日本では2000年に東京オペラシティアートギャラリーで個展を開催。近年ではキュレーターとしても活動しており、2018年にはバロックをテーマとした展覧会「Sanguine/Bloedrood: Luc Tuymans on Baroque」をキュレーションした。

039_ Dennis hollingsworth
デニス・ホリングスワースに聞く：ボディを絵画に取り戻す

マドリッド生まれ。父はアメリカ人で母はフィリピン出身。3歳の時にスペインを離れ、それ以来、父の転勤とともに彼は世界を旅する半生を過ごしてきた。
「パナマ、ラスベガス、フロリダ…… 14の家に住みました。だから、どこで育ったというより、世界で育った気がしています」そう彼は微笑む。

後藤（以下SG）ーあなたの中で、絵が生まれてきたのはいつですか？
ホリングスワース（以下DH）ー14歳の時、マドリッドに戻り、プラドで遊ばせてもらったことがありました。
その時に、「コロッサス」というゴヤの作品を観て、私はペインターにならなくてはならないと思ったのです。ピカソの「ゲルニカ」も同じですが、そこには過去と今現在起きているニュース、それらすべてが交じりあっている。シンプルというのは、すごく美しいことだけれど、私はそれよりも、自分が迷い込んでいくものを絵に求めています。
SGーあなたが今つくっている絵には、スキージのようなもので絵の具を剥ぎ取ってフラットにした部分と、絵の具をオブジェのように扱った部分が別々のレイヤーで交じりあっています。それとゴヤの絵はどう関係しているのですか？
DHー私が美術大学を卒業した80年代末から90年代頭の頃のアートは、行き過ぎたポストモダニズムでした。理論が前面に出たアート、中身がなくなった絵画、いかになくしていくかがメインになっていたのです。
私はそうではなくて、「ボディ」というものをアートに取り戻したいと思いました。でも、物質的過ぎると絵ではなくなってしまうし、絵というものの南極と北極を探し、その間を航海しなくてはならないのです。
SGーそれはよくわかります。2006年NYのグッゲンハイムでスペイン絵画の黄金時代をテーマにした展覧会（「Spanish Painting from El Greco to Picasso」）があり、ゴヤの作品をたくさん観たのですが、「物語性」ではなくて、絵の具という「物質」が引き起こす、生々しい「絵画のボディ」を実感しました。

DHー子どもが食べられている作品を観た時、自分と絵の間がまったくなくなってしまったと感じたことがあるのです。説明するのは難しいけれど、味わい、よろこび、感動……すべてが絵の中のものとして体感されたんです。あなたも同じ体験をしましたね。初めてこの話はしました（笑）。

SGーやり過ぎないということの重要さも面白いですね。

DHー私の絵において、アクシデント的に起きるものはとても重要です。それが起こるまでには、とてもストイックな過程があり、喜びに至る。それが描くことの理由なのだと思う。でも、わざと事故を起こすようなことはしてはいけない。その一瞬のためにやっているのですが、そこにとどまることもできない。トラピデーション。

SGー何ですか？　それは。

DHー戦慄、おののき。

SGーでもそれがなければ、絵の幸福も得られないのですね。

DHーそうです。私はよく「キスメット」というコトバも使います。それは、幸運を運ぶ、ということ、運命ということ。自分を見失いながら、アクシデントに出会いながら、発見してゆく。冒険していくのには、山登りで言えばベースキャンプのようなものが必要です。

私が描きながら見つけようとしているものは、言い換えればグレースいうこと、優雅さ、しとやかさ。ちょっと不安になってしまうようなもの……。

絵に対して、限りない誠実さを持つこと。なんでもありに見えるコンテンポラリーの潮流の中で、しかし、彼のような姿勢こそが、逆にもっとも有効なのではないか。

なぜなら、彼は宇宙に偏在する力を見事に使い得ているのだから。

「絵とは何？」と僕が最後に聞くと、彼は靴を脱ぎ、「禅の公案みたいに靴を頭にのせてしまうようなものだね」と答えた。

2007.09

《All There Is》 2010, oil on canvas, 122×81.7 cm
©Dennis Hollingsworth, courtesy of Tomio Koyama Gallery

《So Long》2010, oil on canvas, 76.5×61.5 cm
©Dennis Hollingsworth, courtesy of Tomio Koyama Gallery

1956年、スペイン・マドリード生まれ。1985年にカリフォルニア州立工芸大学を卒業し、現在はバルセロナ近郊のトサ・デ・マルと、ニューヨークを拠点に活動する。乾いていないキャンバスにさらに濡れた筆を重ねあわせる「Wet on Wet」のシリーズで特に知られており、アメリカを中心として、ドイツやスペインなど各国で個展を開催する。

040_ Andreas gursky
アンドレアス・グルスキーに聞く：制作において一番重要なのは、「視覚的なアイディア」だ

アンドレアス・グルスキーのアジア地域の美術館での初個展が、2013年国立新美術館で行なわれた。写真の個展と言っても、彼の作品は巨大で、普通の写真展のイメージを抱いて行った人々は、面食らったに違いない。
そして、写真に写っているモチーフも、証券取引所やスーパーカミオカンデ、プラダのショールーム、北朝鮮のマスゲームなど、およそ「スナップ」や「心象風景」などではなく、感情移入しにくいものばかりだ。
さらに人々を混乱させるのは、彼や彼とともに常に語られるデュッセルドルフ・スクールの作家たちの作品が、アートマーケットで、異様なほどの高値で売買されている事実である。その「価値」をめぐる議論は、グルスキーを賛美するにせよ、拒否するにせよ、重要であると思われる。それは作品のよし悪し、好悪、美醜を超えた写真の「問い」なのである。

後藤（以下SG）ー初期にはラージフォーマットで制作されてはいませんでしたよね。86年、88年あたりから、ラージフォーマットにされたと思います。写真を大きくしたきっかけについて教えてください。
グルスキー（以下AG）ーベッヒャー夫妻のゼミにいた頃はまだ小さいサイズだった。本格的に大きくしたのは90年代の初め頃からです。
SGーきっかけは何だったんですか？
AGー80年代、私はベッヒャーのもとで、トーマス・ルフ、トーマス・シュトゥルート、カンディダ・ヘーファー、アクセル・ヒュッテらと一緒だった。当時のドイツには、トーマス・ルフ以外にも、ラージフォーマットで制作をしているアーティストがいたけれど、ベッヒャー派のなかで、最初にフォーマットを大きくしたのは、トーマス・ルフです。ラージフォーマットで制作するにあたっては、もちろん費用などの問題がありました。私が展覧会をやり始めた初期は、小さなサイズで作品を見せていた。作品は売れたし、美術館からも展覧会の誘いを受けるようにもなっていった。もしこ

の国立新美術館の会場で、すべての作品を小さいフォーマットで展示していても、もはやインパクトは変わらないだろう。
しかしその当時は、「次の可能性」を探らなければならない時だった。ラージフォーマットにすることで、鑑賞者は写真の細部まで理解、アプローチすることが可能になった。
SG－80年代は、ご自分の生まれたライン川周辺を撮られていたのが多いと思うんです。80年代後半、ベッヒャー夫妻のゼミから一本立ちしていくタイミングで、社会的なコンテクスト、歴史などを、わりと意識されたもの、たとえば産業的なものとか、やがてグローバリゼーションの問題に発展していきましたよね。大型写真へ変換した時、単にサイズが変換しただけではなく、視点や問題意識が変わったのでしょうか？
AG－視点が変わったということでは、ない。たとえば、初期の作品と今の作品を比較しても、そんなに違いはないだろう。両作品とも、社会的なインパクトにおいては、同じだろう。
SG－ですが初期はストレートフォトだったけれど、ラージフォーマットにすることにより、ある種マニピュレイションというか、「合成」が行なわれるようになった。合成により、写真の視点が複数になりました。単視点と複数視点というのでも、やはり考え方は変わりませんか？
AG－そうですね。はじめは、ストレートフォトに取り組んでいたんだが、非常に退屈だと感じるようになった。毎日いろいろなロケーションに行って、ものを見なくてはならないしね。それから、少しずつコンセプチュアルな態度をとるようになった。イメージに対して何が可能なのか、何ができるのかを考えるようになっていった。「観察すること」に頼るのではなく、ペインターがペインティング作品をつくるように、写真に取り組むようになっていった。
SG－ベッヒャーゼミにいたころ、シュトゥルートやルフたちと、意識的な写真をつくることについて議論もしていたのですか？
AG－うーん、いろいろ話してはいたが。でも私は、ストレートにコンセプチュアルな決断や判断をしていたわけではなかった。

私にとって、アイディアはゆっくりと発展していくもの。

制作において、一番重要なのは、「視覚的なアイデア」だ。新しいイメージは、いつも視覚的な体験から発展していく。スタジオの椅子に座り、次は何が来るのかと考える。これがファーストステップ。たとえばドイツの美術館に行き、その場所で価値を感じ、インスパイアされれば、その美術館やロケーションにまつわるイメージを考えることになる。

私の場合は、アーキテクチャーからインスパイアされる場合がほとんどだ。撮影したショットから要素を取り込み、私自身のアーキテクチャーをつくり上げるのだ。

だから結果的に、虚構性(フィクション)が強い写真が生みだされる。このやり方は、完全に私が発明したものだ。

SGーモチーフとかシーンの選択・判断は、どういうふうにされていますか？

AGーたとえば、「バンコク」のシリーズの場合を挙げてみよう。バンコクで、チャオ・プラヤ川の水面を見て、これはとても美しいリフレクションだと感じた。旅行者をはじめ、多くの人たちが川面を見ていたが、私はペインティング的な視点を発見した。

これは、とても魅力的な主題になるのではと思ったんだ。でもこの時は、数カットだけ撮影し、ドイツに帰った。スタジオの椅子に座り、再度バンコクに戻り、長期にわたってこの主題に取り組むべきかを考えてみた。これは、コンセプチュアルな判断だね。面白くなるのか、どうか……。

もちろん川がどんな姿をしているかということを、示そうとしたのではない。もっとグローバルな視点、そして今日的な視点から、巨大なサイズで、川を見せることがどういうことか。ゴミがたくさんあり、汚染されているのは明らかだからね。美しさと汚染の両方の視点がある。そこに、とても惹かれたんだ。

むろん、モネの睡蓮のペインティングのように、このイメージが美しいと言いたいのではないのは、わかってもらえるね？　ここにクリティカルな視点がある。

撮影：Norihito Ogata

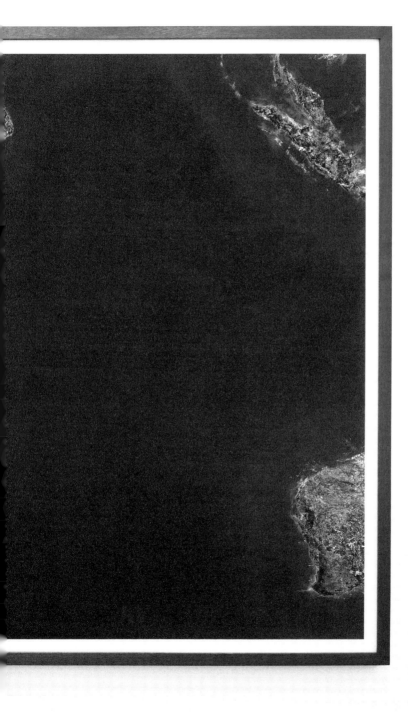

SG−今後計画されているプロジェクトについて、教えていただけますか？

AG−今、私の写真をペインティングにするプロジェクトを進めているんだ。もちろんハンドメイド。上手くいくかはわからないが……。

SG−それは驚きです！

AG−ビッグステップだ(笑)。まだペインティングは始めていない。ペイントするイメージを選び終えたところだ。これまで以上に深く考えなければならなかった。でも、きっといいシリーズになるだろう。新たな発見、サプライズにも。それから本の執筆だ。内容はイメージについて。要素やフィクションに関しても触れている。

SG−気になっていたんですが、ご両親は、スタジオフォトグラファーをなさっていました。写真はストレートではなく、つくるものだという考えは、ご両親の影響ですか。

AG−たしかに両親の存在は、私の人生に影響を与えていると思う。でも、彼らと私の間には大きな違いがある。ベッヒャー夫妻からの影響も同様だ。単純ではない。今、私はデュセルドルフのアカデミーで教鞭をとっているが、教えることに対して非常にシリアスな態度をとっている。デュセルドルフのアートコミュニティーは大きくて、お互いいろいろな刺激を与えあう環境でなければならないと考えている。

2013.08

1955年、旧東ドイツのライプツィヒ生まれ。幼少期に西ドイツに移住。その後、1980年から1987年まで、デュッセルドルフ芸術アカデミーで写真界の巨匠ベルント・ベッヒャーに師事。カンディダ・ヘーファー、アクセル・ヒュッテ、トーマス・ルフ、トーマス・シュトゥルートらとともに、ベルントと妻ヒラの指導を仰いだ「ベッヒャー派」の１人としてその名を知られるようになる。代表作のひとつである『ライン川II』は、2011年に、クリスティーズ・ニューヨークで現存する写真家の作品として史上最高額となる約433万ドル（日本円で約3億4千万円、当時のレートによる）で落札された。

041_Lee kit
リー・キットに聞く：
アートは役立つものだと考えるのは違うのではないかと思うのです

布やダンボールに描いた絵画、既製品と絵画を組み合わせた作品、映像と絵画を並べた作品など、日常の一部のようなさりげない作品を制作しているリー・キット。2013年度のヴェネチア・ビエンナーレにも香港館の代表として選出された。

後藤（以下SG）－何をきっかけに制作をスタートするのですか？
リー（以下LK）－東京に来てみて、ここには自然光がないと感じたり、路地裏でたばこを吸う人が多いと気づいたりしたことでしょうか。そういった東京での経験でした。
SG－それが起点となって、ペインティングを考えられたのですか？　それとも全体の構成のアイデアが先ですか？
LK－ほぼ同時進行ですね。最初に決めたのは、小型の絵を展示する場所であるギャラリーに置くこと。そのあとテーブルの作品の位置、それから、空間全体の構成を決めました。
SG－あなたは空間が持つイデオロギー性を剥ぎ取った所からスタートすることに非常にこだわっていると思うんです。東京にはたとえば、ギャラリーの空間もあるし、路地裏でサラリーマンがたばこを吸っている空間や自然光のない空間があるとおっしゃいました。東京をどのように捉えようとしているのか、興味があるのですが。
LK－東京には孤独、孤立、静けさ、便利さといった単語が当てはまります。
ただこれらのキーワードはいずれも、他の都市でも使えます。しかし東京は、これらの要素が融合されてひとつの単体を構成していると思っています。
SG－2013年のヴェネチア・ビエンナーレで作品を拝見したときに、場所が持つストーリーを世界中の都市で展開していると感じました。これは決まった文法があるのでしょうか？　それとも展示を開催する都市によってアプローチの仕方は違うのでしょうか？
それぞれ違うなら、東京の場合はどういうふうなものか教えてください。
LK－文法ほど体系だったものはないですが、作品を体験してもらう都市のコンテク

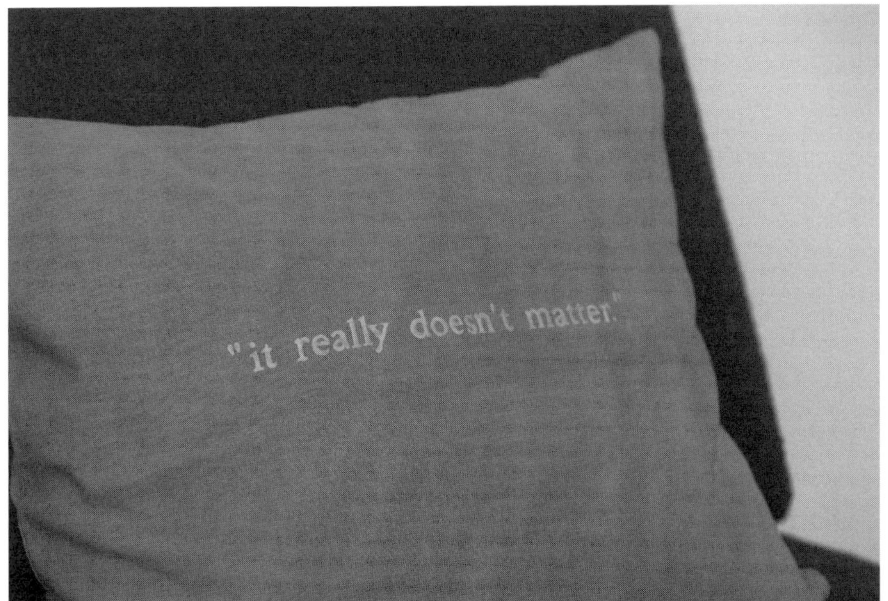

「李傑（リー・キット）展　The voice behind me」2015
資生堂ギャラリー（東京）での展示風景　撮影：Ken Kato
Courtesy of Shiseido Gallery

ストを考えています。ヴェネチアの場合は、都市に加えビエンナーレという文脈がある。そこで思いついたことと、今までに考えてきたことなどを煮詰め、アイデアを固めていくのです。
東京での展覧会にあたり考えたのは、どうすればこの中に自然光を持ち込めるかということでした。表現の手段や使う媒体についても考えましたが、頭にあったのは、公園などで座っているときの感覚。コトバにできないような感覚や意識の在り方、状況をここで表現したいという思いがありました。
SG－東京は非常に衛生的ですし、どこも同じようなクオリティでデザインされている。だから、すき間がないんです。
サラリーマンが公園でぼんやりしていたりしますよね。公園は心の揺らぎや感情が、仕事の合間で出てしまう場所でもあると思うんです。東京のそういう部分に気づいたのかなと、今お話を聞いていて思いました。
LK－この空間を制作する際、特に東京をリサーチしていないんです。オンラインでも検索しなかったし、本を読んだわけでもない。
ただ、銀座を夜中じゅう歩いたり、ずっと街をさまよったり、コンビニでお昼を買って、サラリーマンの集う公園で食べたりということはしました。あとはラーメン屋さんに行って、その場の体験を共有したり。
最近自分を役者にたとえているんです。それは、存在を希薄化して消し去ることで、他人の心や頭の中を想像できるんじゃないかと思っているからです。
東京は整理されていて、静かで、清潔で、使い勝手がいい。そういう街には、感情や体験、そして感覚などが凝縮されていると思っています。
私が暮らしている台湾もとても静かな場所だし、ヨーロッパも行くたびにとても静かだと感じます。多くの体験を通して、静けさをより強く感じられるようになったのかもしれない。展覧会のタイトル「The voice behind me」もそこから思いつきました。
SG－台湾は僕が子どもの頃の日本と似た感じがあるからか、好きな街のひとつです。

ただそこで感じるのは、都会で孤独になれる静けさとは質が違うと思います。
あなたはファンタジーの力を、意識的に使っている気がしています。銀座のど真ん中に静けさを、地下の空間に太陽をもたらすというのもそうではないでしょうか。人間の想像力を大切にアプローチされていると思うのですが、どうでしょうか？
LK－おっしゃる通りです。大掛かりなものだとか､スペクタクル性のあるようなファンタジーではないですね。
ファンタジー性に加えて重要だと思うのが理由づけです。たとえば、太陽をここで体験させたいと考えたら、その理由を整理しておかなければならないと思うんです。自身の今の状況や、考えている事柄をきちんと整理する上でも重要だと思っています。
コーヒーをフィルターで淹れている様子をたとえとしてよく使うのですが、ギャラリーをカップ、作用をフィルターだとすると、私は水というかインプットの要素なのかなと思うんです。
以前は、人生のあり方や日々の生き方に対してもいろいろ考えていましたし、家族写真を見て「きっと裏があるに違いない」という暗い想像を膨らませたりもしていました。
しかし、最近の私にとってのファンタジーはむしろ、現実に近づき、迫っていくための手法になってきました。片方が楽観的で、もう一方が悲観的なのではなく、ファンタジーの性格の違いでしょうか。
SG－芸術は立派なものや最先端のものをつくらなければいけないと考えているアーティストや、都市は科学でコントロールしなければいけないと思っている建築家がいます。
それが目立つし、主流でしょう。
そんな中にあってあなたは、非常にバランスよく、芸術の可能性について指摘している点にとても共感するんです。
あなたのペインティングは、ある人には未完成に見えるかもしれない。でも僕はそのあり方に魅力を感じます。

未完成だから面白いわけではなく、このような態度を持ったアーティストは珍しいんじゃないかと思うんです。
LK－私は、意見を言えるような者ではありませんし、社会において巨匠や英雄が存在しないのが当たり前なのではと考えています。
芸術が英雄や巨匠という役割を担うようになったら、社会と真逆の逸脱した方向に、芸術を位置させることになってしまうのではないでしょうか。
社会がそういった存在を求めておらず、地域主義的なものからも脱却しようとしている時に、執着するなんておかしな話だと思うわけです。
SG－小説は本にならなければいけないかもしれないけれど、文字を書くだけなら自分の手帳に書くということでも構わないように、日々の行為とアートはイデオロギーを隠蔽することで、まっすぐに道をつくろうとしているんだと思うんです。そう考えた際、あなたが生きていること自体がアートだと思いますか？　それとも、アートは自分にとっての一部でしょうか？
LK－素晴らしい作品というのは、役立たずだったり、無意味だったりする。だからこそ、多くの可能性を広げてくれるのではないかと思っています。
好奇心を惹きつけることは、結構簡単なことだと思うんです。好奇心のない社会は到底想像出来ないですから。最近の現代美術は洗練され過ぎてしまっている。そして、語り過ぎているし、騒ぎ過ぎではないかと思うんです。
本当にいい作品は、すべてを語らなくとも出てくるでしょう。愛についてやたらと語ることが、実は愛から遠ざかっているのと同じですね。
アートは役立つものだと考えるのは違うのではないかと思うんです。すべてを解決する処方箋のようになるのは、さすがに無理ではないかと。ただ、アートは、何かを提案したり、さまざまなことを想像させるきっかけにはなると思っています。
そういった意味で、自分の全人生を占めているとまでは言えないですが、生活の一部であることに間違いはありません。絵具を乾かす時間がもったいないから料理や洗濯をして、それが終わったらまた絵を描き始めるという生活をしているんです。

SG－最後の質問になりますが、好きなコトバが知りたいです。たとえば「なんとかなるさ」のように、当たり前だけど深く人間を突き動かしているような。

LK－「It really doesn't matter」。そんなに大変なことじゃないよ、という意味です。直訳すると「どうでもいい」という意味ですが、決して投げやりな気持ちを表しているのではなく、「まあいいか」といった感じでしょうか。

展示会場をつくっているときを例とすると、「そこにスポットライトが要りますか？」と聞かれて、「別にあってもなくても、それは本質的な問題じゃないよ」と答えるのが「It really doesn't matter」にあたります。

その際に「プロジェクションはやはり大事だから、位置をもっと高くしてほしい」と伝えるなど、どこが大事なのかを見極めていく。

世の中は白と黒で分けられるものではないですが、どちらに傾いているのかを見分けるのが重要だと思うのです。

SG－ありがとうございます。また何年かしたらインタビューさせて頂きたいですね。

2015.07

1978年、香港生まれ、台湾・台北在住。2006～08年まで香港中文大学美術学部修士課程在籍。布や段ボールに描いた絵画、既製品と絵画を組み合わせた作品、映像と絵画を並べた作品などを制作している。2013年の第55回ヴェネチア・ビエンナーレで香港館の代表に選出されてから世界的に注目を集め、2015年は第12回シャルジャ・ビエンナーレに参加、2016年にはウォーカー・アート・センター（アメリカ）での個展を開催。日本では2018年に原美術館で個展「僕らはもっと繊細だった。」が開催された。

042_ Miriam cahn
ミリアム・カーンに聞く：私の絵は「ドローイング」と繋がっている、ある種のパフォーマンスです

ミリアム・カーンの作品を観た人は、とまどってしまうに違いない。そこにつけられたタイトルが実は「原爆」だからである。
タイトルを先に知らなければ、キャンバスの上には、美しい色彩を発した人間が描かれていることに、ただただ魅了されるに違いない。
彼女は観る者に、美しさと恐ろしさを同時に提供するのである。

後藤（以下SG）－人間を描かれていますが、このモチーフは制作を始められた最初の頃から存在していたのですか？
カーン（以下MC）－違います。私の絵は「ドローイング」と繋がっています。ある種パフォーマンスのようなものです。その日、一日が重要なのです。
観客はタイトルを知った上で、この展示を観て「原爆だ！」と驚くかもしれません。しかし「いいえ違います。コレは何か他のものかもしれませんよ！」と言うことが私にとっては重要なのです。「これは何かのように見える」というようにね。
クローズドではなく、オープンであるということが重要なのです。
私は最初から「教わったことをしない」と決めていました。描き方、色、コンポジションについても、「これは美しい」とか「これは美しくない」とか考えないようにしたい。だから「今、何が起こっているか」を描こうとしたのです。もちろん原爆のことはずっと頭にありました。50、60年代、私は子供でしたが、よくわからないまま原爆実験の写真、ビキニ環礁の写真を見ていました。
スイス政府はその時、原爆・核兵器を購入しようとしていて、私の両親も普段はしないのに、外に出てデモに参加していました。それから、70年代にはスイスでも反原発運動やフェミニストの運動も始まりました。
しかし、私にとって都合がよかったのは、あまりイデオロジックではなかったことです。とりわけ、アートにおいて、ポリティカルなこと、パーソナルな問題が同じレベルで考えられたからです。

《atombombe》 1987, watercolor on paper, 145×130cm
Courtesy of the artist and WAKO WORKS OF ART

SG－ここに描かれた「人」は、抽象化された「他者」であると同時に、プライベートな「自分」の両方を表しているように思えます。

MC－そう、両方です。

SG－自己を見つめることからドローイングは始まったのですか？

MC－違います。「私」も「他者」も同時に。ランドスケープ、動物、植物……すべてが関係しています。

SG－あの壁に、動物の死体の写真と「炎の絵」２枚が一緒に掛かっていますが、死と生命のサーキュレイションに見えます。

MC－あれは植物です（笑）。ごめんなさい。

でも、あなたが想像したいように見ればよいのです。（別の絵を指して）これらは美しい詩であり、曼荼羅でもあると言えるでしょう。

でも「原爆」なのです。

描かれているものが何かと知らずに見ることは、とても重要です。そして、見たあとで何が描かれているか知ることも。たとえそれが、おぞましいものであっても、美しく見えることもあるのですから。

SG－絵はどのようなプロセスで、制作するのですか？

MC－私は素早くペイントします。そうするとコントロールできません。先ほど言ったようにパフォーマンスのような感じです。

でも、これが重要で、とてもダイレクトに。線を上手く置こうなどと考えている時間もないのです。

SG－私はあなたの絵を観て、生命の光というか、ある神秘的な光が出ているのを感じます。それはユダヤ教の考えと関係しているところがあるのでしょうか？

MC－今までそのように考えたことはありませんでしたが、関係あるかもしれません。なぜなら私にとっては、あたりまえのことだからです。そのように考えなかっただけかもしれません。

私は自分の目で見ます、そして目を閉じてペイントするのです。以前は、床の上でドローイングをしていて、これらすべてのペインティングは、目を閉じて制作したのです。だから、もしかしたら私は昨夜TVや映画で、たまたま見た自分を描いているのかもしれません。

SG－パフォーマンスのメソッドは、どのように生まれたのですか？

MC－ポイントは70年代です。スイスでヴィト・アコンチらによる最初のパフォーマンスがありました。彼らの作品は私にとり、本当に新しいアートでした。たくさんのパフォーマンスやヴィデオがあり、私もこれをやりたいと思ったのです。

そのうちに一番好きなテクニックは、ドローイングだということに気づいたのです。

2012.05

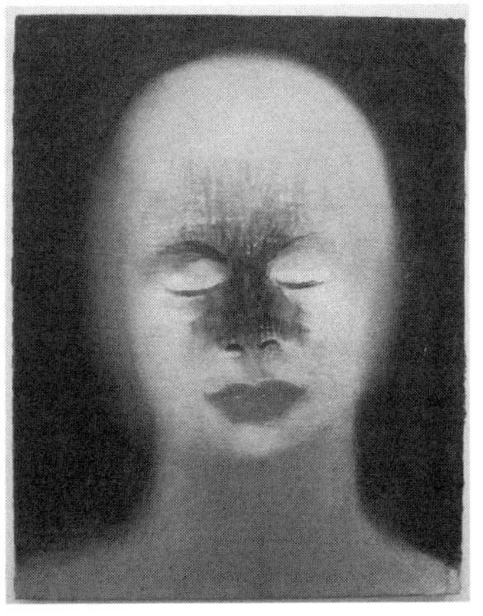

《HŌRE!》2010/2011, oil on canvas, 45×36 cm
Courtesy of the artist and WAKO WORKS OF ART

1949年、スイス生まれ。バーゼル在住。1970年代よりパフォーマンスやペインティングなどの作品を発表。2017年にはドクメンタ14に参加、2019年はスイス、ドイツ、ポーランドの３カ国での巡回展をはじめ世界各国で大規模な個展を開催した。日本では、あいちトリエンナーレ2019ほか、2021年に森美術館で開催された70歳以上の女性作家を特集したグループ展「アナザーエナジー展」などに出品。

043_Marlene dumas
マルレーネ・デュマスに聞く：どのように「動的」に描かれるかに興味がある

横たわる男たち。ギャラリー小柳の壁に掛けられた、いくつもの小さな水彩画。それを観て、なぜこれらが死んでしまった者たちを描いたものだとわかるのだろうかと、僕は自分に問うていた。「死んだ者たち」の傍に、マルレーネ自身が描いた詩のようなコトバが添えられている。

THE FOG OF WAR
Then I heard that someone said:
“We shall die in these bodies. This is one thing certain of your place of death, you are there now, you sit with in your corpse, look no faster, there where you are you will die.”.

戦雲
そして私は、誰かがこう言うのを聞いた。
「われわれは、これらの肉体の中で死ぬのだ。
これがお前たちの死に場所について言える唯一たしかなこと。
今もお前たちはそこにいる。
みずからの死体の中にうずくまり、急ぐこともなく、そこで時が来るのを待ち、
そして死ぬのだ」

マルレーネ・デュマスは南アフリカに生まれた。そしてオランダのアムステルダムに住む。彼女の絵をいつ観たのか、そして知ったのか。記憶は定かではないが、もうずいぶん時間が経った。
彼女があらわれた時、「絵」という領域自体がコンテンポラリーアートの中で、もう終わってしまったものとして扱われていた印象がある。たった一枚の絵が世界に対して何ができるのかといわんばかりに、美術批評家たちは冷ややかな対応をしていたのだ。

しかし、彼女の絵を観たとたん、僕は一目でやられてしまった。小さな、あるいは大きな紙に描かれた顔、赤ん坊、裸体。それらは、ある意味とてもオーソドックスな様式だったが、僕の中に複雑で強い印象を、はっきりと浮かびあがらせた。僕はすっかりとりこになってしまったのだった。
それ以来、僕はことあるごとにマルレーネの絵を見てきた。ある時、ヴェネチア・ビエンナーレの会場に行く飛行機に乗っていると、前に座った男が新聞を読んでいた。そこにはマルレーネが描いた首を吊った男の絵が出ていた。それは、同じ紙面を飾る他のどんな報道写真よりも強いイメージを与えた。
なぜにかくも、一枚の絵がこれほどまで人の魂を捉えることができるのか。生と死、エロティシズム……。なぜこんなに生々しく、そしてリアルな感情を与えてくれるのだろう。彼女の絵ほど、絵の力について問うてくるものはないと思われる。

後藤(以下SG)－絵を生みだそうとするパッション、自分の絵を生みだそうとしている感情がどこからやってくると思いますか？
デュマス(以下MD)－どこから？　難しい質問ね。私は昔から絵を描くのがとても好きで、でも家族は美術家の家でもなく、父は農家だったし、街で育ったわけでもなかったから、私の絵も砂の上に描いたりする素朴なところから始まったのです。アーティストになるなんて、まるで思っていなかった。でも、視覚的に美しいものが好きで、アートと自然がいつも共存していたんです。自分の世界を見つめること。それには「離れる」というのと「近づいてコンタクトする」という両方のファンクションがある。
昨夜、荒木経惟さんと話をしました。荒木さんに比べたら私は、もっと温度が低いアーティストです。感情をぶつけるとかだけでなく、いろんなものが組み合わさり、それがひとつになって、遠くに離れて「ひいて」見る。
私の作品は自伝ではないし、自己治癒のセラピーでもない。そうじゃない。
私はまだちゃんとした「作家」ではないけれど、文章も書きたい。そういうものもミッ

THE FOG OF WAR

Here is to the dead, those killed, for us, and by us.
To those who are dying now.
To the 'incidents' that happen.
The occupations that continue.
The mindless glorification of military solutions.
The terminology that grows softer,
as attitudes harden and hatred increases.
Inventions not to lighten the load,
but to erase the road.

Operation Rainbow, Operation Enduring Freedom,
Operation Summerrain .... it sounds as sweet and coy,
as calling the bomb on Hiroshima – Little Boy.

There must be other ways, to deal with the pain.
To not side-step the blame or to mask our shame.
Diplomats specialize in refraining from it,
while civilians die for it.

It's a war against terror, one is sold
but one cannot fight a noun, I was told.
One cannot colonize a land if you call it empty
but when you do a body count, you'll find plenty.

I've always been afraid of dying
in a foreign land
and to not feel at home in that sand.
Where would death find me and by what hand?

Then I heard that someone said:
'We shall die in these bodies.
This is one thing certain of your place of death;
You are there now,
you sit within your corpses; look no further:
there where you are
you will die.'

Marlene Dumas
Amsterdam. September 2006.

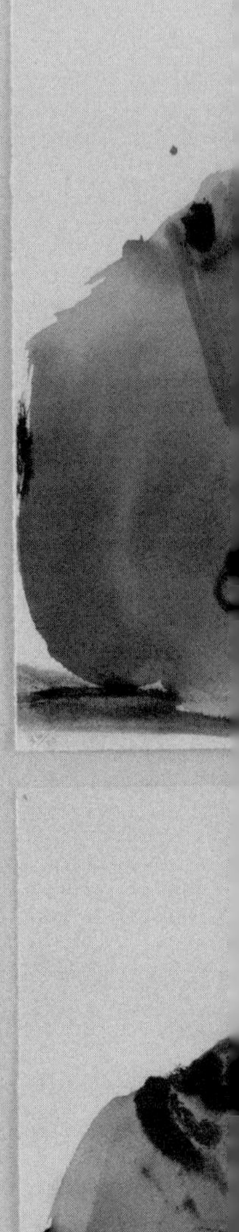

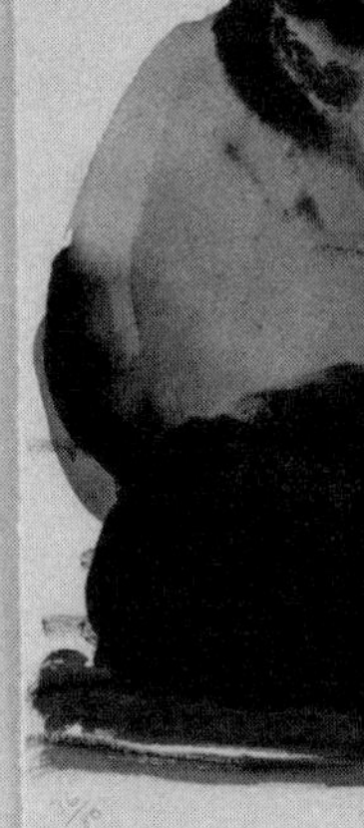

《The Fog of War》 2006, suite of 4 digital prints+1 sheet of text written by Marlene Dumas in Pressboard portfolio, 45×35cm (each

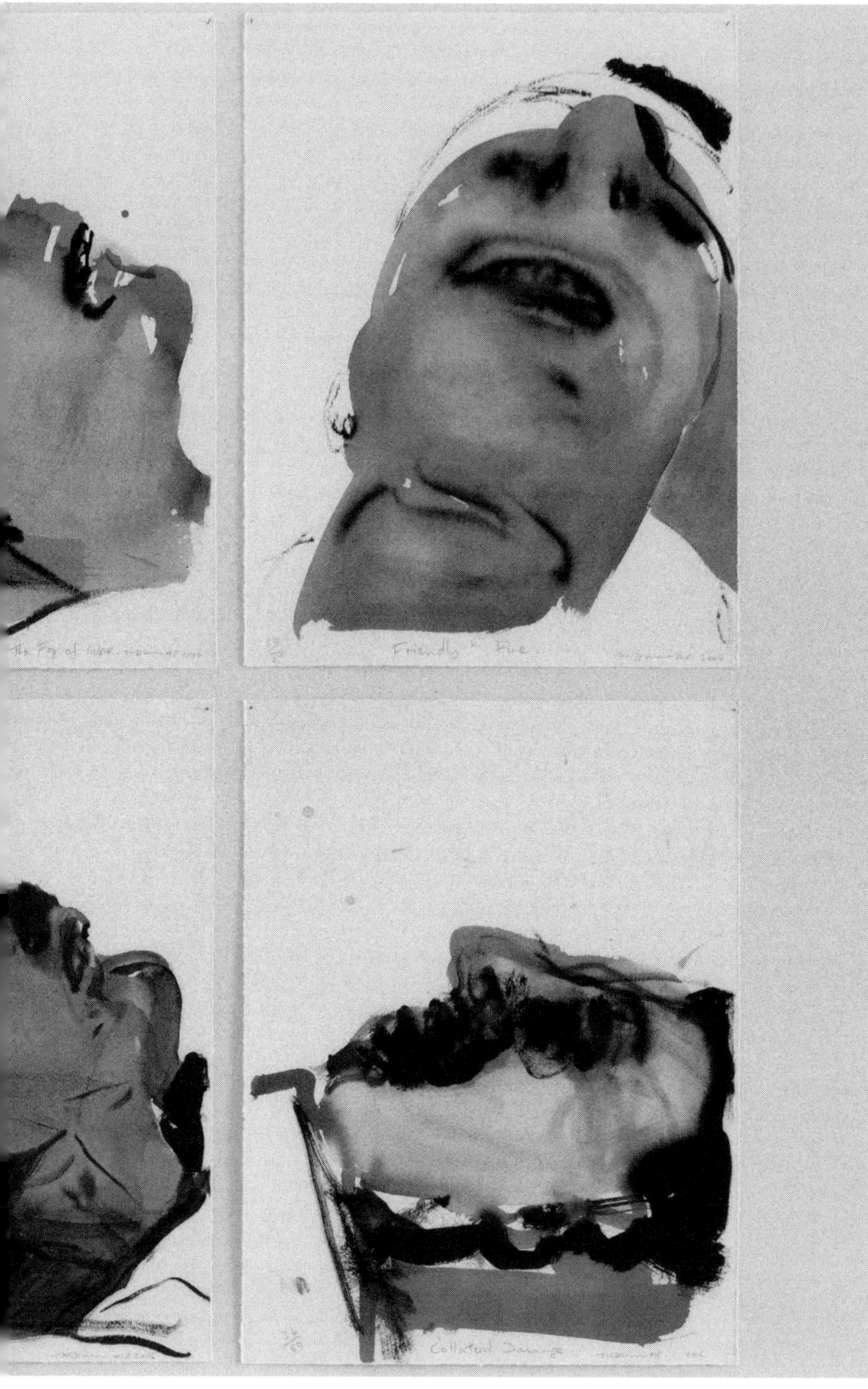

クスする。でも、それは自分の表現のためではなくて、「あなた」のことに興味があるからなんです。つまり、私が私を見る、そんな観客であるという意識がある。だから、とても近づきながら、すごくひいて考えているのです。

SG—『The Fog of War』と題された一連の作品を観た時、同じことを思いました。描かれているものは死者なんだけれど、死者との「語らい」というか、普通なら、死者はすごく離れたものなのに、近づいてゆく作業をあなたはやっている。深く近づいていく。そのことを強く感じました。死は恐いもの。でもここでは、愛に似たプロセスになってゆく。それを感じるんです。

MD—すごくいいコトバです、ありがとう。愛そうとすることは、とても難しいこと。日本にもあると思いますが、アフリカの哲学には、死者がいつも傍にいるという考え方もあります。身体はそこにあっても、魂だけがどこかへ行く。でも消えてしまうのではなく、近くにいる。物質的なもの、非物質的なもの。ほら、この紙みたいな（と言って触わる）形あるものと、上に描かれたイメージ。それは物質的にあるわけでもない。私は、フランケンシュタインをつくろうとしているのではなくて、あくまでペインティングを描いていて、愛や、人と人のあいだにある感情的なものを扱おうとしているのです。物質に頼って、メタフィジカルなものをね。

SG—そうですね。絵は、魂の「抜け殻」ではない。すべては空っぽで、どこかに超越的な存在がいるというのではなくて、あなたの場合は、描かれたものが魂そのものと言っていい。でも、描かれた絵を、「抜け殻」でも「死んだもの」にも見えなくするには、いくつもポイントがある。人間の形、表情、まなざし……。それらにあなたはこだわってきましたよね？

MD—私の作風には「テクスチャー」が重要なのです。そして動き。たとえば書の中にあるような動きです。最近の中国の絵とかは、あまり好きでないものが多いけれど、私は絵がどのように「動的」に描かれているかに興味がある。描き方のスピード。描くアクション自体がまるで音楽のようにというか、とても大切なのです。

だから私はリアリストではない。ポラロイドや写真を使うのは、「あなた」の姿を捉えておきたいから。そして、そこから解き放ってあげたいから……。

SG－今聞いていて、あなたの作品の秘密のひとつがわかったような気がしました。それは、「流動する」ということ。絵画は絵具や紙やキャンバスといったマテリアルなんだけれど、その上を変化しながら動いてゆく。そうすることで生き物にするのですね。バイタルフォースをつくり出す。

MD－プロセスの中に、「あるもの」を感じるんです。

SG－ところで、あなたはポラロイドや、新聞記事の写真を使う。スケッチもする。我々が生きているこの世界から、どのようにイメージするのですか？

MD－例を見せましょう（と言ってカタログを繰る)。「ブロークンホワイト」という作品は、白がすごくベタッと塗ってある作品です。あらかじめこういうのが欲しいというイメージがあったので、荒木さんの写真の中から、探して描きました。

他のシリーズで、すごくセクシュアルなものとか、動物とかも描いていますが、それはいろんな人から送ってもらった写真をもとにしたりしているのです。でも、その全部を描くのではなくて、部分だったり、あれとこれが時間を超えて繋げていったり。

SG－いろんなイメージが交じりあっていくんですね。

MD－そうです。「マンカインド」の時は、テーマは戦争でした。人々がどんなポーズを、どんな場面でするのかが面白いと思ったのです。

それからたとえばアメリカでは、死者の顔を見せたりはしない。そのような文化的違いの中で、ポートレイトというものがどのように違うのだろうか。でも、それを直接出すのではなく、たとえば自分の娘のこととか、個人的なことも社会の中に混ぜ込んでいくのです。

SG－あなたは人間や動物を描く。それ以外のものは描かないのでしょうか。あなたの中には、アニミスティックな感覚が強くある。にもかかわらず、描いてこなかったでしょう？

MD－学校で静物画ばかり描かされていたので、それがとても嫌だった（笑）。でも今、歳をとってみて、もしかしたらできるかもしれないと思うようになりました。木を描いてそれが人のように見えたりね。同じようなインパクトで描けるのではないか。
海とかも。死ぬまでに描けたら、あなたにお見せします。

赤い上気した顔、金色のふさふさな髪。大きなジェスチャー、そしてよく動く口。
マルレーネは、実に生き生きした女性だった。「活人画」というコトバがあるけれど、僕は彼女と話しながら、デューラーやブリューゲルの絵の中から出てきた人のようだと思った。いのちのきらめきというのが、この人には強くある。その力が、時代を超える絵を彼女に描かしめている。
僕が好きで持参した、『ストリップガールズ』（写真家アントン・コーピンとのコラボレーション）の画集にサインを求めると彼女は、僕の顔を見て、すばやくスケッチを走り描きした。それは、とても奇妙な体験だった。
後日、とある日曜日。東京都現代美術館に行き、時間をかけてマルレーネの絵をゆっくり観た。そこにはいくつものポートレイトがあった。僕は彼らと語らいあう。それらは描かれているけれど、決して、死んだものではない。生々しく、そして、セクシュアルなもの。何をして生きてゆくにしても。そうでなければならないのだ。
そんな独白をつぶやきながら、僕は美術館を歩いた。かけがえのない、忘れられない午後だった。
2007.08

1953年、南アフリカ・ケープタウン生まれ。アパルトヘイト下で過ごした自身の経験をベースとした、人種差別やアイデンティティやセクシュアリティを題材とした作品を数多く制作。またメディアに流通する写真や映像を題材としアラン・チューリングやダイアナ妃などの著名人を描いたポートレートでも知られる。2015年でのアムステルダム市立美術館での大回顧展など、世界中で数多くの個展を開催。

044_Brian alfred
ブライアン・アルフレッドに聞く：ポスト・ヒューマンなこの世界に暮らして

大型の液晶モニターには、石油採取の人工島などの「この世界のどこかの風景」がアニメーション化され映しだされ、静かなエレクトロニアが会場に流れている。振り返ると、大型キャンバスに、「わざと」マスキングテープの跡をくっきりと残した風景のペインティング、あるいはまた別の壁には、アニメーションからのスティール写真のようにティピカルなシーンが、今度は小さな「切り絵」で表されている。
74年ピッツバーグ生まれ。イエール大学で美術を学んだ彼は、最初はアブストラクト・ペインティングからスタートし、そして、フラクタル・パターンなど、自然のカオスとランダムに興味が向かっていったという。
その彼が今のような、世界経済のグローバリゼーションや軍事、あるいは日常における「監視」など、ポストモダン社会の我々が住む「奇妙な世界」を極度に単純化した「具象の風景画」として描くようになったのは9・11事件があってからのことだ。

後藤(以下SG)ーきっかけはなんだったんですか？
アルフレッド(以下BA)ーあの事件が起こる前、私は「危機」に対してカオティックに表現することをテーマにしていたんです。でも事件以降は、何かが起きた時には、何が起きたのかわからない、すごく静かで、美しいけれど何か気味の悪いイメージを描いてゆきたいという方向に変わりました。
SGー作品のタイトルは「グローバル・ウォーニング」地球への警告です。ポリティカルだと思う人もいるでしょうが、実は、今ここの「我々の世界」ですね。
BAーそれは、アメリカのようで日本であり、いや世界のどこかの場所なのだけれど、資本主義により均質化してゆくこの星の姿なんです。フラットでシンプルゆえに、かえって「リアル」を感じさせてくれる。
環境問題や戦争などについて意見を述べようとしているのではなくて、それを観た人がどういうふうに考えるか、そのきっかけになるものをつくろうとしています。
SGーテーマは変わっても、あなたの作品には、すべて共通する点があるように思い

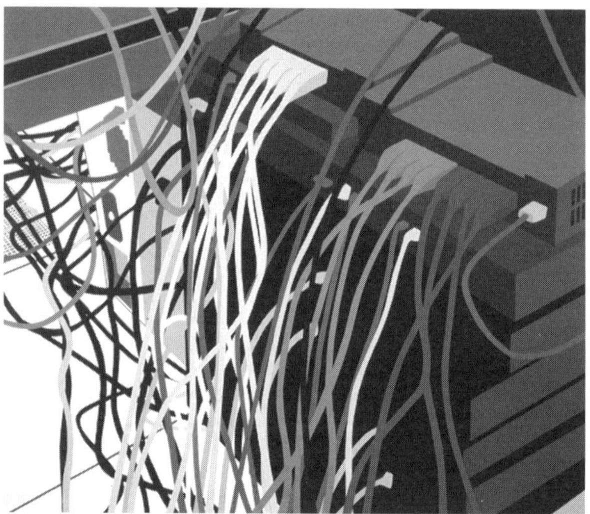

上《PARKING LOT LIGHTS》2017, acrylic on canvas, 60.8×50.8cm
Courtesy of the artist and MAHO KUBOTA GALLERY
下《Cords》2004, acrylic on canvas, 162.5×177.8cm
Courtesy of the artist and MAHO KUBOTA GALLERY

ます。それは、風景の中に人がいないということ。無人世界。軍事センターには人はいない。レーダーがただ静かに電波を出すだけ。それから彼には別にCCTVの監視カメラをテーマにした連作もありますね。
BA－これらの作品を、私は「ポスト・ヒューマン・ランドスケープ」と呼ぶのです。この作品を見てみましょう。
SG－３台の監視カメラを描いた「切り絵」ですね。
BA－このカメラたちは何を映しているか、とても奇妙だったんです（と言って駅に置かれている２つのダストボックスを切り絵にしたページを見せる）。
このごみ箱は、面白いことに２人の人間みたいに思えるんです。カメラはそれをずっと映しているんだ。でも、ダストボックスなのにね（笑）。
SG－僕はあなたの作品を観たのは初めてだったのですが、どんどん惹きつけられています。インターネットや雑誌の写真をサンプリングしたり、旅の途上で撮った「世界」の姿をあなたは使う。そしてそれをフラットな画面に仕上げていますね。我々の本当の姿だ。
BA－でも、よく言われてるスーパーフラットみたいな意識ではないんです。コラージュしてゆくことによって、今私たちが住んでる世界というのが、平坦なものの積み重ねによってできてることを見せたいのです。
たとえば、PC のウィンドウってフラットでしょう。ああいったフラットなものが出す、平坦なインフォメーションが積み重なって世界ができてるってことをね。比較されるなら、浮世絵のほうが近いかもしれません（笑）。

そのあと、彼がやっていたバンドの話題で盛り上がった。話していた時に、ふいに僕は90年代に個人的に、よく会っていたダグラス･クープランドのことを急に思い出した。そう、『ジェネレーションX』、MTV世代と言われたクープランドのことを。
それから時代も世界もずいぶん変わってしまったけれど、ブライアン・アルフレッドこそ、その次に現れたポスト・ヒューマン世代なのだなと。

別れ際に彼が新作なんだと言って、おかしそうに僕に見せた作品は、意外にもたくさんの人のポートレイトだった。300ぐらいあって、今もどんどんつくり続けているのだという。大統領の顔もあれば、日本のサウンドアーティストの竹村延和もある。

SG−どういう基準で選んでいるのですか?

BA−ただ影響された人というわけじゃなくて、日々僕の頭の中に入ってくる人たち。顔を知らない人はインターネットで調べて、ああっ、こんな人が僕に影響を与えているのかと知る。ポスト・ヒューマン・ポートレイトなんです。

彼とはまた会いたい。何か一緒に仕事をしたいと、とても思っている。

2007.06

《Momo》2007, acrylic on canvas, 30.5×22.9cm
Courtesy of the artist and MAHO KUBOTA GALLERY

1974年、アメリカ・ピッツバーク生まれ。ペインティング、コラージュ、デジタルアニメーションなどの多様な手法を用いながら、新聞やテレビ広告、インターネットなどメディアで流通するイメージのなかの現実の表象のされ方、またその受容のされ方を探る。現代を取り巻く環境をフラットに描きだしたボールドなペインティング作品で知られる。日本では2011年に文化庁メディア芸術祭のアート部門で優秀賞を受賞。

045_ Stanley donwood
スタンリー・ドンウッドに聞く：迷子たちのための地図を描くこと

不思議な言い方だが、スタンリー・ドンウッドは妖精みたいだと思った。
髪の毛も眉毛もなくて、年齢も性別も不詳っぽい。おまけに喘息持ちだから、その愛すべき薬の「吸入器」を絵に描いたりもする。

後藤（以下SG）－どうして吸入器を描こうとしたんです？
ドンウッド（以下SD）－昔の時代は、マリア様を描いて崇拝したけど、今は神様なんていない時代。だから僕は、ぜんそく薬を宗教画のように扱いたかったんだ。

彼は微笑みながらそう話しだす。
僕が彼の作品に出会ったのは、多くの人と同じように、レディオヘッドのジャケットのアートワークだった。なかでも、スペシャルブックの『Amnesiac』は図書館の貸出しカードもついた傑作な仕上がりで、今も大切に僕の本棚に収められている。
SG－あの極北の氷の国に迷い込んだようなイメージは、どこからやって来たのですか？
SD－『Amnesiac』は東京にすごく影響されてつくりました。2000年に来た時、写真をたくさん撮った。東京の、建物と空が交差するのが面白くて、モダニストの街とはちょっと違ったフレーバーを感じたんです。
今もそうだけど、プロジェクトをやる時は、とにかく歩く。どこへ行くか決めないで歩くんだよ。道に聞く、街が伝えてくれる。迷路の中に、半人半獣のミノトールがいるというイメージと重ねあわせてね。
すべての人がどこにいるのかわからなくなっている。そう、見失っている。そんな気がするんだよ。
女の子が泣いている絵を描いたんだけど、目から真珠のような涙が流れてる感じがした。ハローキテイとか、そういうキャラクターからも実は影響されているんだよ。
SG－迷子になったような寂しい感じ。これだけ物質的に幸せなのに、どうして寂しい感じがやって来るんだろう？

SD－ロストネス。

どこかにいるのに、どこにいるかわからない感覚だろうね。アングリーとかコンフューズドじゃない。たしかに、いまだ混乱はしてるんだけど、怒りではなく悲しみの方が増えてる。

でも否定的というよりも、悲しみも美しいよ（笑）。

SG－あなた自身も、この世界に迷い込んだ人みたいです。

SD－サインについての本があってね、そこに「氷が薄いから気をつけろ」というのがあって、それがとても好きなんだ。

みんなにも関係あると思うけど、子ども時代は、何をするにしてもハッピーだったのに、大人になるとみんな忘れてしまう。

SG－あなたの絵は、地図みたいな印象があります。地図と景色。自分がいるところを、とにかく描いてる気がする。それで、叫んでいるんだけど声は聞こえない。そんな感じがする。

SD－叫んでいても声がないというのは、的確な指摘だね。

僕は地図が好きなんだ。人間がつくり出したインスクリプション、描かれたものの中でも特別美しいものだと思う。

地図の面白いのは、小さな点であっても、実は大きな岩だったりする。子どもの頃から何時間もかけて、その地図の場所に行ったらどうなるのかなーと想像してたりした。

レディオヘッドの『Hail To The Thief』のジャケに使った絵も、チェチェンとか、カブールとかロンドンとか、いろんな街の地図をもとにして描いた。

SG－常にダイアリーとかメモとかしてるのですか？

SD－（カバンからノートをとり出して）もう何十冊も溜まってる。夜中に思いついて書いたり、切り抜きを貼ったり。書き留めないと、すべてなくなってしまうからね。

SG－最後の質問です。とても変な質問かもしれないけれど（笑）。

自分は死んだら、生まれ変わると思う？

SD－僕は日本人みたいなアニミスティックな感覚が好きだよ。でも、ぜひ還ってきたくないね（大笑）。
SG－僕もすべて消えちゃう方が好きですね。
炎とかも。
SD－僕は木が好き。どんどん大きくなって、最後倒れちゃう木になりたいとは思っているよ（笑）。
2008.07

「I Love the Modern World」2008.4.2-26
東京画廊+BTAP（東京）での展示風景　撮影：Kei Okano
Courtesy of Tokyo Gallery+BTAP

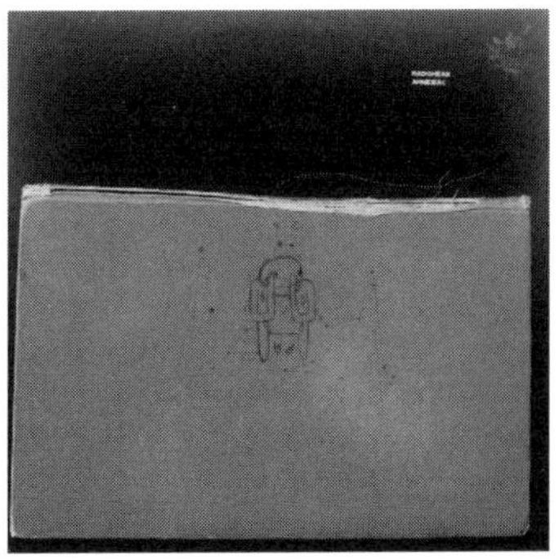

Radiohead『Amnesiac』Capitol（2001）

1968年、イギリス・エセックス生まれ。エクセター大学在学中にトム・ヨークと出会い、1994年からイギリスのバンド、レディオヘッドのすべてのアルバムのカバーやポスターなどのデザイン手がけている。2002年にはアルバム『Amnesiac』でグラミー賞、ベスト・レコーディング・パッケージ・アワードを受賞した。

046_Rita ackermann
リタ・アッカーマンに聞く：自分の未来がどうなるか、誰にもわからないようにね

「東京に来てから、ずいぶんたくさんポラロイドを撮ったわ、いろんなところを歩き回って」
金色の長い髪の間から、灰色がかったブルーの瞳をキラキラ輝かせ彼女は楽しくてたまらない。小柄でジーンズの上下に身を包んだ彼女が、誰もいないがらんとしたフロアの上に立っていた。外では突然ひどい雨が降りだし、壁の向こうから雷の響く音が聞こえてくる。その子どもみたいにはしゃぐ姿を、僕はなぜかエロティックだと思って見ていた。
リタ・アッカーマン。何だか、記憶のデータが消されたような奇妙な気分がした。
「ファスシネイション（魅力）」
彼女はそう言った、何でも知っていると言わんばかりに僕の目をのぞき込みながら。

「この街にいると、初めてニューヨークに行った時みたいな気がする。あの右も左もわからなかった頃。洋服とかだけでなく、手の使い方とか、コミュニケーションの取り方とか、すべてが興味深い。街中エキサイティングなことばかり。全然違う。勇気のある人たちだなと思うわ」

渋谷のセンター街の雑踏の中を歩き回り、雑誌を手にし微笑む。彼女は学生時代にハンガリーからニューヨークへやって来た。そしてそこでイラストを描き、瞬く間に、90年代の「ガーリー・カルチャー」のシンボルになった。
目がつり上がった少女たちが遊び続ける、永遠に時間が停止したかのようなユートピックな世界は、ニューヨーク、東京、そしてパリ、ロンドンであっという間に人々に魔法をかけた。

「日本は伝統もあるけど、もっと想像力豊かで、自分がこうなりたい、こう見えたいと思うことに対して正直だと思う。何かを好きになろうという情熱を感じるわね。私は

ハンガリーから出たこともなく、外の世界は想像するだけだった。それからニューヨークで、ありとあらゆることを経験し、もう何も私を驚かせるものはないぐらい（笑）。私はニューヨークで学校に行ったりしなかったから、生活の中から、ストリートから、自分の経験のすべてを学んだ。同じ消費社会でも、東京はポジティブで、ニューヨークはとても悲しくてネガティブに思えるわね。ニューヨークの人たちは何かあらゆることに飽き飽きしてるような気がするから。あんまり速く動くせいで、幸福感を得られなくなってるのかしら。少しだけ情熱を失ってるわ。でも、この街じゃまだトレンドもノイローゼ的だけど、とても面白い」

彼女にとってこの街は遊び場だ。遠くのプレイゾーン。
彼女のデザインした服は東京では売られているが、ニューヨークでは売られていない。ニューヨークでも売ればいいのになぜ？　って周りは言うのに。

「アートでは違うのにね。私はアートについてはよくも悪くもニューヨークで判断されたいと思っている。でも、服は、私にとって好きだからただやりたいだけ。ニューヨークで判断されたくない。趣味のように楽しみたいのよ。だって、ニューヨークで発表しても、2カ月間はあらゆる雑誌で取り上げられ、注目され、その後は無視される。「リタ・トレンドは終わり。次は？」みたいなことをされたくない。東京は、いろんなトレンドをすべて共存させていて、批判的な街じゃないでしょ」

僕はギャラリーの壁にリタを立たせ、何通りもポーズをさせてポラロイドで彼女を撮る。浮かびあがってくる写真を見たいと彼女はねだる。どうこれ？
「うん、悪くない」

僕と彼女は『ワールド・ウォー——私の頭蓋骨の周りの世界戦争』というタイトルの

絵の前にテーブルと椅子を出して座って話している。

後藤(以下SG)－告白すると、僕はあなたが描く少女の絵が「ガーリー・カルチャー」の代表みたいに言われてもてはやされていた時は、あまり関心がなかった。でも、作風を転換して、大きなキャンバスにトランスペアランス時代のピカビアみたいなイメージの重ね描きした作品をソーホーのギャラリーで観てから、すごく好きになってしまったんです。
アッカーマン(以下RA)－私は常に変化の流れの中にいて、何を自分の中から外に出したいのかということに、いつも正直でいたい。それがあなたへの答えね。それが目に見える違いとして作品にあらわれているんだと思うわ。女の子のドローイングも、あの頃の私の中から、とてもダイレクトなものだった。それから私自身が成長したんだと思う。
あのような物語性のある絵を描くことが自分にとっては新しい挑戦じゃなくなったのね。これからもまた作風は変わると思うし……それがどうなるかはわからないけど。自分の未来がどうなるか、誰もわからないのと同じようにね。
SG－人はアートを確認する時、見えている形だけで判断しがちなんだけれど、あなたが最近の絵画作品でやろうとしているのは、「精神のある状態」それも、自我の中にある複数性について描こうとしてるような気がする。
RA－そう思う。『レベレーションズ』はそのパーフェクトな例よ。
私は何かひとつのものに集中して描き始めると、絵の内側にどんどん入り込んでしまう時がある。女の子たちのドローイングとか、このボールペンで描いた作品なんか特にそう。でも意識を切り替えれば、ちゃんとまた外に出てこれる。バランス。結局、私はすごく入り込んでバランスを崩すのが好きなのね。その情熱のせいで何もかもが重苦しい時もあるわ。
SG－この作品だって、ほとんどアウトサイダーの人が描いた絵だって言っても信じる人がいるでしょう？　そういうスタイルを採用して、引っ張られたりしませんか？

RAーそうね、分裂症の人が描いたものって言っても不思議じゃないわね。でも私はいつも自分の精神をそこまで持っていくの。アーティスティックな集中の方法って言うか。

私は芸術心理学を勉強したから、もちろん分裂症患者の作品もスタディしてるけど。

SGー帰ってこれなくなるっていう心配は？

RAーいや、逆に癒しになるのよ。作品をつくることで、極限的な精神を外側に出すわけだから。実際に作品をつくる時に私の頭がヘンだったわけでもないし、作品をつくっている時、発狂の恐怖に襲われたりもしない。

でも、あとから見ると、意識して、そしてコンセプチュアルに「恐怖」を表現しようとしていたんだと気づくのね。人に恐怖を感じさせるイメージ。そしてそれを消すイメージ。それらを重ねて描く。見えないけれど、でも感じることはできるのよ。

私はただ「編み物」を編むように無意識に手を動かす。すると、もう、ディテールしか目に入らなくなる。イライラするけれど完成するのに４カ月も５カ月もかかってしまうわ。

SGーアウトサイダー風の作品を描くには、すごく「客観性」が必要でしょう？　そのために心掛けていることはありますか？

RAー実はね、私が前に描いていた女の子たちは写真を見て描いたわけでもなく、想像から生まれたイメージだった。そして私はその想像の世界に浸っていたの。一種の絵日記ね。描いているときに入り込みすぎて、自分があの子たちのような気がしてきて、危険を感じたの。絵が私をコントロールし始めて、絵を通して自分を知るようになってきて。だから、逆に、客観的になるという自分の精神の実験をしたんだと思う。

私はもともとちっとも客観的な人間じゃない。だから、無理矢理、自分にこんな作品を描かせたのよ。

完璧に客観的になる必要がある。コントロールしなくてはいけないと思った。一見すると、この展覧会場にある絵は、何もコントロールしてないかのように見えるけど、実はすべてのプロセスをコントロールしてる。トリックね。見ると、私の頭がおかしくなったんじゃないの？　って思われる可能性も充分にあるのよ。
SG－今の時代って、街を歩いてても一見普通に見える人の方が狂気のテンションを秘めていたり、正常と狂気っていうものをセパレートできないでしょう。
だから、あなたが戦略的に、意識的にそういう実践をしてるのがすごく面白い。
RA－ええ、私もそう思うわ。正常と狂気の境界線は、今や糸よりも細い。すべての人がその線の上を歩いていて、落っこちてしまう可能性があるんだから。
SG－それからあなたの作品にはかならずスイートなものとスケアリー、怪物的なところが同居してるでしょう。その感覚ってどこからくるのかな？
RA－強い作品、たとえば音楽でも映画でも何でもいいわ。強い物にはいつも相反する物が同居してる。人は両面に魅了されるものよ。
私は「完璧にいい人でありなさい」なんていうような独善的な宗教なんて信じない。人の中にはいつだって悪が存在してるんだから。
だから、強い作品っていうのは、その人生を通過して、悪の存在も尊重すべきだってわからせるようなものであるべきね。私は悪にも惹かれている。けれど善の比重の方が重いから、共存する悪と、作品を通して戦うことができるんであってね。私はすべての人と同じように悪にもすごく惹かれるのよ。
SG－それは解決っていうか、「答え」のないプロセスですね？
RA－ええ、神を信じるか、信じないか、人にできるのはその決断だけね。
SG－ところで、僕は今あなたが描く絵のことを考えていて、突然、資本主義世界の隙間から出現してきた、おとぎ話のような気がした。グリム童話みたいな。
RA－童話……そうね、私は童話で育ったの。私の作品は、アニメでもなく、漫画でもなく、絵本ね……それは私の人生において大きなポイントね。
常にその要素は私に中に残っているでしょう。子どもの頃の思い出、もっとも純粋なものに触れたいと思う時、私はいつも童話に行くような気がするわ。
インタビュー時間がオーバーして突然会話は終わった。別れ際に僕は、あの絵の中の女の子たちはリアルな存在だったの？　と聞いたが彼女はただ笑って、
「フィクショナルよ」とかわした。
名前はないの？　と続けて聞くと、うーんとうなって、
「ありません……そういうことにしておきましょうよ」と苦笑いをした。
時間が許せば、もっともっと話したろうにと思った。また、いつか会うのかもしれないなとぼんやりと思う。
数日後、離日前の彼女から東京でつくった作品が届いた。滞在中に作品をつくってよと僕が頼んでおいたものだった。
見開きの紙には、雑誌に載ったコギャルたちがコラージュされていて、「THE FAMILY KEEP THE BALANCE, HOLD ON? THE SIMMETRY」と荒っぽく手書きされていた。
1999.09.02

1968年、ハンガリー・ブタペスト生まれ。ハンガリー芸術大学卒業後、アメリカに移住。童話などからヒントを得たフェミニティをテーマとした作品を制作。近年は「Mama」シリーズなど、より抽象度の高いペインティングに挑んでいる。ファッション業界とのコラボレーションでも知られるほか、映画監督のハーモニー・コリンともコラボレーションを行なっている。2021年、ファーガス・マカフリー（東京）でアンドロ・ウェクアとともに展覧会「Chapter 4」を開催。

あとがき

本書は、『アート戦略／コンテンポラリーアート虎の巻』の続編として構想された。コンテンポラリーアートの「力」はどこから生成されてくるのか？　この『アート戦略２／アートの秘密を説きあかす』は、このテーマをインタビューという手法を使ってリサーチしたものだと考えている。

僕は学生時代に京都で過ごし、編集の仕事を独学で始め、23歳の時に、縁あって東京に出てきた。その時は、こんなにもたくさんの人をインタビューするとは思っていなかったし、自分の仕事の中でアートの領域が大きなものに成長するとは予想していなかった。人生はあらかじめ設計図があるわけでなく、そのつどつどの「出会い」そしてそのリアクションによって、遺伝子が組み替えられ、変成されていくのだと実感する。とりわけインタビューで出会ったアーティストたちは、僕に行く先をスフィンクスのように謎を問いかける重要な使者であった。それは今も変わらない。
アーティストへのインタビューは、京都での学生時代に、画家の辰野登恵子や、もの派の小清水漸に取材したのが始まりだった。思い返すと、1970年代初頭の、コンセプチュアリズムとモノの分裂に心をとらわれていたのだろう。
その後、東京に出て編集の仕事を本格的にやるようになったが、日本人のアーティストで今も強く印象に残っていて、特筆すべきは古沢岩美、須田剋太、福沢一郎、野見山暁治、河口龍夫らだろう。そして、他にも同世代だと大竹伸朗がいる。

しかし、１人特別なアーティストを挙げろと言われたら、岡本太郎を挙げなくてはならないと思う。インタビューはたしか３度ぐらいしたが、それは僕がまだ、20代の後半か30代の頃、1980年代の頃だった。青山のアトリエ（今は美術館になっている）で、彫刻たちが植物に混じって異星人のように集まっている庭を見ながら、太郎さんにインタビューするのはかけがえのない体験だった。太郎さんはいつもエネルギーの塊だったが、口癖のように「僕は絵を描きたいんじゃない。表現がしたいんだ。衝動を表現したいんだ」と繰り返した。
その時は、それが「対極主義」の話だとは、まだわかっていなかったが、「アート思考」に直に触った強烈な体験だった。岡本太郎の主義は、パリでの親友たち、ロジェ・カイヨワ、ジョルジュ・バタイユそしてシュルレアリストたちの思考との交歓から生みだされたものだ。とりわけ重要なのは、ヘーゲルの「精神現象学」を学ぶ中で生まれた違和感だ。いわゆる「正（テーゼ)、反（アンチテーゼ)、合（ジンテーゼ)」への疑義である。生きていること自体が矛盾そのものであり続けるのだから「合」などないのだと彼は気づいた。
「アート思考」や「アート戦略」、そして「アート実践」は、岡本太郎が体現して示したように「矛盾」に満ちている。エンドレスな矛盾の運動体。時代が最悪だろうが、それは独り運動をやめない。矛盾体であることを受け入れよ。なおかつそれに自らが「成る」のだ。アーティストからの感染が僕を形づくってきたのだと、本書をまとめながら改めて痛感した。

ここに収録した「インタビュー」はこの20年ほどの間のものに限った。収録以外にも過去には重要なアーティストがいたし、さらに新たに収録すべきアーティストはたくさんいるが、ひとまず46人とした。また、現代写真アートの分野のアーティストたちも、割愛した。それはまた、一冊にまとめたいと考えている。

本書の発刊にあたり、初出の雑誌やウェブにおいて、お世話になったたくさんの担当編集者、優れた通訳者の方々への感謝を捧げたい。
同時に、インタビューの許可、そして掲載許可、図版提供をしていただいたアーティスト、ギャラリー、美術館の諸氏にも同じく感謝するしだいである。
また、前著『アート戦略／コンテンポラリーアート虎の巻』に引き続き出版を快諾してくれた光村推古書院、合田氏に感謝を記しておきたい。さらに、的確なデザインで本書をまとめあげてくれた畏友・林修三、編集の山下萌子にも感謝の意を表したい。

現在ほど、「アート戦略」や「アート思考」が重要な時代はない。前著『アート戦略／コンテンポラリーアート虎の巻』をアップデートした授業を、京都芸術大学の通学部での授業「コンテンポラリーアートストラテジーゼミ」、そして社会人を対象とした通信大学院「GOTOラボ」、加えてCAMPFIREで開講しているオンラインサロン「スーパースクールA&E」などで日常的に行なってきた。
今後も、さらなる作業を進めていきたいと考える。

2021年　後藤繁雄

初出一覧

第1章

001 草間彌生に聞く：離人カーテンの向こうにあるもの
「離人カーテンの囚人」『太陽は笑っている』リトルモア、2002年

002 名和晃平に聞く：加速化する消費文明に抗い続けること
「アートワールドに提出された、「Throne」という名の「空座」の問い。 彫刻家・名和晃平」
（連載「ビジョナリーズ（1）」）FINDERS、2018年9月19日、https://finders.me/articles.php?id=387

003 杉本博司に聞く：江之浦測候所のヴィジョン
「頭脳で価値を生成せよと、新しい写真の神は告げている。アーティスト・杉本博司」
（連載「ビジョナリーズ（3）」FINDERS、2019年4月19日、https://finders.me/articles.php?id=920

004 田根剛に聞く：未来へのイマジネーションと記憶
「「未来の記憶」は、どんな「建築の未来」をつくるのだろう？　建築家・田根剛」
（連載「ビジョナリーズ（2）」）FINDERS、2019年3月14日、https://finders.me/articles.php?id=799

第2章

005 アイ・ウェイウェイに聞く：今与えられた状況から学ぶ
「アイ・ウェイウェイ×後藤繁雄　私は、今日この場所で、この状況で、どう表現したらいいかを常に学んでいる。」
（連載「後藤繁雄の非定型対談 26」）『high fashion』2009年10月号

006 ジェーン・アレクサンダーに聞く：美しい絵をつくり出すのではなくて、ものごとを理解するために
「ジェーン・アレクサンダー　コラージュで違う何かが生まれる。それを「マジック」と呼んでいます」
（連載「GO TO MEET THE ARTIST TODAY」）『エスクァイア日本版』2006年7月号

007 インゴ・ギュンターに聞く：テロの兵器を、アートに変えること
「インゴ・ギュンター　テロの兵器を、アートという兵器にかえること」
（連載「GO TO MEET THE ARTIST TODAY」）『エスクァイア日本版』2007年2月号

008 アーノウト・ミックに聞く：見たイメージを身体や脳を使って「消化する」ために
「アーノウト・ミック」（連載「後藤繁雄の来日アーティスト・ショートインタビュー　vol.29」）『アートコレクターズ』2013年11月号

009 サシャ・ヴァルツに聞く：カラダ、愛、暴力。その3つをめぐること
「サシャ・ヴァルツ×後藤繁雄　カラダ、愛、暴力。その3つをめぐるサシャ・ヴァルツとの午后」
（連載「後藤繁雄の非定型対談 17」）『high fashion』2008年4月号

010 リチャード・フォアマンに聞く：私は不安定で居心地の悪さを探している
「リチャード・フォアマン　僕はクレイジーにはなりたくないと思っている」
（連載「表現の向こう側へ」）『エスクァイア日本版』2007年4月号

011 ジュン・グエン＝ハツシバに聞く：この世の、すべての難民に捧げる花
「ジュン・グエン・ハツシバ　この世の、すべての難民に捧げるための花」）『エスクァイア日本版』2007年12月号

012 蔡國強に聞く：爆発。それが導き、生みだすもの
「蔡國強×後藤繁雄 爆発。それがみちびき、生み出すもの」（連載「後藤繁雄の非定型対談 14」）『high fashion』2007年10月号

第3章

013 オラファー・エリアソンに聞く：私が「問い」として提出しているのは「個人と環境の関係」だ
「オラファー・エリアソン　リアリティというものといかに人が交渉しあえるか。」
（連載「GO TO MEET THE ARTIST TODAY」『エスクァイア日本版』2006年9月号

014 エルネスト・ネトに聞く：根っこにあるセンシュアルな部分、感覚的な部分を自由にすること
「エルネスト・ネト　この宇宙の中で、サイレンスである場所」
（連載「GO TO MEET THE ARTIST TODAY」）『エスクァイア日本版』2006年11月号

015 マリオ・ガルシア・トレスに聞く：今、コンセプチュアルなアートであること
「マリオ・ガルシア・トレス　今、アートにおいて、コンセプチュアルであるということ。」
（連載「表現の向こう側へ」）『エスクァイア日本版』2009年3月号

016 ジム・ランビーに聞く：常に質問に対する答えもオープンでありたいね

「ジム・ランビー　コンセプチュアルだからと言って、ドライである必要はないね。」
（連載「表現の向こう側へ」）『エスクァイア日本版』2007年11月号
017 ペーター・フィッシュリ＆ダヴィッド・ヴァイスに聞く：フィッシュリ＆ヴァイスへの３つの質問
「フィッシュリ＆ヴァイス フィッシュリ＆ヴァイスへの３つの質問。」
（連載「表現の向こう側へ」）『エスクァイア日本版』2009年４月号
018 リー・ミンウェイに聞く：作品が観る人の個人的な歴史やストーリーが投影されるプラットフォームになるために
「リー・ミンウェイ」（連載「後藤繁雄の来日アーティスト・ショートインタビュー　vol.18」）『アートコレクターズ』2012年11月号
019 ジョーン・ジョナスに聞く：パフォーマンスと魔術、ダンテとともに
「ジョーン・ジョナス パフォーマンスと魔術。ダンテと旅する。」
（連載「表現の向こう側へ」）『エスクァイア日本版』2008年11月号
020 サイモン・フジワラに聞く：アートをメディア別に考える人がいるけど、それって、結構古臭い考え方だと思う
「サイモン・フジワラ」（連載「後藤繁雄の来日アーティスト・ショートインタビュー　vol.10」）『アートコレクターズ』2012年10月号
021 荒川 医に聞く：パフォーマンスというアーキテクチャ
「荒川医」（連載「後藤繁雄の来日アーティスト・ショートインタビュー　vol.30」）『アートコレクターズ』2014年１月号

第４章
022 アントニー・ゴームリーに聞く：「私」は誰なのか。どこからやってきたのか、どこへ行くのか
「アントニー・ゴームリー 「私」は誰なのか。どこからやってきたのか、どこへ行くのかと。」
（連載「GO TO MEET THEARTIST TODAY」）『エスクァイア日本版』2006年３月号
023 ビル・ヴィオラに聞く：意識の流れ。新しい時間の考え方が出現している
「ビル・ヴィオラ　意識の流れと、時間をめぐる短い対話」
（連載「GO TO MEET THE ARTIST TODAY」）『エスクァイア日本版』2007年１月号
024 レイチェル・ホワイトリードに聞く：「ロストネス」を超えてゆくために
「後藤繁雄×レイチェル・ホワイトリード　ロストネスを超えてゆくこと／ペーソスとともに」
（連載「後藤繁雄の非定型対談 19」）『high fashion』2008年８月号
025 マーク・マンダースに聞く：コトバとモノ。私にとってコトバは立体物なんです
「マーク・マンダース」（連載「後藤繁雄の来日アーティスト・ショートインタビュー　vol.40」）『アートコレクターズ』2015年６月号
026 フィオナ・タンに聞く：イメージが私たちに何をするかということ
「フィオナ・タン　過去を集めて、未来とするということ。」（連載「表現の向こう側へ」）『エスクァイア日本版』2007年７月号
027 シュテファン・バルケンホールに聞く：「実存的な問い」のためのリサーチ
「シュテファン・バルケンホール　バルケンホールとの、写真にまつわるいくつかの応答。」
（連載「表現の向こう側へ」）『エスクァイア日本版』2008年4月号
028 ミン・ウォンに聞く：アウトサイダーという立場を選ぶこと
「ミン・ウォン」（連載「後藤繁雄の来日アーティスト・ショートインタビュー　vol. 5」）『アートコレクターズ』2011年８月号

第５章
029 アーロン・ローズに聞く：コンテンポラリーアートという逃げ道
「後藤繁雄×アーロン・ローズ　アートは、未来への希望を与えてくれる／アーロン・ローズとの対話」
（連載「後藤繁雄の非定型対談 23」）『high fashion』2009年４月号
030 アニエス・ベーに聞く：アートの持つ「力」について
「後藤繁雄×アニエス・ベー　若さ／アドレッサンス／いのちの力 ―その物語と収集と」
（連載「後藤繁雄の非定型対談 24」）『high fashion』2009年６月号
031 ハンス・ウルリッヒ・オブリストに聞く：キュレーションという戦略
「後藤繁雄 × ハンス・ウルリッヒ・オブリスト　新型、高速、戦略。アートキュレイションは世界を動かす。」
（連載「後藤繁雄の非定型対談 21」）『high fashion』2008年12月号
032 ジョン・ワーウィッカーに聞く：同じ時代に生きるということ
「後藤繁雄×ジョン・ワーウィッカー　デザイン・人生の旅。このフローティングワールドで、共に生きる友人との午後」

（連載「後藤繁雄の非定型対談 28」）『high fashion』2010年4月号
033 ヴォルフガング・ティルマンスに聞く：この世界を「アストロノミカル（天体的）」に見る
『invisible man/magazine』アートビートパブリッシャーズ、2019年
034 ディエゴ・コルテスに聞く：エクストリームでラディカルであること
「ディエゴ・コルテス」（連載「後藤繁雄の来日アーティスト・ショートインタビュー　vol.17」）『アートコレクターズ』2012年10月号
035 テセウス・チャンに聞く：アートと編集とキュレーション
「テセウス・チャン」（連載「後藤繁雄の来日アーティスト・ショートインタビュー　vol.20」）『アートコレクターズ』2013年1月号

第6章
036 ジグマー・ポルケに聞く：トランスフォーメーション
「ジグマー・ポルケ　関係が意味を生むんだよとポルケは言った」
（連載「GO TO MEET THE ARTIST TODAY」）『エスクァイア日本版』2006年1月号
037 ショーン・ランダースに聞く：アートにおいて正直であること、共感を求めて
「ショーン・ランダース　アートにおいて正直であること、共感を求めて。」
（連載「GO TO MEET THE ARTIST TODAY」）『エスクァイア日本版』2006年12月号
038 リュック・タイマンスに聞く：「帝国」の中で「絵」が闘うということ
「リュック・タイマンス　今、「帝国」の中で「絵」が戦うということ ― タイマンスの戦術。」
（連載「GO TO MEET THE ARTIST TODAY」）『エスクァイア日本版』2006年8月号
039 デニス・ホリングスワースに聞く：ボディを絵画に取り戻す
「デニス・ホリングスワース　絵とは、自分を見失う旅をするようなものなのです」
（連載「表現の向こう側へ」）『エスクァイア日本版』2007年9月号
040 アンドレアス・グルスキーに聞く：制作において一番重要なのは、「視覚的なアイデア」だ
「アンドレアス・グルスキー」
（連載「後藤繁雄の来日アーティスト・ショートインタビュー vol.26」）『アートコレクターズ』2013年8月号
041 リー・キットに聞く：アートは役立つものだと考えるのは違うのではないかと思うのです
「リー・キット」（連載「後藤繁雄の来日アーティスト・ショートインタビュー　vol.41」）『アートコレクターズ』2015年7月号
042 ミリアム・カーンに聞く：私の絵は「ドローイング」と繋がっている、ある種のパフォーマンスです
「ミリアム・カーン」（連載「後藤繁雄の来日アーティスト・ショートインタビュー　vol.13」）『アートコレクターズ』2012年5月号
043 マルレーネ・デュマスに聞く：どのように「動的」に描かれるかに興味がある
「マルレーネ・デュマス×後藤繁雄　魂と絵、そして愛と。」（連載「後藤繁雄の非定型対談 13」）『high fashion』2007年8月号
044 ブライアン・アルフレッドに聞く：ポスト・ヒューマンなこの世界に暮らして
「ブライアン・アルフレッド　ポスト・ヒューマンなこの世界に暮らして」
（連載「表現の向こう側へ」）『エスクァイア日本版』2007年6月号
045 スタンリー・ドンウッドに聞く：迷子たちのための地図を描くこと
「スタンリー・ドンウッド　迷子たちのための地図を描く」（連載「表現の向こう側へ」）『エスクァイア日本版』2008年7月号
046 リタ・アッカーマンに聞く：自分の未来がどうなるか、誰にもわからないようにね
「自分の未来がどうなるか、誰にもわからないようにね」『太陽は笑っている』リトルモア、2002年

後藤繁雄（ごとう・しげお）

編集者、クリエイティブディレクター、アートプロデューサー、京都芸術大学教授。
坂本龍一、細野晴臣、奈良美智、篠山紀信、荒木経惟、蜷川実花、名和晃平らのアーティストブック、写真集を編集。
また『エスクァイア日本版』『ハイファッション』『花椿』などの媒体でのアーティストインタビューは1,000人に及ぶ。
京都芸術大学では「コンテンポラリーアートストラテジー」「現代写真論」などの講座で、20年近く教鞭をとるとともに、近年には通信大学院GOTOラボを開講し、社会人を対象とした、優れた研究者、アートスタッフ育成にも力を入れている。著書・編書多数。

KPOキリンアートアワードのコミッティメンバー時代にキュレーションも始め、五木田智央、田名網敬一、篠原有司男、やなぎみわ、長島有里枝、澤田知子らの展覧会を行なった。
また、日本の若手登竜門のひとつであるAATMアートアワードトーキョー丸の内を小山登美夫らと15年にわたりプロデュース、審査を行なう。他にも、メディア芸術祭審査員などを歴任。
また新たなコンテンポラリーアートの仕組みづくりのために、新発想のアートフェアTOKYO FRONTLINEをオーガナイズ、実験的なコマーシャルギャラリーmagical、ARTROOMの運営にも関わる。同時に、自身でも現代写真ギャラリーG/P galleryを主宰し、Paris PhotoやUnseen Photo Fairなどの国際的なフォトアートフェアに出展。横田大輔、小山泰介、細倉真弓、小林健太らを世界に売り出すことに成功、国際的評価も高い。
さらに、プロデュースした大型美術館展「篠山紀信展 写真力」は、全国30館を超すロングラン大ヒットとなり、入場者数100万人突破した。続いて、2018年からは全国大型美術館展「蜷川実花写真展」を巡回させた。
2021年には、コロナ禍の中でGINZA SIXの吹き抜けスペースで、名和晃平の新作『Metamorphosis Garden』の企画・アートプロデュースを行なう。

●後藤繁雄ホームページ
https://www.gotonewdirection.com/
●G/P+abpホームページ
https://www.gpnewphotoplatform.com/
●後藤繁雄YouTubeチャンネル
https://www.youtube.com/channel/UCv7kr2IIlg9mUHMiEsjTnvg
●後藤繁雄のnote連載「一日一微発見」
https://note.com/ichinichiichibi/

アート戦略2　アートの秘密を説きあかす

2021年9月20日　初版発行

著　後藤繁雄
デザイン　林修三（Lim Lam Design）
編集　山下萌子（artbeat publishers）

発行人　久保田佳也
発行　カルチュア・コンビニエンス・クラブ株式会社 光村推古書院 編集部
発売　光村推古書院株式会社
〒604-8006 京都市中京区河原町通三条上ル下丸屋町407-2　ルート河原町ビル5階
phone 075-251-2888　fax 075-251-2881
http://www.mitsumura-suiko.co.jp

印刷　シナノ パブリッシング プレス株式会社

ISBN978-4-8381-0611-0